OS ADORÁVEIS

SARRA MANNING

OS ADORÁVEIS

Eles não têm medo de ser quem são...

TRADUÇÃO:
Ronaldo Luís da Silva

Novo Conceito

Publicado originalmente na Grã-Bretanha em 2012 pela Atom
Copyright © 2012 by Sarra Manning
Copyright © 2013 Editora Novo Conceito
Todos os direitos reservados.

Esta é uma obra de ficção. Nomes, personagens, lugares e acontecimentos descritos são produtos da imaginação do autor. Qualquer semelhança com nomes, datas e acontecimentos reais é mera coincidência.

1ª Impressão - 2013

Produção Editorial:
Equipe Novo Conceito
Impressão e Acabamento RR Donnelley 210813

Este livro segue as regras da Nova Ortografia da Língua Portuguesa.

Dados Internacionais de Catalogação na Publicação (CIP)
(Câmara Brasileira do Livro, SP, Brasil)

Manning, Sarra
  Os Adoráveis / Sarra Manning ; tradução Ronaldo Luís da Silva.
-- Ribeirão Preto, SP : Novo Conceito Editora, 2013.

  Título original: Adorkable
  ISBN 978-85-8163-195-0

  1. Ficção inglesa I. Título.

13-04504   CDD-823

Índice para catálogo sistemático:
1. Ficção : Literatura inglesa 823

Rua Dr. Hugo Fortes, 1885 — Parque Industrial Lagoinha
14095-260 — Ribeirão Preto — SP
www.editoranovoconceito.com.br

O Manifesto

1. Não temos nada a declarar, a não ser sobre nossa dorkidade.
2. Bazares de usados são nossos shoppings.
3. É melhor transar do que ficar na mesmice.
4. Necessariamente, o sofrimento não melhora você como pessoa, mas lhe dá assunto para blogar.
5. Experimente Photoshop, tintura de cabelo, diferentes esmaltes e sabores de cupcake, mas nunca experimente drogas.
6. Não siga líderes, seja um.
7. A necessidade é a mãe da customização.
8. Filhotes tornam tudo melhor.
9. Garotas quietinhas raramente fazem história.
10. Nunca esconda sua esquisitice, mas use-a como um escudo.

1

— **Precisamos conversar** — Michael Lee me disse de um jeito firme quando saí do provador improvisado no bazar de usados da St. Jude, que era feito de quatro cortinas de trilhos dispostas em um quadrado, diante de um espelho embaçado.

Eu não disse nada. Só olhei para seu reflexo, porque ele era Michael Lee. Michael Lee!

Ah, Michael Lee! Por onde começar? Os garotos queriam ser como ele. As garotas o queriam. Ele era a estrela da escola, do palco e do campo de futebol. Tinha cérebro o bastante para disputar com geeks, era o capitão do time de futebol diante do qual todos os esportistas se ajoelhavam e seu falso moicano mais seu All Star cuidadosamente desgastado também lhe permitiam andar no meio da galera indie. Se isso não bastasse, seu pai era chinês e ele tinha certo ar exótico euro-asiático. Ele era tão lindo que havia até mesmo uma ode às maçãs de seu rosto na parede do banheiro feminino do segundo andar da escola.

Ele poderia ser tudo isso e mais um saco de bambolês, mas, até onde eu sei, se você é um daqueles tipos populares que se relacionam com absolutamente qualquer pessoa, você não consegue ter um estilo. Para ser tudo para todas as pessoas, Michael Lee teve que se tornar a pessoa menos interessante em nossa escola. Isso deve ter lhe dado algum trabalho, já que nossa escola esbanjava mediocridade.

Eu não conseguia nem imaginar por que Michael Lee estava ali, diante de mim, de queixo empinado, insistindo que precisávamos ter uma conversa. Tão à minha frente que eu tinha uma vista privilegiada de suas maçãs do rosto inspiradoras de poetas. Também podia ver suas narinas um pouco acima, porque ele era assustadoramente alto.

— Vá embora — disse com uma voz entediada, estendendo minha mão languidamente em direção à saída do salão da igreja. — Porque posso garantir que você não tem nada a dizer que eu gostaria de ouvir.

Isso podia, facilmente, mandar a maioria das pessoas de volta ao lugar de onde vieram, mas Michael Lee só me deu aquele olhar, como se eu fosse toda fumaça e arrogância, e então se atreveu a colocar a mão em meu ombro para que pudesse virar meu corpo rígido e servil para ele.

— Veja — disse ele, sua respiração contra meu rosto, o que me fez recuar. — O que há de errado com essa imagem?

Não conseguia me concentrar em outra coisa senão em Michael Lee e seus dedos quentes de jogador de futebol americano, além de escritor de redações premiadas, em minha clavícula. Aquilo era um erro. Muito mais que um erro. Era um mundo de erros. Mantive meus olhos fechados em protesto e, quando os abri novamente, estava olhando para Barney — eu o deixara no comando de minha barraca, apesar de não ser uma boa ideia —, que estava conversando com uma garota.

Não era uma garota qualquer, mas Scarlett Thomas, que calhava de ser a namorada de Michael Lee. Não que eu tivesse isso contra ela. O que eu tinha contra ela é que ela era sem graça e tinha uma voz muito irritante, ofegante e infantil, que surtia o mesmo efeito em mim que o de alguém mastigando cubos de gelo. Scarlett também tinha cabelos loiros e compridos, que passava horas penteando, hidratando, ajeitando e jogando de um lado para o outro, por isso, se você estivesse atrás dela na fila do almoço, tinha uma boa chance de ganhar um bocado de cabelo como acompanhamento extra.

Ela estava jogando o cabelo para trás naquele instante, enquanto falava com Barney, e, sim, ela estava dando um sorriso vago e Barney estava sorrindo e abaixando a cabeça, a maneira como ele agia quando estava envergonhado. Não era uma imagem que fazia meu coração pular de alegria, porém, mais uma vez...

— Não há nada de errado com essa imagem — eu disse a Michael Lee. — É apenas sua namorada conversando com meu namorado...

— Não é a conversa...

— ... sobre equações do segundo grau. — Ou sobre uma das muitas outras coisas que Scarlett não entendia, o que a levara a ficar reprovada em Matemática, no Ensino Médio, e ter que refazer a matéria. Olhei bem séria para Michael. — Foi por isso que a Sra. Clements pediu a Barney para ser tutor de Scarlett. Ela não lhe contou?

— Ela contou, e não é o fato de eles falarem um com o outro que está errado, e sim como eles não estão falando. Estão apenas ali, fitando um ao outro — ressaltou.

— Você está sendo ridículo! — eu disse, enquanto olhei disfarçadamente para onde Barney e Scarlett estavam, de fato, fitando um ao outro. Era óbvio que eles estavam se encarando porque não tinham o que dizer, e isso era constrangedor; isso de se fitar nervosamente, porque não têm nada em comum. — Não há nada, nada, nem mesmo uma única coisa rolando. Bem, nada além de você e Scarlett estarem circulando entre os pobres em um bazar de usados — completei, voltando minha atenção para Michael Lee. — Certo, agora que já esclarecemos isso, sinta-se à vontade pra ir cuidar de suas coisas.

Michael abriu a boca como se tivesse algo mais a dizer sobre todo o não acontecimento entre Barney e Scarlett, que, agora, faziam caretas um para o outro. E então, fechou-a novamente. Esperei-o sair para que pudesse cuidar das minhas coisas, mas, de repente, ele se moveu para ainda mais perto de mim.

— Há algo acontecendo entre eles — disse, inclinando a cabeça. Senti sua respiração nas minhas bochechas. Eu queria me abanar com um gesto irritado. Ele se endireitou. — E belo vestido, a propósito.

Percebi, por seu sorriso no rosto, que ele não queria dizer aquilo, o que me fez pensar se Michael Lee poderia, na verdade, ter algumas qualidades ocultas enterradas muito abaixo da superfície de seu exterior raso.

Funguei alto e desdenhosamente, o que fez com que aqueles lábios tão peculiares se abrissem num sorriso franco antes que ele se afastasse.

— Jeane, meu amor, não leve a mal, mas ele estava sendo sarcástico. Esse vestido não é nada bonito — disse uma voz aflita à minha esquerda. Eram Marion e Betty, duas voluntárias da comissão social da St. Jude que cuidavam da barraca do bolo e policiavam os provadores. Apenas um de seus olhares severos poderia assustar o pervertido mais determinado. Eu não duvidava de que elas bombardeariam, com pedaços de bolo, qualquer um que tivesse olhos curiosos; isso caso seus olhares severos falhassem.

— Eu sei que ele estava sendo sarcástico, mas ele também está muito enganado, porque esse vestido é totalmente incrível — eu disse, dando um passo para trás para que pudesse me contemplar novamente, embora meu coração não estivesse realmente ali naquele momento.

O vestido era preto e eu normalmente não usava preto porque, oras, por que alguém ia querer usar essa cor quando havia tantas cores fabulosas no mundo? Somente pessoas sem imaginação — e os góticos, que não ficaram sabendo que os anos 1990 já tinham acabado. Mas o vestido não era somente preto; tinha alguns padrões horizontais, linhas onduladas amarelas, verdes, azuis, vermelhas, roxas, alaranjadas e cor-de-rosa que me causavam coceira nos olhos, e se ajustava tão bem ao meu corpo que poderia ter sido feito exclusivamente para mim, o que não acontecia muitas vezes, pois tenho um corpo muito estranho. Sou pequena, não meço mais que 1,50 metro, e compacta, de modo que posso até vestir os tamanhos de criança, mas fico meio robusta com essas roupas. Meu avô costumava dizer que eu parecia um pequeno pônei, isso quando não estava me dizendo que as garotas devem ser vistas e não ouvidas.

De qualquer forma, sim, sou robusta, atarracada mesmo. Assim... minhas pernas são musculosas porque pedalo muito, e sou um tipo de sólido em qualquer outro lugar. Se não fosse pelo cabelo cinza-ferro (que era para ser branco, mas meu amigo Ben treinara como cabeleireiro por apenas duas semanas e algo deu muito errado) e o batom vermelho que eu sempre uso, poderia passar por um garoto gordinho de 12 anos de idade. Mas esse vestido tinha cortes, costuras, pontas e linhas horizontais suficientes para, pelo menos, parecer que eu tinha algum tipo de forma, já que a puberdade e eu não estávamos nos dando muito bem. Em vez de curvas femininas, ela estava me deixando retangular como um tijolo.

— Você ficaria tão bonita se usasse um belo vestido em vez de todo esse material repugnante desse bazar de usados! Você não sabe por onde isso andou... — Betty lamentou. — Minha neta tem inúmeras roupas que não usa mais. Eu poderia separar algumas coisas para você.

— Não, obrigada — eu disse com firmeza. — Eu amo as coisas repugnantes da venda de usados.

— Mas algumas das roupas usadas de minha neta são da Topshop.

Foi muito difícil me conter, mas não me lancei imediatamente em um discurso retórico sobre os males de se comprar roupas de cadeias de lojas que disseminam os mesmos cinco looks a cada temporada, de modo que todo mundo se veste com roupas costuradas por crianças, pagas com copos de milho, em fábricas do Terceiro Mundo.

— É sério, Betty, eu gosto de vestir roupas que outras pessoas não querem mais. Não é culpa da roupa que ela tenha saído de moda — insisti. — De qualquer forma, é melhor reutilizar do que reciclar.

Cinco minutos depois, o vestido era meu, e eu já estava com minha saia de tweed lilás, de madame, e suéter cor de mostarda, indo para minha barraca, onde Barney folheava uma pilha de quadrinhos amarelados. Felizmente, Scarlett e Michael Lee não estavam por ali.

— Trouxe um bolo pra você — anunciei. Ao som de minha voz, a cabeça de Barney se elevou e sua pele branco-leite mostrou um tom rosado. Eu nunca tinha conhecido um garoto que corasse tanto quanto Barney. Na verdade, nem tinha percebido que garotos coravam, até encontrar Barney.

Ele estava corando agora, sem nenhuma boa razão, a menos que... não, eu não ia perder meu precioso tempo com as teorias malucas de Michael Lee, exceto...

— Então, Michael Lee e Scarlett Thomas, o que eles estavam fazendo aqui? — perguntei casualmente. — Difícil eles frequentarem este lugar. Aposto que foram embora pra se desinfetar do cheiro de coisas de segunda mão.

Barney ficou tão vermelho que parecia que tinha mergulhado a cabeça em uma panela de água quente, mas virou a cara, fazendo com que uma cortina de cabelos sedosos cobrisse seu rosto corado, e resmungou algo ininteligível.

— Você e Scarlett... — iniciei.

— Err, o que é que tem eu e a Scarlett? — perguntou com voz estrangulada.

Dei de ombros.

— É que eu a vi quando estava provando alguns vestidos. Espero que você tenha se empenhado de verdade com ela e desencalhado aquela caneca lascada, difícil de vender, dos jogadores de rúgbi.

— Bem, não, não deu — Barney admitiu, como se estivesse confessando algo vergonhoso. — E essa caneca está realmente lascada.

— É verdade. Muito verdadeiro. Não surpreende que você não tenha conseguido se livrar dela — eu disse, inclinando a cabeça, o que esperava que fosse uma maneira de demonstrar compreensão. — Vocês dois pareciam muito próximos. Do que estavam falando?

Barney agitou as mãos.

— Nada! — gritou, e percebi imediatamente que "nada" não era uma resposta adequada. — Nós conversamos sobre Matemática e outras coisas — acrescentou.

Eu estava certa de que não havia nada acontecendo entre eles, além de algumas frações compostas, mas a aparente culpa de Barney me forçava a repensar essa teoria.

Sabia que poderia arrancar a verdade dele em nanossegundos, e a verdade era que Barney tinha uma queda por Scarlett. Agradável ao olhar e nada exigente no cérebro, ela seria considerada um ótimo partido. Mas não havia nenhum motivo para ficar chateada com aquilo, embora eu acreditasse que ele fosse melhor que isso. Em todo caso, realmente não era um assunto sobre o qual valesse a pena falar por mais tempo. Era algo muito chato.

— Eu trouxe um bolo pra você — lembrei-me, e vi seus olhos irem de um lado para o outro rapidamente, como se não tivesse certeza de que minha mudança abrupta de tema significava que o assunto "Scarlett" acabara e fora resolvido, ou se fora só uma tática sorrateira para pegá-lo.

Pela primeira vez, não tinha sido essa minha intenção. Entreguei-lhe uma enorme fatia de bolo, que estava embrulhada em um guardanapo. Barney a pegou cautelosamente.

— Bem, obrigado — murmurou, enquanto descobria seu prêmio e eu observava seu rosto ir de um rosa intenso para um branco-lençol. Barney era tão branco que ficava apenas atrás do albino. Odiava sua pele quase tanto quanto odiava seu cabelo alaranjado. Na escola, os mais novos chamavam Barney de "ferrugem feioso", mas o cabelo dele não era ruivo. Na verdade, tinha cor de marmelada, exceto quando brilhava sob o sol e se tornava uma chama viva, e é por isso que eu o proibia de tingi-lo. Ele também não era feioso. Quando seu rosto não estava escondido por uma franja espessa, suas feições eram delicadas, quase juvenis, e seus olhos eram de um tom verde-água. Barney é o único garoto que já conheci cujas cores básicas eram o branco, o alaranjado e o verde. A maioria dos outros garotos era de um azul básico ou castanho, pensei, e fiz uma nota mental para explorar essa teoria da cor em meu blog, mais tarde. Então, voltei minha atenção para

Barney, que havia feito uma careta e estava empurrando o guardanapo, e seu conteúdo, de volta para mim.

— Esse bolo é de cenoura!

Balancei a cabeça.

— Bolo de cenoura com creme de queijo. Hum!

— Sem essa de hum. Isso é, tipo, anti-hum. Eu lhe pedi que me trouxesse um bolo. UM BOLO! E você volta com algo feito de cenoura e queijo. Isso não é bolo — Barney rosnou. — É um não bolo disfarçado de bolo.

Eu só fiquei olhando e esperando. Já vira Barney petulante antes e eu geralmente era responsável por isso, mas nunca o vira tão arrogante.

— Mas você come cenoura — arrisquei-me timidamente, sob o peso da carranca feroz de Barney. — Tenho certeza de que já o vi comer cenouras.

— Eu as como sob coação, e é preciso ter carne ou batatas com elas.

— Sinto muito — disse, e tentei fazer parecer que realmente queria dizer aquilo. Barney estava com um humor muito imprevisível e eu não queria provocar outra explosão. — Sinto muito se pisei na bola na escolha do bolo. Eu, obviamente, preciso trabalhar nisso.

— Bem, creio que não seja sua culpa — Barney decidiu magnanimamente. Olhou para mim por debaixo da franja, o vislumbre de um mero sorriso apenas pairando em seus lábios. — Você realmente é péssima em escolher bolos, mas é bom saber que você pisa na bola, às vezes.

— Eu piso na bola com um monte de coisas — assegurei-lhe, enquanto decidia que, provavelmente, seria bom ficar na barraca com ele. — Não sei virar cambalhotas. Nunca peguei o jeito de falar alemão e não tenho músculos faciais fortes o suficiente para arquear uma sobrancelha.

— É genético — disse Barney. — Mas acho que, se você treinar, vai conseguir.

Empurrei minha sobrancelha direita com o dedo.

— Talvez eu deva colar uma fita, mantendo-a no alto toda noite, e esperar que minha memória muscular aprenda o esquema.

— Aposto que há um guia de instruções na internet — Barney disse ansiosamente. Era exatamente o tipo de coisa aleatória e obscura que ele gostava de pesquisar. — Vou colocar meu Google-fu nisso, posso?

Éramos amigos novamente. Quero dizer, namorado e namorada novamente. Dei um pedaço do meu bolo de chocolate para Barney e, então, passei o resto da tarde aumentando a lista das coisas em que eu absolutamente pisava na bola, fazendo-o rir.

Foi muito bom. Nós estávamos bem. Embora eu me perguntasse por que tivera que me colocar para baixo a fim de fazer Barney se sentir melhor sobre nosso relacionamento, já que eu era uma feminista de carteirinha. Tipo, sério. Eu tinha a palavra "feminista" em meus cartões de visita. Mas, dessa vez, peguei o caminho mais fácil porque não podia suportar a ideia de passar três horas com Barney se lamuriando sobre aquilo. Nem sequer gritei quando ele derramou refrigerante no porta-garrafa Adorkable que eu levara séculos para tricotar.

2

Eu odeio Jeane Smith.

Odeio seus cabelos grisalhos estúpidos e suas roupas repugnantes de poliéster. Odeio seu jeito incomum de se tornar o menos atraente possível, mas ainda assim querer que todos a notem. Ela devia usar uma camiseta escrita "Ei, todo mundo! Preste atenção em mim! Agora mesmo!".

Odeio como tudo o que ela diz é sarcástico e maldoso, e parece mais sarcástico e maldoso por causa da maneira monótona e sem entonação como ela fala. Como se demonstrar emoção ou animação fosse muito chato.

Odeio o jeito como ela aproximou seu rosto medonho do meu e como ela pressionou um dedo em meu peito ao falar comigo. Mas, pensando bem, eu não tenho certeza de que ela realmente fez isso, embora fosse o tipo de coisa que provavelmente faria.

Mas, principalmente, eu a odeio por ser tão nojenta e uma desgraçada tão fora de controle que até mesmo seu namorado não consegue ficar com ela e tem que dar uma escapada. Especialmente se essa escapada é com minha namorada.

Eu sabia que Barney se sentia atraído por Scarlett. Isso era um fato. Ela realmente estava em forma. Muito, muito em forma. Sempre que íamos à cidade e chegávamos a cinquenta metros da Topshop, ela era assediada de todos os lados por olheiros de agências de modelo. Scarlett nunca ligou para essa coisa de agência porque dizia que era quase oito centímetros mais baixa que o necessário para ser uma modelo, e porque era muito tímida.

Antes de começarmos a namorar, pensei que a timidez de Scarlett fosse adorável. Mas, depois de um tempo, a timidez não é agradável e não o leva a querer proteger alguém, mas sim a ranger os dentes, discretamente, de frustração.

Ser tímido parece muito com não tentar, da mesma forma que Scarlett não estava tentando fazer nosso relacionamento dar certo. Eu estava me esforçando, ligava todas as noites para ela, pensava em coisas legais para fazer em nossas datas especiais. Comprei presentes para ela, a ajudei a configurar seu smartphone e era um namorado excelente de todas as maneiras. Seja futebol, Física Teórica ou namoro, qual o sentido de se fazer qualquer coisa se você a fizer pela metade? E não quero parecer presunçoso, mas poderia sair com praticamente qualquer garota de nossa escola — na verdade, qualquer garota de qualquer escola de nosso bairro. O fato de que escolhera Scarlett deveria ter lhe dado muito mais confiança, e ela também poderia demonstrar um pouco de gratidão.

Então, quando vi Scarlett e Barney juntos, aquilo me deixou furioso. Tudo o que já tinha conseguido de Scarlett fora arremessos de cabelo e alguns sorrisos monótonos, mas Barney conseguira olhares demorados e risinhos. Não consegui ouvir as risadinhas, mas as imaginava como minúsculos punhais de prata no meu coração, e, quando virei minha cabeça, vi uma garota baixinha, atarracada, de cabelos grisalhos, se admirando no espelho.

Jeane Smith era a única pessoa em nossa escola com quem eu nunca tinha falado. Sério. Odeio rótulos e panelinhas e toda aquela droga insossa do tipo "eles não ouvem a mesma música que você" ou "ele é um péssimo esportista". Gosto de poder me relacionar com todos e sempre encontro um assunto em comum sobre o qual falar, mesmo se as pessoas não forem tão legais.

Jeane Smith não fala com ninguém, além daquela criança do Barney. Todo mundo fala sobre ela, ou sobre suas roupas descoladas, ou sobre as discussões que arruma com os professores em cada uma de suas aulas, mas ninguém fala com ela porque, se tentar, só vai ouvir algum comentário sarcástico e um olhar superior.

Foi isso o que ouvi quando tentei explicar minhas suspeitas sobre Barney e Scarlett. Na metade da minha primeira frase, percebi meu erro, mas já era tarde demais. Eu estava tentando ter uma conversa com ela, e então ela me lançou um olhar sem vida e que, ao mesmo tempo, parecia ser muito dolorido. Como alguém poderia conseguir isso? Mas, de alguma forma, Jeane tinha dominado essa arte. Era como se seus olhos fossem pontos de laser.

Daí ela começou a levantar o queixo e a agir como uma vadia, e, de repente, qualquer que fosse a coisa estúpida que estivesse acontecendo com Barney e Scarlett não importava tanto quanto ter a última palavra.

"Belo vestido, a propósito", eu dissera, inclinando a cabeça para aquele vestido horrível multicolorido que ela usava, o que foi um golpe baixo e muito aquém de mim, mas pelo menos fez Jeane Smith se calar. Foi então que ela sorriu, e ela era uma daquelas pessoas que poderia fazer um sorriso dizer mais que mil palavras, e nenhuma delas foi boa.

Mais ou menos quando encerrei aquela pequena conversa desagradável, Scarlett e Barney terminaram aquele flerte silencioso. Ela correu para mim, seu rosto mais animado do que jamais vira.

— Podemos ir agora? — perguntou, como se tivesse sido minha a ideia de ir a um bazar cheio de porcarias velhas esfarrapadas e roupas fedorentas que não teriam sido aceitas como doação nem no centro de caridade mais furreca do mundo. Mas Scarlett queria vir, e como ela nunca sugeria coisas interessantes ou divertidas para fazer em datas comemorativas, vi aquilo como um sinal real de progresso em nosso relacionamento.

Agora, suspeitava que Scarlett só quisesse ir porque Barney estaria lá. Normalmente, eu iria direto ao ponto e perguntaria a ela o que estava acontecendo, mas algo me fez hesitar. Se eu não pudesse fazer o namoro dar certo com Scarlett, o que isso poderia dizer sobre mim? Diria que ela preferia um garoto ruivinho reclamão a mim, que... Não. Isso não era possível!

Então, apenas disse:

— Legal, mas este lugar cheira como se alguém tivesse morrido aqui dentro.

Scarlett murmurou concordando, mas, quando chegamos à porta, voltou-se e olhou para o canto onde Barney se sentava. Ele não estava olhando ansiosamente para ela, mas para Jeane, que, da forma como estava postada com as mãos nos quadris, e o semblante beligerante, devia estar fazendo-o passar por um momento difícil.

— Deus, eu *odeio* essa garota — disse Scarlett, sua voz baixa e assassina. Eu a fitei com espanto. Era a primeira vez que a ouvia expressar uma opinião. — Ela é tão má. Ela me fez chorar em Inglês uma vez, porque ela, tipo, enfiou a mão literalmente no meio de minha leitura de *Sonho de uma noite de verão* para queixar-se de minha interpretação. Pelo menos eu não falo como um robô bêbado.

— Bem, ela é um tipo meio chato...

— Ela não é um tipo de coisa nenhuma. Ela é chata — Scarlett informou-me. Ela estava cheia de surpresas. Ainda olhava para mim, enquanto eu segurava a porta aberta para ela, como se eu representasse Jeane Smith.

— Por que você está tão irritada com ela? — perguntei, enquanto caminhávamos até a rua. Eu já sabia a resposta. Scarlett estava odiando Jeane porque Jeane estava namorando Barney. Eu tinha certeza disso.

— "Eu sou Jeane Smith" — Scarlett entoou em voz mecânica, o que me fez rir, porque foi até engraçado. A Scarlett enraivecida, falando sem parar, era mil vezes mais divertida que a Scarlett que eu estava namorando. — "Tenho um milhão de seguidores no Twitter e sou uma blogueira genial e minhas roupas nojentas e meu cabelo de madame velha são, realmente, a última palavra sobre o que é demais, e se você não concorda é porque você não é uma pessoa demais. Na verdade, você é tão chato que eu não posso nem olhar para você, porque você pode acabar me infectando com seus germes suburbanos desagradáveis e entediantes." Ai! Ela é tão cheia de si.

— Ela tem um blog? Grande coisa. Todo mundo tem um blog.

— Você não viu o blog dela — Scarlett murmurou sombriamente. — As coisas sobre as quais ela fala; é inacreditável.

— Você a está "stalkeando"? — perguntei, minha voz ficando tão estridente que engasguei com a última palavra.

— Eu não estou — a voz de Scarlett, por sua vez, estava voltando a seu modo sussurrante usual. — Tenho que ler o blog dela, caso contrário, não seria capaz de juntar-me aos outros quando estão falando sobre ela, na escola.

— Seus amigos do 3º ano não têm nada mais interessante para falar do que sobre Jeane Smith?

Scarlett não respondeu, mas olhou para os dois lados da rua e, então, deu um suspiro de alívio.

— É o carro de minha mãe. Tenho que ir.

— Pensei que fôssemos tomar um café.

— Bem, sim, minha mãe me mandou uma mensagem e disse que ela estava, ah, tipo, na área. — Scarlett se contorcia insatisfeita. — Enquanto você estava andando pelo bazar. Quero dizer, foi aí que ela me mandou uma mensagem.

Eu deveria terminar o namoro, pensei. Porque não estava indo a lugar nenhum e, sim, Scarlett fez seu rostinho triste, que parecia um bebê foca pouco antes de ser morto a facadas, mas eu já tinha visto seu rosto triste tantas vezes nas últimas semanas que estava imune a ele.

— Veja, Scar, estive pensando... — comecei, mas ela já estava se afastando.

— Tenho que ir — ela gritou, enquanto sua mãe tocava a buzina. — Vejo você amanhã ou algo assim.

— Sim, a gente se vê — disse, mas Scarlett já tinha começado a correr para o Range Rover de sua mãe, que estava bloqueando o tráfego, e não havia nenhuma maneira de ela poder me ouvir.

3

Logo eram 17 horas e as hordas do bazar começaram a escassear. Tive uma boa tarde e vendi a maioria dos itens pesados, incluindo uma coleção mofada de revistas de ficção, uma pintura emoldurada horrível de um palhaço, que me dava arrepios toda vez que eu olhava para ela, e uma estatueta *art déco* de um gato preto, que tinha uma luz cravada no alto da cabeça e um fio elétrico com plugue no qual deveria estar a cauda.

Era hora de desmontar a barraca e carregar minhas caixas de plástico até o imenso devorador de gasolina quatro por quatro da mãe de Barney. Não demorou muito, porque não tivemos que empilhar as coisas no banco de trás, como de costume. Barney só passara no teste de direção havia alguns meses, o que lhe dava suores e tremores quando não conseguia enxergar através do vidro traseiro.

Mesmo que seu campo de visão estivesse completamente limpo, Barney ainda precisava de silêncio absoluto enquanto estava dirigindo, mas, assim que chegamos mais perto de onde eu morava, ficou mais difícil manter o silêncio. Esperei até que ele tivesse parado em um semáforo.

— Então, você quer entrar um pouco? — perguntei. — Ou nós poderíamos assistir a um filme. Aquele com a Ellen Page de que falamos. Ou o que você acha de...

Barney sibilou aborrecido, porque eu ainda estava falando quando o sinal passou do vermelho para o amarelo. — Desculpe — murmurei, afundando novamente no banco enquanto ele tensionava todos os músculos, ansioso pela mudança para o verde e a necessidade de dirigir novamente, sem deixar o carro morrer.

Tentei manter-me imóvel e silenciosa, e nem sequer respirei muito pesado, até que Barney estacionasse lenta e cuidadosamente na calçada do prédio de tijolos vermelhos onde eu morava.

— Então, você quer fazer alguma coisa agora? — perguntei. — Por algumas horas.

— Não posso. Você sabe que minha mãe gosta que eu passe a noite de domingo em casa, para que ela possa verificar se fiz minha lição e se lavei a parte de trás das orelhas e se afiei meus lápis e se tenho camisetas limpas o suficiente para passar a semana. — E torceu o nariz em desgosto. — Aposto que mesmo quando estiver na universidade ela vai tirar um tempo no domingo à tarde para me verificar.

— Tenho certeza de que ela não faria isso — disse, embora acreditasse que a mãe de Barney fosse fazer exatamente isso, caso Barney não tivesse um irmão mais novo que precisasse de tanta supervisão quanto ele, se não mais. Não havia muito amor entre mim e a mãe de Barney; ela achava que eu era uma má influência para seu filho e preferia, muito mais, os dias em que ele ficava em casa e não tinha vida social. Mas eu era cuidadosa em nunca levantar esse assunto com ele, porque não queria ser o tipo de garota que ficava entre um garoto e sua mãe dominadora.

— Sim, ela faria. — Barney soltou o cinto de segurança. — Vou ajudá-la a levar tudo pra dentro, mas, depois, tenho que ir pra casa.

Depois que levamos todos os caixotes e caixas e sacolas para o hall de entrada, e depois até o 6º andar no elevador oscilante, e os despejamos em minha sala, Barney respirou fundo e esperou que eu pendurasse meu casaco.

Podia ver seu rosto ansioso refletido no espelho do corredor, uma combinação perfeita com o meu. Eu odiava essa parte. A parte do beijo de adeus.

Dei dois passos para a frente enquanto Barney esticava o pescoço alguns centímetros em minha direção a fim de se mostrar disposto. Quando estávamos quase nariz com nariz, ele fechou os olhos com força e franziu os lábios firmemente até que eles se parecessem com a boca de um peixe. Além da falta de estímulo visual, quando pressionei meus lábios contra os de Barney, eles não se pareciam muito com lábios prontos para um beijo. Sua boca não estava relaxada, sua boca não era macia e moldável, e, assim, acabamos nos beijando da maneira que nós sempre acabávamos nos beijando, esmagando furiosamente nossas bocas uma contra a outra, como se o esforço compensasse a falta de paixão.

Não houve mãos buscando ou acariciando um ao outro. Barney mantinha seus braços ao seu lado e eu coloquei uma das mãos em seu ombro, com muito decoro, e não havia absolutamente nenhuma língua. Na primeira vez que tentei introduzi-la, Barney se assustou tanto que nunca mais ousei tentar novamente. Contei "um elefante, dois elefantes, três elefantes" em minha cabeça, e quando cheguei aos cinquenta elefantes, gentilmente desengatei nossos lábios.

— Estamos melhorando nisso — comentou Barney, embora exibisse um olhar aflito no rosto, como se estivesse ansioso para usar o dorso da mão para apagar a sensação fantasma de minha boca. — Você não acha?

— Definitivamente — concordei, mas ambos sabíamos que era mentira. Ou eu sabia e certamente Barney não poderia estar tão iludido a ponto de pensar que os cinquenta segundos que passamos com nossas bocas se amassando uma contra a outra fosse uma melhora.

Barney era engraçado e gentil, e sabia muitas e muitas coisas úteis sobre computadores, mas não tínhamos química, no fim das contas. Eu não tinha certeza de que qualquer quantidade de beijos poderia mudar aquilo. Ou você tem química ou não, e nós não tínhamos.

— Bem, é melhor eu ir andando. — Barney suspirou, e como ele parecia completamente desanimado por me deixar, senti um discreto alívio no ego. — Minha mãe estava fazendo sopa de lentilhas quando eu saí. Acho que sei o que tem para o jantar.

Talvez ele só não quisesse ir para casa.

— Aposto que o bolo de cenoura está parecendo muito bom agora — disse suavemente, e Barney sorriu.

— Você é tão sortuda por viver sozinha, Jeane. Ninguém para lhe dizer o que fazer. Você pode comer o que quiser, quando quiser, ficar acordada até tão tarde quanto quiser, ficar na internet até que seus olhos fiquem embaçados e...

— E se algo se quebra, ou para de funcionar, eu tenho que descobrir como consertá-lo sozinha. Tenho que fazer a limpeza e cozinhar para mim mesma, e me levar para a escola...

— Ah, não tente fazer parecer horrível — Barney zombou. — Não é como se você fizesse faxina o tempo todo, e você vive de balas e de bolo. Agora, pense em mim, indo pra casa pra ser incomodado até a morte por minha mãe, comer a sopa de lentilha repugnante e o pão caseiro superduro de mastigar feitos por ela. E é cinza — acrescentou com um estremecimento, enquanto se dirigia para a porta. — Ela diz que é culpa do germe de trigo, mas aquilo não é de nenhuma cor que um pão comestível deva ter.

Segui Barney porque ele nunca conseguia abrir a trava, e quando me inclinei para um beijo amistoso na bochecha, ele sacudiu sua cabeça para trás como se eu estivesse prestes a atacar sua boca com a língua de fora.

— Vejo você amanhã — disse Barney, buscando esconder que fugira de meus lábios como se eles estivessem infectados com bactérias carnívoras, seu rosto corando pela décima sétima vez naquele dia. — Tenho que ir!

Escutei a batida suave do tênis de Barney no parquete, o raspa-e--range quando ele puxou de volta a grade de metal e entrou no elevador e, em seguida, o zumbido dele passando pelos andares. Pude até ouvir o bater distante da porta da frente. Parecia tão definitivo.

Depois do divórcio dos meus pais e da minha mudança para um flat, junto de minha irmã mais velha, Bethan, eu vivia empolgada. Até os meus 15 anos, morei em uma casa geminada com jardim, garagem e guarda-roupas, então, estar ali era muito exótico.

Viver em um prédio que cheirava a cera de abelha e tinha um piso preto e branco de azulejos no hall, e até mesmo ter um hall, me fazia sentir como uma personagem de um livro escrito na década de 1920, que usava bobes no cabelo e dizia "Ah, muito obrigada" quando os homens abriam as portas para ela.

Bethan e eu tínhamos até falado sobre aprender sapateado, para que nossos sapatos de dança tornassem o som mais esplêndido enquanto dávamos passinhos suaves (ou seja lá o que se faz no sapateado) ao longo dos corredores. Mas isso foi no ano passado. Agora Bethan está fazendo residência de um ano em um hospital pediátrico, em Chicago, e eu estou vivendo sozinha em um belo apartamento, que não é mais tão belo porque... Bem, a vida é muito curta para aspiradores ou poeira ou para ficar guardando coisas jogadas no chão.

Havia uma passagem vagamente desobstruída da porta da frente até a sala. Eu esmaguei algumas revistas e embalagens de doces até chegar à mesa e ligar meu notebook.

Foi necessário um esforço enorme, mas não verifiquei meu e-mail, Twitter ou Facebook, mas comecei a ler minhas anotações de Estudos de Negócios.

Sempre tenho lição de casa numa noite de domingo. Não porque eu seja uma preguiçosa que deixa tudo para a última hora, mas porque domingo à noite é a noite mais solitária da semana. Todo mundo já se preparou para ouvir as mães reclamando do delivery do almoço e das roupas sujas. Até meus amigos adultos dizem ter essa sensação de volta às aulas em uma noite de domingo, sensação que só pode ser vencida por um filme extravagante e um balde de sorvete.

Não tenho uma mãe reclamando em minha cabeça, ou um pai que faça isso, então eu sempre deixo alguma lição de casa reservada, para que eu não tenha uma chance de me afundar. Você realmente não é capaz de afundar quando está acrescentando minuciosos dados financeiros em planilhas de sua tarefa de Estudos de Negócios.

A empresa que eu tinha criado para Estudos de Negócios era a minha empresa da vida real. O Adorkable é uma marca de estilo de vida promotora dos geeks e uma agência de definição de tendências que criei depois que meu blog (também chamado Adorkable) começou a ganhar um monte de prêmios e comecei a ser convidada para escrever artigos para o *The Guardian* e para participar de painéis de discussão ao vivo na *Radio 4*. Os números que eu estava copiando e colando de um documento para outro mostravam o dinheiro real que eu conseguira nos últimos seis meses de trabalho com consultoria, compromissos públicos, jornalismo e venda de produtos da marca Adorkable no Etsy e no CafePress. Mas isso ainda não fazia de Estudos de Negócios uma matéria divertida. Nem um pouco. Eu já estava suspirando de alívio por ter chegado ao fim da última coluna, quando o telefone tocou.

Minha mãe ligava às 19h30 todos os domingos, por isso não deveria ser uma surpresa e meu coração não deveria disparar como ele fez. Talvez fosse porque eu passasse toda a semana reprimindo a memória de nossas ligações telefônicas de domingo à noite, portanto acabava sendo um choque quando ela me ligava e dizia meu nome com a mesma nota de ansiedade que ela usava desde sempre, até onde eu podia me lembrar.

— Oi, Pat — eu disse. — Como estão as coisas?

As coisas estavam bem em Trujillo, no Peru, embora a energia tivesse faltado durante a semana e ela estivesse com pouca roupa limpa porque...

— Eles têm máquinas de lavar no Peru? — perguntei, distraída, porque sua voz estava falhando e havia um atraso estranho, e porque, mesmo quando vivíamos na mesma casa, não tínhamos muito o que falar.

— Claro que eles têm, Jeane. Eu estou ficando sem calcinhas limpas porque não tive a chance de lavar qualquer coisa. O Peru não é no fim do mundo. Eles têm máquinas de lavar e água corrente fria e quente, e sim, têm até Starbucks. Embora isso diga mais sobre globalização do que... — Nós estávamos nos falando havia apenas dois minutos e as coisas já estavam geladas.

— Foi você quem disse que a energia tinha faltado!

— Bem, isso é porque, como você sabe, eu passo de segunda a sexta-feira fora da cidade, em uma região muito remota da...

— Ah, sim, como estão as prisioneiras do Peru? — perguntei com o desdém envolvendo cada sílaba.

— Você tem que ser tão frívola com tudo?

— Não estou sendo frívola — eu disse, embora estivesse. É que ela não podia dizer aquilo. — Realmente, eu quero saber. Como elas estão?

Eu sabia que o assunto das prisioneiras peruanas a manteria falando por uns bons dez minutos. Afinal, elas eram a razão, ou a desculpa esfarrapada, que ela tinha dado para encher duas bolsas de viagem e uma mala com rodas e cruzar o Atlântico, de modo que pudesse passar dois anos escrevendo um trabalho de pesquisa sobre "Os efeitos de abraçar uma árvore: estratégia louvável no trato de encarceradas com tendências homicidas e de comportamento de reclusão de longo prazo no sistema penitenciário peruano". Estou parafraseando, porque o título real de seu trabalho de pesquisa faria qualquer um cair no sono antes de terminar de lê-lo.

Pat falava e falava e eu apenas dizia "aham" de tempos em tempos, ao mesmo tempo que pensava sobre qual seria meu primeiro tuíte da noite. Normalmente, eu tuitava pelo menos uma vez a cada cinco minutos, mas Barney disse que era muito antissocial ficar fuçando em meu iPhone quando estávamos juntos, por isso eu estava sofrendo de abstinência grave de Twitter.

— A propósito, Jeane, como você está? — Pat chegara ao final da exaltação das virtudes de ensinar violentas assassinas em série a meditar, e agora estava pronta para encarar meu caso sobre, bem, sobre tudo. — Como está o apartamento?

— Estou bem — eu disse. — O apartamento está bem também.

— Você o está mantendo limpo, não é? E você tem lavado e limpado o piso da cozinha porque, senão, vai juntar formigas...

— Estou no 6º andar. Não vejo como qualquer formiga seria capaz de subir todos esses lances de escada, a menos que elas tomem o elevador — Pat prendeu a respiração. — Tudo está muito arrumado. — Até parecia que ela nunca tinha entrado em meu blog e visto que eu criara uma "poeiracam" (que era meu velho laptop gravando um pedaço do aparador) para tentar provar a teoria de Quentin Crisp que dizia que, depois de quatro anos, a poeira não se tornava pior.

— Bem, se você está falando... — Eu diria que ela não acreditou em mim. — Como está a escola? A Sra. Ferguson vem me enviando e-mails. Ela diz que tudo parece bem.

A Sra. Ferguson e eu estávamos acertadas e, a menos que, de repente, eu atravessasse o pátio da escola metralhando pessoas, ela não delataria meus crimes menores a minha mãe, como: discutir com os professores, configurar meu iPhone com um alerta e um ringtone audíveis apenas pelos ouvidos adolescentes sensíveis, para que eu pudesse receber e-mails em sala de aula, e, finalmente, a batalha de vontades que eu estava travando no momento com a Sra. Spiers, minha professora de Arte para a Qualificação, por causa de minha recusa em pintar uma natureza-morta entediante. Claro, as coisas de sempre.

— É porque está tudo bem — eu disse. — Então, creio que eu deva desligar.

— Espere! Você tem ouvido falar de Roy?

— Sim. Ele virá em breve para Londres e vamos ficar juntos — eu lhe disse, fitando a bagunça e pensando sobre o tempo, em um futuro não tão distante, que eu levaria para limpá-la antes que meu pai a visse.

— E você tem falado com Bethan?

— Sim. — Estava começando a parecer um pouco exasperada. — Nós nos falamos pelo Skype o tempo todo. Você poderia falar comigo pelo Skype. Seria mais barato do que telefonar.

— Você sabe que eu não sou muito boa com computadores.

— Não há nada para ser boa. Basta baixar o aplicativo e clicar em instalar que seu computador faz o resto. É fácil. Até você consegue fazer isso.

— Jeane, não comece.

— Não estou começando nada. Só estou dizendo que estou on-line o tempo todo e se você tivesse Skype, poderia simplesmente entrar em contato sempre que...

— Bem, de qualquer forma eu não fico on-line. Não há um cyber-café em cada esquina por aqui.

— Você disse que tinha Starbucks, e todas elas têm acesso wi-fi, então não sei qual é o problema.

— Não, você nunca sabe. — Deu um suspiro forçado. — Por que você sempre tem que transformar todas as conversas em discussão, Jeane?

— É preciso duas pessoas para uma discussão, Pat — lembrei-a, porque quando eu começava a discutir, nunca recuava. Mesmo quando sabia que deveria. Nasci teimosa. — Tenho que ir agora.

— Será que você poderia, ao menos, dizer tchau corretamente? — pediu.

— Tchau corretamente — disse com voz arrastada, como eu fazia quando queria mostrar a Pat que ela não podia fazer nada, apesar de eu ser uma vaquinha sarcástica. — Olha, desculpe. Ainda tenho uma tonelada de lição de casa para fazer e a minha planilha de Estudos de Negócios está me deixando irritada.

— Bem, estou aliviada que não seja eu quem a esteja deixando tão irritada — disse com voz um pouco menos furiosa. — Mas você prometeu que não deixaria sua lição de casa para a última hora.

Não era a última hora. A última hora seria para preencher as colunas enquanto o registro fosse lido.

— Eu sei — disse entre os dentes. — Desculpe por isso.

Havia mais dois minutos e 37 segundos agonizantes de conversa pré-paga antes que Pat, finalmente, desligasse.

Estendi os braços sobre a cabeça para aliviar as dores no pescoço e nos ombros, que sempre aconteciam quando eu falava com Pat, então cliquei duas vezes sobre o Firefox, depois no TweetDeck, e conectei o iPhone no computador para que pudesse carregar as fotos que tirara naquela tarde.

Meus dedos voavam sobre as teclas, enquanto escrevia meu primeiro tuíte da noite. Então o enviei e, em dez segundos, alguém o respondeu.

E, desse modo, não estava mais sozinha.

4

Eu adoro noites de domingo. As outras seis noites da semana são tão repletas de lições de casa, treino de futebol, reuniões do conselho escolar, discussões de negócios da sociedade e trabalhos administrativos para meus pais que até mesmo sair com meus amigos parece mais uma coisa a ser ticada na minha lista de obrigações. Além disso, meus pais insistem que eu preciso dormir dez horas para me preparar para a próxima semana, de maneira que eu sou severamente desencorajado (algumas pessoas podem até dizer proibido) a sair nas noites de domingo.

Minha mãe dava banho em minhas irmãs pequenas e, enquanto subia tranquilamente pelas escadas estreitas, rumo ao meu quarto, no sótão, ouvi Melly se queixando amargamente sobre tomar banho com Alice.

— Ela tem 5 anos, eu tenho 7. Preciso manter minha dignidade, mamãe.

Sorri enquanto fechava a porta do quarto e colocava cuidadosamente minha bandeja pesada sobre a mesa. Nas noites de domingo, minha mãe espera que eu tire da geladeira toda a comida que sobrou do fim de semana antes que a entrega do supermercado chegue na manhã de segunda-feira. Além disso, não costumamos comer o que eles chamam de "lixo" de segunda a quinta, por isso é minha última chance de encher a cara com alimentos açucarados e gordurosos.

Mastigando um rolinho primavera frio, ligo meu computador para terminar minha lição de casa de Física. Eles acham que eu termino todas as minhas tarefas antes de sair na noite de sexta-feira, mas não podem estar mais enganados.

Mamãe bateu na porta quando eu estava anotando rapidamente a última de minhas fórmulas.

— Michael? Tudo bem aí?

Desde que me pegou com Megan, minha namorada antes de Scarlett, em uma posição comprometedora no tapete da IKEA, ela não tinha permissão para entrar, a menos que tivesse minha autorização expressa. Foi uma semana de longas e aflitivas discussões sobre limites pessoais e colocar garotas em encrenca. Agora, sempre que mamãe colocava minhas roupas limpas no cesto, do lado de fora de minha porta, havia preservativos enfiados nos bolsos de minhas calças jeans. Eu tinha 93 preservativos ainda em seus invólucros brilhantes, desde a última contagem.

— Sim, está tudo legal — gritei. — Eu peguei os últimos biscoitos de chocolate que papai fez ontem, viu?

— Melhor na sua boca do que em meus quadris — mamãe disse. — O que você está fazendo aí, afinal?

Algumas vezes eu pensava com carinho naqueles dias felizes do passado, quando ela costumava entrar sem pedir licença e sem bater na porta. Aquilo era quase preferível à forma como ela, agora, se punha do lado de fora do quarto e me bombardeava com perguntas.

— Só passando o tempo no computador — disse vagamente.

— Bem, papai e eu vamos assistir a um DVD, caso queira se juntar a nós — insistiu. — Nada muito melado.

— Não, está tudo bem — grunhi. — Sério, mãe, desço mais tarde.

— Se você está dizendo...

Eu não respondi, apenas resmunguei, porque se eu continuasse falando, ela ficaria lá para sempre. Ao final, ouvi seus passos na escada. Ela era a única pessoa que eu conhecia que poderia mostrar reprovação pelo som de seus passos. Voltei para o Facebook. Scarlett estava on-line, mas, assim que entrei, ela desconectou. Ou mudou o status para "invisível", então acredito que ela tenha se desconectado. De qualquer forma, não era um bom sinal para aquela coisa mancando e sangrando que era tudo o que restava do nosso relacionamento.

Quase como se meus dedos estivessem agindo de forma independente do meu cérebro, eu os vi digitar "Jeane Smith + blog + Twitter" na caixa de pesquisa do Google. Não sei por que estava interessado nisso já que os cinco minutos que eu tivera com Jeane Smith naquela tarde foram suficientes para o resto da década e, além disso, devia ter milhares de mulheres chamadas Jeane Smith que mantinham blogs, ainda que fosse uma coisa bem arrogante de se fazer, isto é, essa coisa de colocar um "e" no final do nome para que parecesse francês ou coisa do tipo e... ah!

O primeiro link dos 1.390.000,000 resultados da pesquisa me direcionou para o blog dela, Adorkable.

Havia uma imagem de Jeane, por isso soube que estava no lugar certo, com as seguintes palavras: "Não tenho nada a declarar, a não ser sobre minha dorkidade". Bem, ela tinha esse direito.

> Jeane Smith vive em Londres e é blogueira, tuiteira, sonhadora, instigadora de sonhos, provocadora, tricoteira e iconoclasta em treinamento.
>
> Um dia, há alguns anos, começou um blog chamado Adorkable, para que tivesse um lugar para falar sobre as muitas, muitas coisas de que gostava. E também sobre as muitas, muitas coisas que lhe davam ataques histéricos. Então, as pessoas começaram a ler esse blog e, um ano após sua criação, ele foi eleito o "Melhor Blog sobre Estilo de Vida" pelo *The Guardian*, bem como ganhou um Bloggie Award, e desde então tem sido destaque no *The Times*, no *New York Post*, no *The Observer* e nos sites Jezebel e Salon.
>
> A postura humilde e articulada do blog também a tornou a número sete, na lista do *The Guardian*, entre as trinta pessoas

com menos de 30 anos que estão mudando o mundo. É também considerada uma expert em redes e em tendências sociais (o que quer que isso seja) e presta consultoria para todos os tipos de empresas de moda do Soho e de Hoxton. Seu jornalismo apareceu no *The Guardian*, no *The Times*, na *NYLON*, na *i-D* e no *Le Monde*, e já falou sobre as tendências da juventude em conferências em Londres, Paris, Estocolmo, Milão e Berlim. Jeane também escreve uma coluna de estilo para a revista adolescente japonesa *KiKi*, e possui uma barraca de venda de usados muito bem frequentada na região metropolitana de Londres.

Além de ser um blog, uma marca de estilo de vida e uma agência de definição de tendências, Adorkable é também um estado de ser. Em nosso íntimo somos dorks, geeks, desajustados, perdedores, esquisitos, os oprimidos, mas, juntos, somos fortes. Ah, sim!

"E quem liga para isso?", pensei comigo mesmo, porque tudo aquilo era uma besteira e tanto. Óbvio. Ela era apenas uma garota de 17 anos de idade com problemas sérios de comportamento... E pessoas que iam à escola e viviam com os pais e tinham que levantar a mão e pedir permissão para ir ao banheiro no meio da aula não mudavam o mundo ou faziam bicos pretensiosos de consultoria. Isso simplesmente não existe.

Jeane Smith era uma mentirosa, e nem sei por que eu ainda estava olhando seu blog e uma coisa chamada "poeiracam". Parecia que ela atualizava o blog pelo menos uma vez por dia, então ela devia ter um monte de tempo à toa quando não estava customizando vestidos fedorentos de segunda mão ou treinando para ser uma iconoclasta. Rolei para baixo muitos posts pretensiosos sobre como entrar em contato com sua sagacidade interior e outros que ela fazia às 8h15 de cada manhã para que pudesse expor a roupa chocante do dia com um comentário rápido:

Vestido com estampa ondulada: doado pela avó do Ben
Meia-calça listrada: GapKids (Eu já não deveria ter saído do departamento infantil?)
Tênis Cherry Blossom: bazar de usados
Colar Candy: da minha informante local

Não entendi por que Jeane estava tão orgulhosa de seu estilo verdadeiramente terrível. OK, eu não corria para comprar uma cópia da *Vogue Pour Homme* a cada mês, mas comprava minhas roupas na Hollister, na Jack Wills e na Abercrombie & Fitch, por isso, é claro que sabia o que parecia ser um bom padrão; e estampa ondulada com listras em roupas velhas e mofadas não parecia ser um deles. Qualquer um que tivesse dois olhos funcionando no rosto podia ver isso.

Pelo menos a Jeane, que fazia uma série de poses exageradas de modelo (ela deu nomes a suas poses como "Cara amuada" e "Cara amuada de antigamente", e até "Aaah, minha dor ciática"), tinha uma aparência um pouco mais feliz que a versão rosnante que eu vira naquela tarde. Bem, ao ver como Jeane Smith era ainda mais cheia de si na internet do que na vida real, não era de admirar que Barney estivesse cheio dela. Eu estava pronto para encontrar um site livre da "sagacidade" de Jeane, quando me deparei com um link do YouTube e cliquei nele sem pensar.

Recuei em minha cadeira com um alarmante grito feminino quando Jeane apareceu com colante justo e brilhante e bandana de toalha amarrada na testa. Ela estava ridícula, mas parecia muito satisfeita consigo mesma, acompanhada de duas garotas mais velhas (pelo menos uma cabeça mais alta que ela) vestindo a mesma roupa de ginástica estúpida.

Então, ouvi o refrão inconfundível de *Single ladies*, e as três começaram a fazer a dança. A dança de Beyoncé. Havia até mesmo um chicote nas mãos, o que não compensava o fato de Jeane insistir em ir para a esquerda toda vez que suas dançarinas de apoio iam para a direita, resultando em risos, muitos empurrões e encontrões amigáveis. Eu não pude deixar de rir com sarcasmo, porque ver alguém de que você não gosta fazer uma pilhéria de si mesma sempre é um quadro hilário, mas logo meu sarcasmo se transformou em sorriso porque... não sei... talvez fosse o modo como Jeane balançava seus quadris inexistentes e chupava suas bochechas e porque ela não tinha qualquer noção de si mesma, ao contrário de todas as outras garotas que eu conhecia que estavam sempre verificando seu cabelo e empinando os peitos como se todos estivessem olhando para eles, mesmo quando não havia ninguém.

Finalmente, Jeane tentou saltar no ar e bateu em uma das outras garotas durante sua aterrissagem totalmente instável. As duas desabaram no chão. A última garota em pé tentou ajudar, mas estava rindo tanto que enganchou seu pé no tornozelo de Jeane e imediatamente afundou na pilha, então tudo o que eu podia ver era um monte desengonçado de pernas com colante brilhante. A música parou e, antes que a tela ficasse em branco, pude ouvir uma voz dizendo: "Jeane, sua boba".

Pulei os links de suas vendas no Etsy e no CafePress (havia alguma parte da internet em que ela não tivesse colocado suas patas pegajosas?), com canecas com a marca, camisetas e sacolas que diziam coisas como "Eu amo os dorks" e "Dork é o novo negro" para ir diretamente para sua página no Twitter.

Não fazia muito sentido. Mas o Twitter não faz muito sentido para mim. Todas aquelas pessoas postando sobre o que comeram no café da manhã ou o quanto não desejam fazer sua tarefa de casa de alemão pareciam indulgentes demais. Tipo, cada pensamento aleatório deveria ser tuitado para a posteridade. É óbvio que eram pessoas completamente estúpidas, que não tinham amigos, então iam ao Twitter e falavam besteiras com um monte de outros rejeitados sociais que também não tinham nenhum amigo.

OK, eu estava no Twitter, como também estava no Facebook, no MySpace e no Bebo, mas exceto um tuíte ("Então, o que acontece depois?"), nunca tinha me importado com aquilo. Olhando a mensagem de Jeane, percebi que estava certo em deixar o tuitar para os outros, porque seu Twitter se mantinha, na maioria das vezes, como resposta a outros tuítes, o que era como ler uma série de piadinhas internas sem graça.

Também não achei engraçado que Jeane tivesse mais de meio milhão de tolos iludidos seguindo seus tuítes. Como isso era possível? Seus tuítes estavam polvilhados com pó mágico? Havia verdadeiras celebridades que estavam na TV e nos jornais e que tinham bem menos seguidores do que ela.

Enquanto observava, incrédulo, a página foi atualizada.

> adork_able Jeane Smith
> Isso realmente pode ser chamado de bolo quando os principais ingredientes são queijo e cenoura?

Cliquei no link para ver a foto de uma fatia do bolo de cenoura molhado e delicioso, que havia comido mais cedo no bazar de usados.

Jeane passou os próximos cinco minutos debatendo os melhores pontos de bolo de cenoura e de bolos em geral, junto de uma multidão contrária a cada sílaba que ela tuitava.

> adork_able Jeane Smith
> Não sou contra uma pitada de pimenta em meu chocolate (muito bom), mas não tenho opinião formada sobre cupcakes de água de rosas.

Loguei-me automaticamente como @dimsumsaboroso (todas as combinações de Michael Lee e minha data de nascimento já tinham sido usadas) e estava entrando na briga antes que tivesse tempo de pensar em um milhão e uma razões pelas quais aquilo não era uma boa ideia.

dimsumsaboroso é uau
@adork_able O que você acha de violetas de parma?

Ela disparou uma resposta de imediato.

adork_able Jeane Smith
@dimsumsaboroso gosto mais da ideia do que delas de verdade.
O gosto lembra o cheiro de bolsas de senhoras. Você me entende?

Eu sabia exatamente o que ela queria dizer. Quando minha avó veio para ficar aqui em casa, sempre me pedia para pegar seus óculos de leitura ou seu lenço reserva, ou uma "moedinha de cinquenta centavos para comprar alguma coisinha para você" em sua bolsa, que cheirava a pó mais um cheiro de flores e mofo, assim como um tubo de Violetas de Parma.

dimsumsaboroso é uau
@adork_able De qualquer forma, para quem já comeu bolo de castanha-d'água chinesa, bolo de cenoura é para pesos leves.

adork_able Jeane Smith
@dimsumsaboroso Ei! Quero tanto experimentar isso. E o que é aquela coisa vermelha nos pães doces chineses? É muy lindo.

dimsumsaboroso é uau
@adork_able Pasta de feijão vermelho. É uma espécie de gosto que se adquire com o tempo.

adork_able Jeane Smith
@dimsumsaboroso Ah, definitivamente, eu já adquiri.

Então falamos sobre como nós dois odiávamos leite, "exceto no chá, é claro", o que nos levou a falar sobre iogurte e queijo cottage, que uma amiga de Jeane, chamada Patti, jurava cegamente que eram tingidos de vermelho e usados como sangue em filmes de terror.

Uma hora tinha se passado e Jeane e seus amigos estavam tuitando sobre uma banda que eles iriam ver no fim de semana seguinte. Eu nunca tinha ouvido falar da banda, mas estava certo de que seria o tipo de banda de que eu não gostava, cheia de fadas e tinidos e cantando sobre mãos dadas em sorveterias, ou tão alta e estridente que faria meus ouvidos sangrarem.

Também não tinha certeza sobre a etiqueta correta no Twitter. Deveria dizer adeus antes de sair, como fazia quando estava em uma sala de bate-papo? Ou simplesmente saía, já que eles ainda estavam jogando conversa fora sobre uma banda chamada The Fuck Puppets, e nem notariam?

No final, fui salvo pelo gongo. Ou por minha mãe, gritando do pé da escada que eu já tinha ficado muito tempo no computador e sobre o DVD que queriam que eu visse com eles e alguma coisa sobre os perigos de comer *dim sum* frio muito perto da hora de dormir. Era difícil dizer.

Disse que eu desceria em breve, mesmo sabendo que aquilo a deixaria louca, e então fiz a descoberta surpreendente de que, durante o período em que estivera tuitando, ganhara mais de cinquenta novos seguidores no Twitter, incluindo a própria Jeane. Acho que foi um grande negócio.

Jeane podia ter mais de meio milhão de seguidores, mas ela mesma estava seguindo apenas poucos milhares de pessoas, o que me tornava especial. Tornava-me um entre quinhentos, aparentemente.

Minha malévola voz interior cantou triunfante "Ahá! Enganei-a!". Tentei ignorar essa voz. Eu não tinha enganado ninguém, tinha acabado de trocar tuítes com uma garota que era mais amigável na internet do que em carne e osso. Não era nada além disso. Segui Jeane de volta, então desliguei o computador para que pudesse descer e ver sobre o que tinham sido todos aqueles gritos.

5

Vi Barney e Scarlett bem próximos um do outro nos dias que se seguiram, mas eles não perceberam que estavam sendo observados porque eu era muito, muito furtiva. Barney e Scarlett, no entanto, não eram nada furtivos.

Agora que eu sabia o que procurar, via evidências da traição em todos os lugares. É como quando você descobre uma palavra nova e até o final do dia você já ouviu outras três pessoas, em três ocasiões distintas, dizerem essa palavra inédita, porque a palavra esteve lá o tempo todo, mas você simplesmente não tinha percebido. (E tenho que dizer que, se Barney e Scarlett fossem uma palavra, seriam uma desajeitada, que pareceria errada quando você tentasse pronunciá-la, como "tormentoso" ou "obnubilado"...) Enfim, estou divagando; estava falando sobre a evidência REAL do crime de Barney e de Scarlett.

Por exemplo, Scarlett comentou cada uma das atualizações de status do Facebook de Barney, apesar de serem todas muito chatas. "Pensando em comer uma maçã. Como uma vermelha ou uma verde?", ele digitou e, dentro de cinco minutos, Scarlett comentou com um "kkkk". Embora ela nem tenha utilizado maiúsculas, deixava tudo em minúscula, como se fosse muito burra para descobrir a tecla shift. Também escrevia outras coisas em minúsculas. Era tão estúpida que eu me perguntava como ela conseguia chegar à escola sem ser atropelada.

Também havia outros sinais que sugeriam que Barney estava fazendo mais do que orientar Scarlett pelo campo minado da Matemática.

Ele deveria ser seu tutor por uma hora, depois das aulas, às terças e às quintas-feiras, mas notei que ele não era encontrado em lugar nenhum todas as noites de terças e quintas. Ele não estava no Twitter ou no Facebook ou no bate-papo do Google, e certamente não estava atendendo ao telefone.

Quando lhe perguntei casualmente, na manhã de quarta-feira: "Você estava fazendo triagem de meus telefonemas na noite passada?", Barney gaguejou e gaguejou uma negação torturante que envolveu sua aula de Física terminar mais cedo, ter que arranjar um bilhete de permissão na secretaria da escola e o realinhamento dos planetas de alguma maneira misteriosa, o que o levara a deixar seu telefone no armário. Eu não estava engolindo aquilo.

E eu certamente não estava engolindo a maneira como Scarlett e Barney tentavam ignorar um ao outro. Ele era o tutor dela, então não havia razão para ela fingir que não o via exatamente atrás dela na fila do almoço. Especialmente quando pareceu que ele cheirava o cabelo dela em determinado momento.

Mordi minha língua e não disse nada que fosse realmente duro. Geralmente eu falava primeiro, tuitava depois e pensava por último. As provas se empilhavam contra eles, mas quando eu não estava na escola ou brava com as atualizações de status de Barney e os inevitáveis "kkkk" de Scarlett, começava a duvidar daquilo. Por que, sério, Barney e Scarlett? Não fazia sentido. Eles desafiavam todas as leis de Deus e dos homens. Melhorei a imagem de Barney para mim mesma: ele estava do meu lado, do lado dos dorks, do lado de tudo o que era bom e puro. Scarlett estava do lado escuro o tempo todo.

Essa foi a conclusão a que cheguei na hora do almoço, na quarta-feira, quando me sentei em meu lugar favorito, isolada atrás do laboratório de línguas, tricotando furiosamente e ouvindo um podcast sobre comércio dos derivados da indústria de café, em vez de fazer a leitura sobre o comércio dos derivados da indústria de café. Estava começando a lidar com um ponto musgo um pouco complicado, com agulhas circulares, quando uma sombra pairou sobre mim.

— Vá embora — murmurei, sem olhar para cima, porque podia ver os pés do garoto em um par de All Star quase branco. O único garoto com quem eu falava na escola era Barney, e ele podia fazer melhor do que usar All Star quase branco como todos os outros garotos do 3º e do 4º anos, por isso não havia ninguém com que eu quisesse falar. — Você está na frente da luz e este é meu lugar especial, então, vá embora.

— Você é a pessoa mais rude que já conheci — disse uma voz que eu reconheci, mesmo durante o acalorado debate sobre comércio rural no Peru. Sim, droga de Peru! Com um suspiro exagerado, olhei para Michael Lee, que continuava à minha frente bloqueando os raios fracos do sol de final de setembro. — Por que você é tão hostil?

— Por que você ainda está na frente da luz? — disse, baixando meu tricô para tirar meus fones de ouvido, pois ele não dava sinais de movimento. Obviamente teríamos que conversar sobre aquilo. — O que você quer?

Estava quase certa de que sabia o que Michael queria, e parte de mim queria isso também. Porque os pensamentos sobre Barney e Scarlett (ou Barnett, como eles seriam conhecidos se fossem celebridades) estavam dando voltas e voltas em minha cabeça, e eu não tinha com quem falar sobre aquilo. Eu tinha amigos. Não era um tipo de solitária reclamona, mas não gostava de compartilhar com meio mundo assuntos mais profundos. Embora não tivesse nenhum problema em compartilhar com meio mundo coisas não profundas.

Costumava falar com Bethan sobre as coisas profundas, mas era diferente pelo Skype, especialmente porque ela estava trabalhando oitenta horas por semana e sempre parecia muito cansada. Minha frustração pela minha atual falta de uma confidente devia estar escrita em meu rosto, me tornando ainda mais carrancuda do que o habitual, porque Michael deu um passo para trás quando disse:

— Ah, estava apenas passando e pensei que devia vir e dizer oi.

— Por que você iria querer fazer isso? — perguntei de um jeito muito frio. — Você acha que porque tivemos uma conversa desagradável no bazar de usados estamos, agora, no ponto de dizer oi? Pois não estamos. Não temos nada sobre o que falar, então, tipo, vá embora.

Michael estreitou os olhos. Ele realmente era absurdamente bonito para um garoto. Essa era a outra razão pela qual eu estava sendo grosseira. Ele estava tão acostumado com garotas desmaiando em sua presença (uma vez vi alguém do 9º ano bater contra uma árvore em vez de tirar os olhos de cima dele) que eu não queria que ele pensasse que eu também era desse tipo. Isso era o que acontecia com os caras bonitos (não importa o quanto eles fosse feios por dentro): eles automaticamente presumiam que você suspirava e ofegava por eles, e não ficavam satisfeitos até que você gerasse seus bebês.

A não ser por estreitar os olhos, Michael não reagiu com o que eu disse. Decidi que tínhamos acabado e, por isso, peguei meu tricô novamente e comecei a refazer meus pontos.

— Olha, só estava tentando ser amigável — disse, de repente.

— Faz parte de algum programa estúpido de extensão do conselho de estudantes?

— É engraçado, mas estou começando a descobrir o porquê desse negócio todo entre Barney e Scarlett — Michael comentou casualmente. Então ele teve a coragem de se sentar perto de mim. Tentei ignorá-lo. — Se estivesse saindo com você, estaria à procura de uma estratégia de fuga também.

— E se eu tivesse a má sorte de estar saindo com você, minha estratégia de fuga implicaria em correr para o próximo cruzamento — disparei. — Agora, por que você não vai e compartilha seus pequenos delírios paranoicos com alguém que realmente se importe?

Michael pulou do muro em que estávamos sentados, batendo em mim (de modo que perdi cerca de vinte pontos) e murmurou algo em voz baixa que soava como "cadela" dito dez vezes muito rápido. Mantive um sorriso fixo na cara porque sabia que iria enfurecê-lo ainda mais, embora não soubesse por que a necessidade de baixar ou esmigalhar a crista de Michael Lee se tornara, de repente, a vocação de minha vida.

Eu o vi passando pelo caminho gramado, no qual os drogados, muitas vezes, se sentavam, e quando ele virou a esquina além da lixeira, fiquei de pé, enfiei meu tricô e o iPod em minha bolsa e marchei para a aula de Inglês.

Scarlett estava sentada nos fundos, com sua pequena legião de amigos. Todos eles pensavam que estavam na crista da onda porque compravam suas roupas na American Apparel e iam a shows noturnos em dias da semana. Não eram más pessoas e, com certeza, tinham muito a dizer para quatro garotas — a não ser Scarlett, que não entenderia nada mesmo, não importava de onde viesse — que usavam exatamente as mesmas roupas, ouviam exatamente as mesmas músicas e tinham a mesma opinião sobre tudo.

Sempre me sentava na frente porque sempre chegava muito tarde à aula. Além disso, era mais fácil manter um olho no professor e repreendê-lo em voz alta se ele estivesse tentando nos enfiar lições de casa extras. Ao puxar minha cadeira, consegui chamar a atenção de Scarlett e olhar para ela com a expressão mais inexpressiva que podia. Sempre funcionava melhor do que cravar os olhos, permitia que o destinatário soubesse que nem sequer valia a pena o esforço de contrair os músculos faciais.

Scarlett ficou vermelha e balançou a cabeça para que seu cabelo caísse sobre o rosto (um movimento que ela só podia ter aprendido com Barney), exatamente quando a Sra. Ferguson fechou a porta da sala, sorriu para todos nós brilhantemente e anunciou que teríamos um debate sobre os dois romances que estávamos estudando para a Qualificação: *O grande Gatsby* e *Vontade indômita*.

Houve um gemido coletivo, enquanto eu pegava meu iPhone no bolso: as chances de um debate literário consistente eram remotas e, se eu dispusesse corretamente meus livros sobre minha mesa, provavelmente poderia escrever alguns tuítes sem que ninguém percebesse. A Sra. Ferguson era legal, mas não era, assim, tão legal.

Deixei o burburinho das conversas pairar à minha volta. Não era um debate, apenas uma nova discussão sobre partes dos livros, embora tenha ouvido alguém dizer incisivamente "Essa Daisy Miller, ela realmente era cheia de si".

Aquilo era quase digno de um tuíte, mas eu tinha uma regra não escrita de que nunca falaria mal, na internet, de alguém que eu conhecesse na vida real. Também havia uma regra implícita na classe de que a opinião de todos merecia ser ouvida, não importando quanto fosse ruim ou equivocada.

— Pois bem, Scarlett, que livro você prefere? — a Sra. Ferguson perguntou gentilmente. Todos os funcionários tratavam aquela garota como se ela fosse um bibelô de vidro.

Houve um sussurro débil da parte de trás da sala, como o vento assobiando em torno das pernas da cadeira.

— Sinto muito, Scarlett, não entendi o que você falou — disse a Sra. Ferguson, sua mandíbula se movendo mesmo depois de já ter falado, como se estivesse mordendo os dentes.

— Bem, veja, ahn, realmente não entendo o que o cara em *O grande Gatsby*, não o Gatsby, mas o outro, viu em Daisy. — Me virei em minha cadeira e vi Scarlett olhar suplicante para suas amigas, até que uma delas, Heidi/Hilda, ou fosse lá qual fosse seu nome, sussurrou algo para ela. — Sim, tipo, bem, Daisy não parecia nem ser tão bonita.

Eu realmente ouvi a ingestão rápida de ar da Sra. Ferguson (outra razão pela qual me sento na frente: você realmente consegue farejar as fraquezas de um professor); então, ela chamou minha atenção, enquanto eu fazia caretas para a idiotice extrema de Scarlett.

— Jeane — disse a Sra. Ferguson. Ela parecia um pouco desesperada. — Você acha que Nick Carraway é apaixonado por Daisy?

— Eu não diria que ele é, necessariamente, apaixonado por Daisy — disse lentamente, meus olhos ainda fixos em Scarlett, que se contorcia, infeliz. — Ele a idealiza e imagina que ela seja uma mulher perfeita, mesmo sendo óbvio que ela não é. Acredito que Fitzgerald esteja mostrando que ninguém jamais sabe como o outro realmente é. Não é possível. As pessoas simplesmente acabam projetando toda sua porcaria sobre outras pessoas. E, sim, as pessoas podem dizer que Daisy não pediu para ser adorada, mas ela se aproveitou de tudo aquilo mesmo assim, entende?

Scarlett estava me olhando fixamente e era óbvio que ela não compreendia. Ela era a rainha da falta de compreensão.

— OK — argumentou ela, olhando para as mãos. — OK. — Ela parecia um pouco engasgada e me perguntei se ia chorar. — Realmente não sei o que você quis dizer.

— Você leu mesmo *O grande Gatsby*, Scarlett? — eu perguntei. — Porque o amor não correspondido de Nick por Daisy é praticamente a base do livro.

Houve um silêncio sepulcral na sala de aula. Mesmo a Sra. Ferguson parecia prender a respiração, em vez de correr para chamar minha atenção.

— Eu sei disso — disse Scarlett, bufando um pouco. Era a primeira vez em seis anos que eu a via demonstrar alguma determinação.

— Eu apenas, bem, eu misturo com *Vontade indômita*. Eles são um tanto similares. — Houve um murmúrio de concordância pela sala. Eu me senti como se estivesse batendo a cabeça na mesa.

Então, em minha defesa, eu disse:

— *O grande Gatsby* é sobre a morte do sonho americano, e *Vontade indômita* é sobre a teoria objetivista e a força do indivíduo. Eles não poderiam ser mais diferentes, a menos que você seja completamente retardado — e dirigi-me a toda a classe, não apenas a Scarlett.

Scarlett se inclinou, de modo que seu rosto ficou totalmente obscurecido pelos cabelos, e começou a chorar forte o suficiente para fazer tremer os ombros.

— Ah, Scarlett, não creio que o mau humor de Jeane mereça que você chore — a Sra. Ferguson disse secamente, enquanto Heidi/Hilda e outra garota corriam para jogar seus braços ao redor de Scarlett e arrulhar com ela. Meus lábios se curvaram em desprezo quando ela se levantou e saiu correndo da sala, ricocheteando nas mesas enquanto passava.

— Procure-me depois da aula, Jeane — a Sra. Ferguson suspirou e, em seguida, nos passou um exercício escrito de trinta minutos sobre os temas da perda e da saudade em *O grande Gatsby*. Eu podia sentir 28 pares de olhos disparando raios laser sobre meus ombros.

— Isso foi totalmente desnecessário — disse a Sra. Ferguson assim que a classe marchou para o corredor, onde Scarlett ainda soluçava. — É bastante difícil fazer com que Scarlett contribua sem que você lhe arranque as tripas quando ela o faz.

— Incluí toda a classe em meu último comentário — pontuei, e a Sra. Ferguson apoiou o queixo nas mãos e revirou os olhos.

Normalmente, quando ela revirava os olhos, era algo mais conspiratório. Eu revirava os olhos também e nós dividiríamos um olhar que diria: "Deus, o que estamos fazendo aqui?".

Sra. Ferguson, ou, na verdade, Allison, como eu a chamava fora da escola, era uma quase-amiga. Eu a encontrava em shows e mostras de arte em Hoxton e seguíamos uma a outra no Twitter. Mas o que acontecia fora da escola ficava fora da escola. Eu até sabia que ela estava em uma banda chamada The Fuck Puppets, o que era um segredo que eu levaria para o túmulo, e essa devia ser a razão pela qual ela estava achando tão difícil me dar a reprimenda que eu merecia.

— Eu não deveria ter dito "retardado" — admiti. — Porque é ofensivo e, ahn, é um preconceito com deficientes, mas como alguém pode chegar a confundir *O grande Gatsby* com *Vontade indômita* se realmente leu os dois romances? É como misturar macacos e narcisos ou feijão e tubinhos de Pez, ou...

— Sim, já peguei a ideia — falou a Sra. Ferguson, então cruzou os braços e tentou me fitar de cima. Eu, obedientemente, baixei os olhos para parecer que estava um pouco arrependida. — Esperava muito mais de você. Você se rebaixa...

Eu odeio quando as pessoas vêm com o discurso "Não estou com raiva de você, só estou decepcionado" para cima de mim. Era algo tão previsível e, francamente, esperava muito mais de Allison. Mas essa não era a questão naquele instante.

— Sinto muito — disse, embora minha entonação monótona habitual tenha feito parecer sarcasmo, tal como em minha cabeça.

— Não adianta pedir desculpas para mim. Você tem que pedir desculpas a Scarlett. Na minha frente, e, Jeane, quero um pedido de desculpas inequívoco, que não seja algum jogo de palavras inteligente que poderia ser mal interpretado. OK?

Ela me conhecia tão bem!

— OK.

Enfiei minha pasta e as minhas surradas cópias de *Gatsby* e de *Vontade indômita* na sacola que eu mesma fizera, e que tinha "Eu dork, logo sou" bordada nela, porque pensei que estava terminado, quando Allison fez um som estranho de asfixia.

— Está tudo OK, não é? Com a vida inteira pra cuidar sozinha, porque se tiver alguma coisa de que você precise, você sabe que eu estou à...

— Não, não — disse rapidamente, me levantando. — Está tudo bem. Melhor do que bem. Está totalmente maravilhoso.

Allison me acompanhou até a porta da sala de aula.

— Poderíamos conversar fora da escola — ela murmurou, significativamente. — Se você quiser.

— Eu tenho que ir. Vou chegar atrasada em Estudos de Negócios — disse, e não foi apenas para despistá-la: eu estava terrivelmente atrasada e não tinha conseguido ouvir todos os podcasts porque Michael Lee me interrompera.

Tentei manter minha cabeça baixa nos próximos quarenta minutos, mas a lição tomou um rumo preocupante quando o Sr. Latymer decidiu martelar em minha cabeça — até que eu estivesse prestes a perder minha jovem vida — os efeitos positivos, ao mundo em desenvolvimento, do comércio justo dos produtos agrícolas. Restou apenas uma coisa a fazer: me lançar em um discurso retórico, daqueles de arrancar o couro, sobre os efeitos negativos do monopólio das redes de cafés que tomam as principais ruas da Grã-Bretanha.

Descobriu-se, então, que a maioria da classe preferia discutir quem fazia o melhor Frappuccino — Starbucks ou Caffè Nero? — a debater o equilíbrio das relações comerciais. Aquilo pegou fogo bem rápido, e pude me sentar e tuitar sobre o conteúdo do meu coração enquanto Heidi/Hilda ameaçava esbofetear Hardeep, que tentava introduzir os Frescatos do Costa Coffee na discussão.

O sinal bateu quando o Sr. Latymer estava tentando restaurar a ordem e pude deslizar, silenciosamente, para fora da sala de aula, enquanto todas as pessoas ao meu redor recebiam advertências e gritavam coisas como "Eu não quero saber se há quinhentas calorias em um Double Chocolate Frappé feito com leite desnatado. Por que você tem que estragar tudo para mim?".

Tudo o que eu tinha a fazer era pegar minha cesta de bicicleta em meu armário e estaria livre daquele inferno, que cheirava a desinfetante barato e decadência, até as 8h40 da manhã seguinte.

— Jeane — disse uma voz sombria, enquanto eu estava com a cabeça em meu armário. Por um segundo pensei que fosse Michael Lee, e, alarmada, bati minha cabeça enquanto saía do buraco quadrado de metal, e vi Barney parado ali.

— Ah, é você — disse. — Pensei que fosse outra pessoa.

Barney não disse nada, embora estivesse mexendo a boca furiosamente, como se estivesse mastigando um bolo enorme de chicletes, algo que ele nunca faria porque tinha um medo irracional de engolir e entupir suas entranhas para sempre. Ele, obviamente, não parecia ser capaz de formar palavras de verdade por algum tempo, então continuei a procurar meu protetor labial de rosas.

— Como você pôde? — Barney finalmente perguntou.

— Como eu pude o quê? — Naquele momento eu estava vasculhando nos confins de meu armário, em meio a Tupperwares que não voltaram para casa nas últimas semanas.

— Scarlett teve que deixar a Matemática no meio da aula porque estava chorando.

Sorri desdenhosamente para mim mesma.

— Ela está sempre chorando por causa de algo. Sinceramente, ela é mais molhada do que um... Ah... bem, algo que é muito, muito molhado.

— Você a chamou de retardada, o que é errado de inúmeras formas. — Barney parecia bem irritado. Quase tão irritado como da vez em que ele estava entretido profundamente em *Red Dead Redemption* e eu tropecei e puxei o cabo de seu Xbox.

Encontrei meu protetor labial e cuidadosamente livrei minha cabeça do armário.

— Eu não a chamei de retardada. Eu me dirigi a toda a classe, e prometi para Alli... para a Sra. Ferguson que me desculparia, por isso não venha jogar coisas na minha cara.

— Você devia estar totalmente desvairada — Barney persistiu, com o rosto vermelho. — Dizer coisas ruins sobre as pessoas não é legal, é apenas maldoso. Ela não pode fazer nada se ela não é boa com palavras, e ela não gosta de falar em sala de aula. Tem alguma ideia de quanto você é assustadora, especialmente pra pessoas que precisam de muita coragem pra participar de uma discussão em classe e você só...

— Barney, eu sei — disse suavemente. Se eu ainda não estava certa de que havia alguma coisa para saber, agora eu sabia. Barney estava defendendo a honra de Scarlett e seu direito de dizer coisas idiotas na sala de aula como se sua vida dependesse disso. — Eu sei sobre você e Scarlett.

Por um segundo, a boca de Barney permaneceu aberta, surpresa. Então, ele encolheu os ombros.

— Não há muito o que saber.

— Você quer tentar de novo? — sibilei, porque não poderia ser gentil por muito tempo. — Nem tente fingir que não há nada acontecendo entre vocês dois.

Barney suspirou.

— Nada aconteceu, mas gostamos um do outro. Bastante. Mas é complicado, porque ela está saindo com Michael e, bem, ainda tem você.

— O que tem eu?

— Ela está apavorada porque você vai matá-la.

— Como se eu fosse colocar um dedo sobre ela — bufei com escárnio.

— Não é com os dedos que ela está preocupada. É por isso que eu não disse nada. Quer dizer, eu tentei, eu queria, mas toda vez eu engolia isso — admitiu Barney e pela primeira vez ele não estava abaixando a cabeça ou mordendo o lábio ou se escondendo atrás de sua franja, mas olhando-me diretamente nos olhos. — Você é muito intimidadora.

— Intimidadora? O que há de tão intimidador em mim? — questionei, com as mãos em meus quadris, e Barney estava certo: não havia muita diferença entre minha cara normal e minha cara de briga.

— É como se não tivesse espaço pra mim — disse Barney. — Você sempre está dez passos à frente e eu estou sempre atrás, e é como se nada que eu faça ou diga possa, algum dia, ser legal ou inteligente o suficiente pra você.

— Eu não espero que você fique atrás de mim — balbuciei impotente. Agora era a vez de Barney recostar-se contra os armários, todo livre, leve e solto, porque seu grande segredo fora revelado e o mundo não acabara. E eu estava ali, com minhas narinas queimando, e sentindo como se meus olhos estivessem prestes a saltar de minha cabeça. — Eu tento incluí-lo em tudo o que faço.

— Sim, mas eu não quero enrolar sua linha de tricô em eventos de caridade, ou passear pelas ruas de Hoxton para que você possa tirar fotos de tendências. E, honestamente Jeane, você nunca ouve a palavra "não", mesmo quando não consigo ficar à vontade em suas competições de patinação.

Eu não podia acreditar! Eu deixara Barney entrar em minha vida. Eu dera uma chance a ele, decidira que talvez tivesse mais nele do que em outros cretinos que se arrastavam pelos corredores da escola, como se tivessem apenas dominado a arte de andar sobre duas pernas, e ele me retribuía optando por Scarlett. Scarlett? Ela era tão estúpida que estava praticamente morta cerebralmente.

Barney perdeu o ar sereno assim que comecei a gritar com ele. Ele tentou argumentar de volta, mas passei a gritar mais alto, até que o som da minha voz abafou seu balido.

Não me importava que ainda tivesse alguns últimos vagabundos se arrastando por ali, ou que eles todos parassem de se arrastar para assistir e até mesmo apontar e rir dissimuladamente, enquanto eu esfolava a pele do corpo inútil de Barney com a ponta de minha língua.

— Você era nada diante de mim! — gritei, finalmente, enquanto Barney se encolhia onde estava. — E você voltará a ser nada de novo, apenas um geek inconsistente afundado em World of Warcraft sem habilidades sociais. Ainda bem que Scarlett não é gente, mas um lugarzinho vazio, não é?

Então dei um murro no ombro de Barney com tanta força que ele perdeu o apoio, e saí intempestivamente. E eu sabia que aquilo fora errado e que não era a reação correta a se ter naquelas circunstâncias, mas eu já estava compondo o post que escreveria no blog sobre Barney e seu pérfido, traiçoeiro e moralmente condenável comportamento de réptil tão logo chegasse em minha casa.

6

Eu fiquei tremendo, literalmente tremendo, por uns bons dez minutos depois de minha discussão com Jeane. Foi minha culpa, pensei comigo mesmo, quando fui até o laboratório de Química em meu período livre. Devia ter feito anotações sobre fórmulas moleculares, mas tudo o que conseguia pensar era nas coisas que deveria ter dito para tirar aquele olhar superior do rosto estúpido e feio dela. Tinha me esquecido do horror de nosso primeiro encontro no bazar. Tinha me esquecido de sua (bem merecida) definição de garota mais rude na escola, e também de que todo mundo finge ser outra pessoa na internet e que a simpatia de Jeane era apenas on-line. "Ah, estava apenas passando e pensei que devia vir e dizer oi." Toda vez que revivia aquele momento e o olhar de urina e vinagre no rosto de Jeane eu morria um pouco por dentro.

O sinal tocou, e quando estava indo para Ciências da Computação, dei um encontrão com a melhor amiga de Scarlett, Heidi, que se agitava pelo corredor com um punhado de barras de chocolate, uma lata de Diet Coke e uma pilha de lenços.

— Ai, meu Deus! A merda bateu no ventilador — Heidi anunciou, embora não precisasse ter se incomodado, porque estava carregando todos os itens necessários para acalmar os nervos em frangalhos de qualquer garota adolescente. Exceto sorvete, mas o conselho estudantil estava estudando a possibilidade de uma máquina de venda automática que disponibilizasse baldes em miniatura de Ben & Jerry's.

— Que tipo de merda? — Resignei-me a me atrasar para Ciências da Computação porque Heidi sempre precisava de vários minutos e muitos "Ai, meu Deus!" para chegar ao ponto.

Ela revirou os olhos para mim.

— Scarlett está, tipo, literalmente, em pedaços. Sério.

— Ela não está literalmente em pedaços — disse eu, porque me irritava como Scarlett, Heidi e sua turma toda desvirtuavam a palavra "literalmente" até que ela, literalmente, perdesse todo o significado. — Por que ela está tão chateada?

— Jeane Smith a fez chorar. Quer dizer, ela, literalmente, confrontou Scarlett e agora Scarlett está hiperventilando nos banheiros. E o único saco de papel que encontramos para ela aspirar cheirava a sanduíche de presunto e picles, então Scar começou a vomitar e isso é, você sabe, muito errado.

Heidi parou, mas eu sabia que era apenas para pegar algum oxigênio e que ela começaria a esganiçar novamente caso eu não aproveitasse o momento.

— Por que Jeane a fez chorar? Elas tiveram alguma discussão sobre... — parei porque não queria mencionar Barney. Heidi notou uma lacuna na conversa, mas forçou-se a voltar a falar.

— Você acreditaria se eu dissesse que Jeane a atacou por causa de nossos textos de inglês da Qualificação? Quero dizer, tipo, o que é isso? Daí, Jeane chamou Scar de retardada.

— Bem, e Scar parou de chorar? — perguntei e minha auréola de namorado perfeito começou a escorregar, porque a notícia de que Scarlett estava chorando no banheiro das garotas não me fez querer correr para seu lado e só me fez pensar "Ah, Deus, o que foi agora?". Se bem que chamar alguém de retardado não parecia ser o estilo de Jeane. Era algo baixo até mesmo para ela. — E você não deveria estar em alguma aula?

— As condições do momento são pra lá de atenuantes. — Heidi encolheu os ombros em aborrecimento. — E nem pense em me dedurar. Scarlett precisa de mim.

— Bem, vamos fingir que nós nunca tivemos essa conversa — eu disse. — E diga pra Scar que vou vê-la depois da escola, e que espero que ela esteja bem.

— Qualquer namorado viria comigo pra ter certeza de que está tudo bem com ela — Heidi disse, arregalando os olhos cheios de maquiagem para mim. — Eu mencionei que ela está, literalmente, destroçada?

— Sim, você falou, mas Scarlett está no banheiro das garotas e estou muito atrasado para Ciências da Computação, e, provavelmente, vou ter que colocar a mim mesmo no relatório de atrasos, então vou ser todo namoradinho e cuidadozinho quando lhe der uma carona para casa, OK?

— Tanto faz. — Heidi já estava indo embora e tentando puxar para baixo a saia curta que subira. Houve um tempo, no verão retrasado, que pensei que Heidi e eu poderíamos ter alguma coisa. Continuamos ficando nas festas, mas quando não estávamos ficando, não tínhamos nada para falar e, então, conheci Hannah, e todas as outras garotas pareceram menores na comparação.

Eu me recordava de Hannah sentada na escada, em uma festa naquele verão, seu cabelo louro brilhando à luz suave do candelabro quando ela me contou sobre seu poema favorito de Sylvia Plath; ela engasgou e teve que secar uma lágrima que escorrera em seu rosto. Então ela riu e disse "Deus, eu sou um perfeito clichê de adolescente angustiada, não sou? Chorando por causa de Sylvia Plath numa escada em uma festa".

E então pensei sobre Scarlett se debulhando em lágrimas no banheiro das garotas porque alguém com metade do tamanho dela, e duas vezes mais feia, tinha sido má com ela, e realmente não havia comparação entre as lágrimas de Scarlett e as lágrimas de Hannah por algo verdadeiramente sério. Então tive o prazer de ir para Ciências da Computação para aprender sobre teoria de banco de dados — as mulheres são muito mais complicadas do que a teoria de banco de dados.

Quando o sinal da saída tocou, fui para o estacionamento de funcionários onde, por ser chefe do conselho estudantil, me reservaram uma vaga para o velho Austin Allegro enferrujado e mantido com fitas velhas e chicletes mascados, que eu herdara de minha avó. Era onde Scarlett deveria estar, mas não havia sinal dela.

Ela não podia estar chorando, ainda!

Peguei meu celular, mas, embora tivesse 17 mensagens, a maioria delas tinha a ver com a batalha que se aproximava: a batalha da sociedade crítica contra a elegante escola local; o jogo de futebol no sábado de manhã e uma festa na noite de sábado. Scarlett não era uma das muitas pessoas que me enviaram uma mensagem porque precisavam de mim para fazer alguma coisa por elas. Até mesmo mamãe queria que eu comprasse um saco de cebolas e um pouco de alho, no caminho para casa.

Depois de atualizado, caminhei de volta à escola para rastrear Scarlett. Não havia um bando de amigas dela pairando ansiosamente do lado de fora do vestiário feminino, segurando latas de Diet Coke e mandando mensagens de texto freneticamente, mas finalmente a encontrei na sala do 3º ano. Era a metade do tamanho da sala do 4º ano e cheirava levemente a peixe e kits de ginástica antigos, razão pela qual a maior parte do 3º ano preferia ficar do lado de fora, sob sol, chuva e nevasca, a ficar na sala. Mas Scarlett estava ali, encolhida sob o peitoril da janela e, ao lado dela, com o braço sobre seus ombros, estava Barney.

Ambos olharam para cima quando entrei na sala. Scarlett secou suas últimas lágrimas, Barney se inclinou para sussurrar algo para ela. E o mais estranho, mais estranho do que Scarlett e Barney escondidos e abraçados em uma sala malcheirosa, foi que me senti como se estivesse fazendo algo errado ao me intrometer em qualquer que fosse a porcaria que eles estivessem fazendo.

— Você está pronta pra ir, Scar? — Eu mal podia pronunciar seu nome. — Eu a procurei por todo canto.

Scarlett franziu a testa.

— Bem, tenho coisas pra fazer, então não preciso de uma carona, mas, tipo, obrigada — ela não disse mais nada. Ao contrário, lançou-me um olhar mordaz, que era algo que eu não sabia que ela podia fazer.

E pior: esse olhar não era nada comparado ao olhar que Barney estava me dando. Eu só tinha falado com ele duas vezes: uma vez lhe disse olá em um show, e outra vez precisei escrever um relatório sobre ele, por enviar mensagens de texto no meio da aula de Matemática. E nas duas vezes ele gaguejou, corou e olhou para o chão. Mas agora ele me olhava como se tivesse todo o direito de estar sentado ao lado de Scarlett, tão perto que estavam se tocando do ombro ao joelho. Barney me deu um sorriso apertado.

— Na verdade — ele disse —, eu e Scar estávamos tendo uma conversa particular.

— Tudo bem — respondi, como se estivesse mesmo bem com aquela situação claramente desagradável. Mas eu não seria o cara que perde a paciência e solta uma torrente de palavras iradas, das quais me arrependeria mais tarde. "Seja uma pessoa grandiosa", meu pai sempre dizia, "mesmo quando alguém tentar fazê-lo parecer pequeno." Eu podia fazer isso. Ou podia, pelo menos, tentar. — Bem, acho que vejo você amanhã.

— OK, ou eu lhe mando uma mensagem — Scarlett disse baixinho, e acho que nós três sabíamos que ela não faria tal coisa.

No caminho para casa, eu soube, com certeza, que precisava terminar as coisas com Scarlett. O normal seria ela terminar, mas ela estava sendo indiferente e pouco confiável, e saindo com o garoto nerd ruivinho que era seu tutor em Matemática, por isso ela me forçava a ser o "cara mau". Mas a questão era que eu nunca terminara com ninguém. Sim, eu tinha rompido com namoradas antes, mas tinha sido mais uma decisão mútua de que não servíamos mais um para o outro. Depois disso, houve Hannah, que tinha sido um caso de "Você sabe que eu te amo, sim, mas você também sabe que meu pai trabalha no Ministério dos Negócios Exteriores e que estou sendo transferida para o colégio interno na droga de Cornwall, porque meu pai será alocado em algum lugar com grandes chances de que ele e minha mãe possam ser sequestrados por forças rebeldes. Ferrou total".

Havíamos falado sobre relacionamentos de longa distância e como poderíamos nos falar pelo Skype todas as noites, mas, no final, Hannah estava tão despedaçada de preocupação com seus pais que eu não queria ser mais uma coisa com que ela precisasse se preocupar. O rompimento foi horrível. Não vou mentir: eu chorei. Hannah chorou. Até mesmo nossas mães choraram e eu ainda tenho um post-it na minha carteira que Hannah me deu um pouco antes de partir, em que ela escrevera: "Mesmo quando eu for uma senhora de cabelos grisalhos, sempre pensarei em você como 'aquele que perdi'".

Pensar em Hannah, e em como ela fora a única garota que já me levara às lágrimas, além de Sun Li, no jardim de infância, que rejeitou meus avanços amorosos apesar de eu ter lhe dado um tubo de Smarties, me deixou tão distraído que ultrapassei um sinal vermelho e quase colidi com a traseira do carro à minha frente.

De alguma forma, consegui voltar para casa sem derrubar todos os pedestres pelo caminho. Então, tive que sair novamente, a pé, para comprar o alho e a cebola, depois de uma reprimenda de minha mãe sobre fugir das minhas responsabilidades, e foi somente quando ela estava fazendo uma lasanha que consegui ir para meu quarto e pensar direito.

Após os primeiros cinco minutos de "Ai de mim", decidi que aquilo estava chato. Liguei meu computador, mas não queria entrar no Facebook, então entrei no Twitter exatamente ao mesmo tempo em que Jeane Smith, que queria que o mundo visse o que ela tinha acabado de postar em seu blog. Eu já estava naquele atordoamento insensível da internet, o que me fez clicar no link sem realmente registrar o que estava fazendo e, então, quase caí da cadeira...

Barney se foi e eu estou enojada com O Garoto

Quando comecei este blog, fiz um juramento solene para mim mesma de que nunca iria blogar sobre pessoas que conheço. Não iria falar merda sobre as pessoas que conheço. E quando pessoas que conheço fizessem coisas ruins, maldosas, não usaria seus nomes. Não neste blog. Não, senhor.

Exceto por agora, porque agora estou enojada com O Garoto. Os leitores regulares sabem tudo sobre O Garoto, sobre quem já falei muitas vezes. Ele é em parte namorado, em parte aliado, em parte amigo de beijo. Bem, ele era, e eu sempre o chamava de O Garoto para proteger sua privacidade e para, bem, protegê-lo, mas ele não é digno de minha alta consideração ou de minha proteção, por mais tempo.

Seu nome é BARNEY e ele é um COMPLETO, PÉSSIMO E DESPREZÍVEL DUAS CARAS! Pior, eu o estava treinando para ser um namorado sensível, bem-apessoado, livre das bobagens machistas (eu até lhe comprei uma camiseta "É assim que um feminista se parece"), mas você não pode treinar alguém quando se constata que ELE É O RÉPTIL RASTEJANTE MAIS BAIXO EM SLITHERTOWN, por isso, agora estou quebrando todas as minhas regras em blogs e estou usando CAPS LOCK E EU ODEIO CAPS LOCK!

Antes de me conhecer, Barney era praticamente um embrião cultural. Ele não tinha sido nada, experimentado nada, nunca tinha vivido uma única e solitária aventura até que eu dei espaço para ele em minha vida. Apresentei-o a pessoas, lugares, sabores e sons que expandiram seu mundo (o que não foi difícil, já que seu mundo era uma tela de TV ligada a um Xbox).

Antes de mim, Barney não tinha nem sequer ouvido falar de *roller derby*. Ele nunca tinha comido sushi ou chocolate com pimenta. Ele nunca tinha ido a um bazar, ou ouvido Vampire Weekend e The Velvet Underground, ou chorado durante "Pale

Blue Eyes". Nunca tinha visto um filme estrangeiro. Nunca tinha ficado acordado uma noite inteira nem subido ao topo de uma colina bem alta para assistir ao nascer do sol. Ele ainda permite que sua mãe compre suas roupas e, pior de tudo, baixa música da internet e nunca paga por isso!

Ele sugou o que eu tinha de descolada como se estivesse tentando dar ignição a uma bateria de carro, e como ele retribui? Pensando em outra garota. Tendo pensamentos errados sobre outra garota. Desejando não estar comigo, mas com essa outra garota.

Pessoas começam a amar e param de amar o tempo todo, e não é como se eu e Barney fôssemos Romeu e Julieta revisitado (embora eu tenha certeza de que sua mãe adoraria se eu bebesse veneno e, tipo, morresse), por isso, se Barney quisesse se apaixonar por outra pessoa, não havia nada que eu pudesse fazer.

Mas acontece que alguma coisa estava acontecendo havia semanas, e eu tive que descobrir por meio, tipo, de um deles. Você sabe, um dos antidorks. Mesmo assim, me recusei a acreditar, porque Barney nunca faria isso comigo, porque eu o fiz ouvir Sleater-Kinney e Bikini Kill, e bombei seu leitor de blogs do Google, e lhe mostrei um milhão de outras coisas pelas quais ele tinha que ser grato — e me tratar com respeito — a fim de se redimir pelos séculos e séculos de dominação patriarcal e pensamento machista de que garotos são melhores do que garotas só porque têm uma coisa pendurada entre as pernas.

O que ele fez foi extremamente nada legal. Mesmo que não tenha sido uma traição física real, que eu penso que seria dar as mãos e se beijar e todas essas outras coisas piegas, foi traição emocional. E se Barney fechou o espaço em seu coração, onde ele já tinha me deixado morar, então ele deveria, pelo menos, ter tido a decência de me dizer. Correto? Claro, correto!

Além disso, outra coisa que está me levando rumo a uma explosão total de raiva é que mesmo os garotos nerds com suas franjinhas inclinadas, que dedilham com palhetas feitas de CDs, escrevem em seus caderninhos Moleskine e são adorkablemente atrapalhados, sempre vão preferir as garotas nerds, em vez da opção mais fácil, especialmente quando a opção mais fácil tem longos cabelos loiros, jeans apertados tamanho 38 e personalidade zero.

Não estou dizendo que todas as garotas loiras manequim 38 têm personalidade zero, é claro que não estou, e, oi!, você não sabe da minha fixação descontrolada por Lady Gaga? E, além disso, não sou de briga, e nem vou brigar com essa garota em particular; antes disso, me pergunto: quando é que ser forte e independente, e não seguir o padrão, e ousar ser diferente e corajosa em minhas opiniões, minhas escolhas de moda e minha cor do cabelo será o suficiente?

Não são essas qualidades admiráveis para uma garota? Elas são, sim, qualidades admiráveis quando você é um garoto sem confiança e sem capacidade de se destacar na multidão, e uma garota como eu o arrasta para a ribalta. E eu gostava de Barney. Eu gostava de tê-lo em minha vida. Estou tentando ser filosófica, mas é difícil quando posso sentir o gosto da raiva e da decepção em minha garganta, e esse gosto é o mesmo que lamber uma bateria — e não vamos entrar na questão do porquê eu sei qual o gosto de se lamber uma bateria.

Estou louca e falando muito, principalmente, porque não há nada que eu possa fazer. Porque Barney está tão cego pelo amor que tudo o que ele consegue ver em mim é que eu não sou como a outra garota. Na verdade, há muitas coisas que posso fazer. Sessenta e cinco delas poderiam me fazer ser presa, 47 delas refletiriam mal em mim mesma, de modo que tudo o que resta é declarar, aqui e agora, que Barney nunca me mereceu e que ele é um traidor do mundo dork.

E não! Chutar Barney e transformar a dor em palavras não me fez sentir nem um pouco melhor.

Para começar, fiquei "p" da vida por ser colocado de lado como um antidork, como se eu fosse uma coisa ruim. Depois, me perguntei por que alguém deveria documentar cada pensamento e cada sentimento seu para que completos estranhos analisassem e, por fim, pensei em Jeane.

Antes eu pensava nela como a namorada mandona de Barney, que tornava a vida dele um inferno tão grande que ele tinha que se engraçar com Scarlett. Mas agora eu podia ver que formavam um casal apropriado. OK, ela ainda era muito mandona e parecia que toda a dinâmica deles girava em torno de Jeane e seu curso rápido para que Barney levasse um chacoalhão no seu jeito bobão legal, mas eles ainda tinham algo entre eles: amizade, carinho e um gosto horripilante para música.

Preciso dizer uma coisa sobre Jeane, no entanto: quando ela estava magoada e triste, em vez de ser toda "Tanto faz", ou "Eu não estava realmente na dele", ela não teve medo de cair na real, mesmo que cair na real significasse ficar confusa. Eu tinha que respeitar isso, porque sempre me preocupava em ser perfeito, achava que as pessoas poderiam me odiar ou perderiam o respeito por mim caso eu mostrasse qualquer coisa menor que perfeição. E ser perfeito não é mesmo fácil.

De volta ao Twitter, em vez de se retirar para ser bajulada e apoiada, como eu esperava, Jeane estava respondendo a todas as perguntas.

adork_able Jeane Smith
Está tudo no blog. Não tenho nada a acrescentar, a não ser que você queira me enviar chocolate ou fotos de cães em roupinhas divertidas.

Eu poderia sentir empatia pelo que Jeane estava passando, porque estava passando pelo mesmo também. Além disso, Jeane não tinha ninguém na escola com quem se relacionar a não ser Barney. Muito bem... Quem não adora a imagem de um cão com uma roupinha divertida? Mas eu poderia fazer melhor que aquilo.

    dimsumsaboroso é uau
    @adork_able Cães sobre pranchas de surf com roupinhas divertidas e totalmente incríveis.

Tuitei Jeane a um link para as fotos da competição anual de surf canino na Califórnia, que eu guardara entre meus favoritos para quando precisasse de uma gargalhada.

Então desci, porque era hora de jantar e de uma discussão familiar animada sobre a Al-Qaeda e sobre a possibilidade de se clonar minha irmã Alice, e, se isso fosse possível, se a Alice clonada poderia ir para a escola e a Alice real poderia ficar em casa assistindo à TV, e por que Melly e Alice eram muito jovens para ter telefones celulares. Eu escapei quando Melly começou a chorar porque, aparentemente, ela era a única com 7 anos de idade em sua classe que não tinha um iPhone.

Fui direto para o computador, já que tinha um ensaio de Ciências da Computação que não se escreveria por si mesmo, e fiquei surpreso ao descobrir que tinha mais de cem e-mails. Pensei que os filtros de spam tinham falhado, até que vi que todos eram notificações do Twitter, embora não tivesse certeza do porquê.

Então verifiquei o Twitter e soube exatamente o motivo. Jeane tinha retuitado meu tuíte, além de ter me respondido.

    adork_able Jeane Smith
    @dimsumsaboroso Ah, meu Deus! Eu vi a luz. Não há nada mais engraçado do que um pug em uma prancha de surf.

    Depois ela tuitou às massas:

adork_able Jeane Smith
@dimsumsaboroso Tks pelas fotos de filhotes. Ainda à espera do chocolate. Muito esgotada para tuitar. Adicionarei uma lista de músicas de rompimento.

Concentrei-me para tentar ver algum sentido nas notas que eu fizera durante a aula, mas estava difícil porque meu foco não estava na teoria de banco de dados. Não estava nem mesmo em Scarlett e no que eu faria sobre aquela situação deprimente. Não, eu estava clicando em atualizar em meu Twitter e tentando fingir que não tinha nada a ver com Jeane Smith.

7

Levei muito tempo para dormir, não apenas porque todo meu corpo ainda estava vibrando de raiva, mas porque tinha que apresentar meu relatório mensal de definição de tendências para uma agência de publicidade às 8 horas, horário de Tóquio.

Devo ter dormido, porque, de repente, acordei com a ameaça tripla dos alarmes do iPhone, do relógio e do computador soando alegremente, precisamente às 7h43. Antes mesmo de me sentar, sempre verificava meu e-mail e, em minha caixa de entrada, havia um de Bethan.

> Acabei de ler seu blog, irmãzinha. Lembre-me de nunca mais irritá-la. Você está bem? Vamos nos falar pelo Skype depois da escola. Eu te amo de longa data, Bethan, bjs.

Foi uma das melhores maneiras de acordar, a não ser por ela ter me lembrado de tudo sobre o dia anterior. Eu não poderia reler meu blog até que tivesse tomado uma ducha (quando é que alguém faria um dispositivo portátil que fosse à prova d'água?), mas, enquanto escovava os dentes, dei um jeito de ler os comentários. Noventa por cento dos posts eram do tipo "Vai lá, garota, dê um pé nele". Como sempre, os outros 10% chamavam-me de "odeia-homens", "lésbica feminista que precisa de uma boa transa e de uma surra", e quando li meu blog pela terceira vez, me questionei sobre, talvez, ter ido um pouco longe demais. Ir um pouco longe demais era um hábito que eu não conseguia abolir.

Quando fotografei meu conjunto da manhã (botas plataforma de motoqueiro, meias alaranjadas brilhantes, shorts xadrez até o joelho, camiseta de manga longa verde e uma blusa recatada de manga curta floral), pensei em apagar o blog. Pensei nisso durante todo o tempo que levei para colocar duas tortas de framboesa no micro-ondas e, em seguida, queimar minha língua, porque estava muito impaciente para esperar que elas esfriassem.

Decidi que não excluiria nada. Sim, eu tinha dado uma surra em Barney, mas ele merecia, e tudo o que eu tinha escrito e publicado era como realmente me sentia. Aqueles eram meus sentimentos e eu tinha o direito de expressá-los da maneira como quisesse. As pessoas têm tanto medo de dizer a verdade porque a verdade é caótica e complicada, e, decididamente, nada legal, mas nada legal era o jeito que eu estava. Na verdade, eu estaria nada legal se usasse frases velhas e clichês, como "Esse é o meu jeito", o que realmente não ia combinar.

Eu não ia cortar ou apagar nada, mas ainda podia fazer as coisas direito.

Foi um sinal de meu arrependimento ter marchado até a porta da casa de Barney e tocado a campainha mesmo sabendo que seria atendida por sua mãe.

Aquela mulher me odeia. Tipo, realmente me odeia. Ela abriu a porta, olhou para mim e disse "Ah, é você", só que ela fez parecer como "De que pântano primitivo você acabou de se rastejar e por que você não pode simplesmente deixar meu filho em paz, sua vadiazinha horrível e malvestida?"

— Pensei que Barney e eu poderíamos ir juntos para a escola — disse diante de uma encarada realmente maléfica. Fitei-a intensamente de volta.

— Ele já saiu — ela disse finalmente, embora ele obviamente não tivesse saído, pois seu casaco estava pendurado no corrimão. Nem mesmo eu conseguiria chamar a mãe de Barney de mentirosa cara a cara.

Mas, então, Barney veio tropeçando pelas escadas, caindo dos dois últimos degraus quando me viu.

— Ah, eu pensei que você já tivesse ido — disse sua mãe, sem qualquer esforço de parecer sincera. Eu tinha que admirar a grosseria descarada dela. — Jeane está aqui.

— O que você quer? — Barney perguntou, enquanto se levantava do tapete e, em seguida, pegava a bolsa e o casaco. — Você é audaciosa.

— Eu sei — disse, pondo-me de lado enquanto Barney passava por sua mãe que tentava, em vão, lhe dar um beijo de adeus. — Adeus, Sra. M. Adorei revê-la — arrulhei, porque sabia que isso a irritaria. Então, subi novamente em Mary, minha bicicleta (nomeada em homenagem à Mary Kingsley, famosa exploradora vitoriana), e pedalei atrás de Barney, que estava correndo pela rua.

— Você não pode fugir de mim tão facilmente — disse-lhe, enquanto me dirigia para a estrada. — Eu sei que você está chateado comigo, embora eu não tenha certeza se é pelo que eu disse ontem, ou se é porque você leu meu blog, ou...

— Ou porque você nunca ouve o que eu estou dizendo, porque está muito ocupada pensando em você. — Barney balançou a cabeça em desgosto. — Há tantas razões pelas quais estou chateado com você que é difícil escolher apenas uma.

— Bem, se isso ajudar de alguma forma, eu sinto muito por todas essas coisas — assegurei-lhe, então eu tive que fazer uma pausa para fazer uma conversão ilegal à esquerda. — Mas é muito difícil ser uma boa ouvinte se você também fica falando sem parar.

— Você vai tirar do blog? — Barney perguntou. Ele não parecia estar disposto a me perdoar, mas pelo menos ainda falava comigo.

— Não, eu não posso fazer isso. Tenho o direito de ter esses sentimentos e blogar sobre eles, mas vou tirar seu nome do post — concedi. — Eu nunca me censurei. Então isso é demais para mim.

— Sim, bem, as coisas que você escreveu foram bem pesadas.

— E o que você fez foi pesado também — pontuei. — Eu tive que descobrir por meio de Michael Lee. A porra do Michael Lee! Se você tivesse me dito desde o início, sim, eu teria feito você passar por um mau momento, mas não teria tornado tudo uma explosão de uma maníaca. Desculpe-me por isso.

— Eu ouvi você desde a primeira vez — Barney disse, me cortando. Fui forçada a reduzir a velocidade quando estávamos apenas a algumas ruas da escola e a estrada estava entupida com pessoas que eram muito preguiçosas para andar e conseguiam carona para qualquer lugar, mas se atreviam a reclamar do aquecimento global. — Tudo bem, aceito suas desculpas.

Parte de mim queria lembrar Barney de que ele deveria pedir desculpas também, mas isso só nos levaria a outra discussão. Além disso, havia outra parte de mim que ficara enormemente aliviada por nunca mais ter que beijar na boca enquanto contava cinquenta elefantes. Barney seria um amigo muito melhor do que um namorado, e eu só tinha que engolir o orgulho.

— Então, nós estamos, tipo, bem de novo? — perguntei.

Barney chegou a um impasse.

— Se eu disser que não estamos bem você vai me assediar e me perseguir até que eu mude de ideia, não é?

— Eu não diria assediar, exatamente — tive que admitir a derrota e descer da bicicleta, pois havia muitos carros parados para passar por entre eles. — Mas não vou descansar até que tenha feito você ver o erro de sua conduta. Você precisa de mim em sua vida, porque sou uma boa amiga. Vou fazer você misturar CDs e cupcakes e encontrar quadrinhos incríveis em sebos e... e... e serei até agradável com Scarlett. Serei a medida pela qual todos os outros amigos serão julgados. E eles serão definidos como incomparáveis às minhas habilidades superiores de amizade. O que você acha, Barnster?

— Desde quando você me chama de Barnster? — Barney perguntou acidamente, mas ele estava oscilando, dava para ver. Era algo em seus olhos.

— É o jeito de um amigo chamar o outro. — Ensaiei um sorriso atrevido, apesar de não ter muito por que sorrir. Ainda estava brava com Barney, não por ele se apaixonar por Scarlett, mas por ter sido um imbecil em tudo isso, porém eu precisava superar, pois, quando não estava sendo um idiota, Barney era gente boa. — Você também pode me dar um apelido.

— Que tal, ahn, Jeane Desagradável?

Tínhamos chegado à porta da escola agora, e Barney caminhava ao meu lado, então pude lhe dar uma cotovelada nas costelas.

— Isso não é um apelido, é uma crítica realmente ruim e não soa muito bem, não é?

Barney queria sorrir, seus lábios estavam se esticando e se contraindo como se ele tivesse algum tique facial estranho. — Por que é impossível ficar bravo com você? — Ele encolheu os ombros. — Tudo bem, somos amigos, mas você está em liberdade condicional e nunca mais blogue sobre mim.

— E eu vou ser legal com Scarlett — jurei magnanimamente. — Não vou fazer quaisquer comentários maliciosos ou dizer qualquer coisa para ela que de alguma forma possa resultar em choro e lágrimas. Honestamente, quero que vocês dois sejam felizes. As pessoas devem ser felizes.

Barney continuou andando comigo até o galpão das bicicletas e ficou por ali enquanto eu acorrentava Mary.

— Nós não estamos juntos, você sabe — disse ele sombriamente, as mãos enfiadas nos bolsos de seu casaco. — Ela está com medo de romper com Michael.

Eu bufei.

— Qualquer uma ficaria feliz em dar um chega pra lá naquele idiota arrogante.

Barney assentiu vigorosamente.

— Sim, você sim, mas Scar não gosta de confrontos ou de ferir os sentimentos das pessoas, e ela morre de medo de ver a ira de todas as outras garotas da escola despencando sobre ela. Você não pode terminar com Michael Lee sem graves repercussões.

Virei a cabeça para que Barney não pudesse ver que eu estava revirando os olhos com tanta força que tinha certeza de que uma das minhas retinas acabara de se descolar. Tentei fazer ruídos simpáticos, mas Barney me olhou com ceticismo, como quem não tivesse acreditado nem por um segundo.

— Ah, Jeane, você é tão cínica... — disse ele, e sorriu para mim abertamente pela primeira vez em dias. — É o que eu mais gosto em você.

Foi somente no horário do almoço que pude caçar Scarlett. Ela e suas amigas chatas sempre iam às ruas do comércio central para visitar o bar de saladas em Sainsbury. Eu as segui e parei apenas para comprar Nik Naks picantes e Haribo, e segui-as de volta até a escola enquanto procurava uma oportunidade de ficar sozinha com Scarlett. Mas as quatro não pareciam funcionar separadamente.

Felizmente, Scarlett teve uma emergência capilar e um período livre, de maneira que ela foi forçada a deixar a escola sozinha e, como eu fora banida de minha aula de Arte para Qualificação por uma semana, depois de dizer a Sra. Spiers que preferia furar meus olhos com um pincel do que desenhar uma natureza-morta, agarrei a oportunidade.

Como sou realmente boazinha, deixei-a comprar seu grude de cabelo primeiro, então me pus a caminhar ao lado dela enquanto ela andava calmamente. Quando ela olhou para o lado e me viu, seus olhos se arregalaram de terror e seu rosto perdeu todas as cores. Era o momento perfeito para me lançar ao meu pedido de desculpas.

— Então, me desculpe, OK? Sinto muito sobre o que aconteceu na aula de Inglês, mas não quis dizer que você era uma retardada. Estava falando sobre toda a classe, de qualquer forma não deveria ter usado essa palavra e não deveria ter confrontado você misturando textos do trabalho com esse negócio todo com Barney.

Não era um pedido de desculpas elegante, mas vinha do coração e deveria contar para alguma coisa. Scarlett não parecia pensar assim. Ela tentou se esquivar de mim, mas rapidamente a contornei, de maneira que me coloquei totalmente de frente para ela. Não creio que eu já vi alguém parecer tão aterrorizado, nem mesmo quando minha amiga Pam Slamwich (obviamente esse não é o nome verdadeiro dela) percebeu que era o único membro de sua equipe de *roller derby* que ainda não recebera um pênalti e, portanto, seria a próxima a ser jogada para fora da pista por quatro bloqueadoras.

— Por favor, me deixe em paz — Scarlett disse em um sussurro de dor.

— Eu não posso fazer isso até que, pelo menos, reconheça meu pedido de desculpas. Não espero que me perdoe, mas eu disse que sinto muito — e realmente eu quis dizer isso.

Scarlett balançou a cabeça.

— Tanto faz — ela conseguiu dizer, mas não foi de um jeito pedante ou indiferente. Foi mais como se fosse a coisa mais corajosa que já saíra de sua boca. Ela suava tanto que eu queria torcê-la para secar.

— Então, isso significa que você aceita meu pedido de desculpas? — perseverei e Scarlett deu de ombros e franziu os lábios, agindo como se sofresse de uma agonia gigantesca.

Aquilo duraria para sempre. E eu não tinha tempo para sempre. Estava muito ocupada para qualquer para sempre. Scarlett era demasiadamente estúpida para perceber que tinha todo o poder, então eu tinha que mostrar isso a ela, e também correr para acompanhá-la quando ela, de repente, atravessou a rua correndo.

— Ouça, Scarlett... Você vai me ouvir? — Agarrei o braço dela e ela parou de imediato, como se meu toque tivesse propriedades paralisantes, o que poderia realmente ser muito legal.

— OK, estou ouvindo — ela murmurou.

— Scarlett! Você pode pensar que eu sou apenas uma garota mal-vestida, arrogante e escandalosa, que fez você chorar em duas ocasiões distintas e que, se eu simplesmente desaparecesse, sua vida melhoraria cem por cento automaticamente, mas, adivinha?

— O quê? — Eu definitivamente tinha sua atenção agora.

— Minha tranquilidade está em suas mãos — disse-lhe, agarrando suas mãos flácidas e brancas como lírio, e agitando-as um pouco para que ela percebesse a urgência da situação. — Eu gosto de Barney e você gosta dele também.

— Bem, olha, sobre isso... — Ela tentou livrar as mãos, mas eu as segurei desesperadamente. — Não é o que você...

— Você provavelmente gosta muito mais dele do que eu gosto, e ele gosta de você muito mais do que gosta de mim, especialmente agora, já que ele está bravo comigo, mas fomos um desastre como casal, por isso, vocês dois têm minha bênção.

— Ah — disse ela. — Ah, certo. Bem, eu não estava esperando isso.

— Eu prefiro ter Barney como meu amigo do que como meu namorado, mas isso só vai acontecer se estiver tudo bem entre vocês — disse a ela, e era difícil admitir que alguém tão *blah* como Scarlett tivesse algum poder sobre meu destino. Aquilo ficou preso em minha garganta como um pedaço de frango frito, mas ela era o tipo de pessoa que precisava que tudo fosse bem explicado. Na verdade, eu deveria ter preparado alguns cartões de memória apenas para tornar todo aquele exercício um pouco mais babaca do que já era. — Se vocês dois ficarem juntos, Barney vai querer ser meu amigo se você disser que está tudo bem. — Fiz uma pausa. — O que é meio errado, porque as pessoas não são propriedade de ninguém; elas deveriam ser capazes de fazer o que quisessem, e deveriam ser amigas de quem quisessem, independentemente do que seu namorado ou namorada pense, mas nem todos são tão iluminados como eu.

Scarlett certamente não era. Talvez por isso ela estivesse franzindo a testa. Ela era uma pessoa muito difícil de "ler" quando não estava encolhida de medo.

— Mas nós não estamos juntos, Barney e eu — disse ela. — Não neste momento, de qualquer maneira.

— Você prefere Michael Lee a Barney? — perguntei, incrédula, porque qualquer pessoa que passasse mais de dez minutos na companhia de Barney o preferiria mil vezes a Michael Lee, isso se possuísse mais de dois neurônios funcionando. — Então de que você vem brincando?

— Não, não! Você não entende. — Estávamos bloqueando o caminho de duas mães com expressão de desaprovação que estavam brandindo sua irritação sobre nós.

Scarlett suspirou quando dei um passo para a direita ao mesmo tempo que as mães viraram à direita, de modo que eu quase fiquei presa nas rodinhas dos carrinhos de bebê. Ela me puxou com segurança e a coisa mais estranha aconteceu: Scarlett Thomas e eu, de repente, sentadas em um muro do jardim, falando sobre garotos. Ou ela estava falando sobre dois garotos, em particular, e eu não tinha escolha a não ser ouvir. Barney ainda ia me dever muito por isso.

— ... e eu gosto de Barney de verdade, tipo, de verdade, porque ele me conquista, o que é estranho, porque ninguém acreditaria que ele seria capaz e, agora que estamos saindo bastante, acho que ele é realmente muito bonito, mas eu estou com Michael e não sei como não estar mais com Michael, você compreende?

— É simples. Você, bem, simplesmente chute-o. Diga "você foi chutado", mas talvez você queira encontrar uma maneira um pouco mais agradável de colocar tudo isso — aconselhei-a. — Tipo, "você é uma ótima pessoa, como as pessoas devem ser, mas não vamos mais continuar com isso".

— Eu não posso dizer isso! — Scarlett engasgou. — É muito cruel, mas, seja lá o que for que eu diga, haverá uma discussão e ele vai ficar com raiva, e quando as pessoas ficam com raiva de mim, eu começo a chorar. Eu gostaria de não agir assim, mas, mas eu ajo.

Eu me contorci nesse momento, só um pouquinho.

— É impossível passar pela vida sem que alguém fique com raiva de você. Normalmente, eu não passo uma hora sem que alguém queira me matar, mas são apenas dez minutos desagradáveis que você tem que sofrer antes que possa alcançar as coisas boas.

— Hum, eu não havia pensado nisso dessa forma — Scarlett meditou, antes que seu rosto se contorcesse novamente. Ela seria muito mais bonita se não ficasse enrugando e amassando e vincando seu rosto. — E Michael não vai gritar comigo porque ele é muito bondoso para fazer isso. Mas ele suspira e me lança aquele olhar como se eu estivesse sendo realmente uma chata, e eu tenho sido uma chata porque pensei que, se eu fosse um lixo de namorada, ele terminaria comigo, mas ele não terminou. Ele só suspira ainda mais. É, tipo, tão estressante.

Então o jogo de cintura acabou.

— Pelo amor de Deus, Scarlett, pare de ser tão patética! — disparei. Eu estava sendo cruel para ser gentil, porque se ela pudesse enfrentar minha ira, poderia facilmente enfrentar os suspiros de Michael Lee, que pareciam bem amadores para mim. — Você tem essa incrível oportunidade de aproveitar a felicidade. Você gosta muito de Barney, ele gosta muito de você também, e a única coisa que se interpõe em seu caminho é sua própria falta de coragem.

— Sim, mas...

— Eis o que você vai fazer. Você vai voltar para a escola e vai encontrar Michael Lee e lhe dizer que ele não a faz feliz, mas que Barney faz e que você precisa ir atrás de sua felicidade. Você entendeu? Siga sua felicidade! Pense menos em como romper com alguém e mais em mudar o curso de seu futuro, certo?

— Certo! — Scarlett concordou aos solavancos. — É! Tipo, eu mereço ser feliz. E não é culpa de Michael que ele seja meio chato e não me faça feliz, mas não é minha culpa também.

— Agora você está entendendo. — Bati no braço de Scarlett e tirei um tempinho para me deleitar com meu próprio poder. Eu seria uma oradora motivacional incrível. Vamos encarar os fatos, eu dominaria a todos se fosse uma figura pública, talvez uma deputada, ou até mesmo um primeiro-ministro, ou mesmo uma ditadora, mas uma ditadora benevolente, que se tornaria uma grande blogueira. — Vamos lá! Vamos voltar para a escola para que você possa ir atrás de sua felicidade!

Scarlett saltou, mas nem bem deu três passos cheios de propósito quando chegou a um impasse.

— Hum, Jeane, eu poderia ir atrás de minha felicidade rompendo com Michael via mensagem de texto?

— Não! O que há de errado com você? — Soquei-a no braço, muito levemente, mas ela mesmo assim saltou para trás e esfregou seu bíceps como se meus punhos fossem feitos de concreto armado. — Lembre-se, romper com ele só vai tomar dez minutos de toda a sua vida.

— Bem, eu acho...

Eu poderia dizer que Scarlett estava oscilando novamente, de maneira que passei toda a caminhada de volta para a escola chicoteando-a em um estado próximo da histeria. Aquilo não era apenas sobre romper com Michael Lee; era sobre tomar o controle de sua própria vida, não ficar nos bastidores, mas ser a estrela de seu próprio filme.

Assim que marchamos pelos portões da escola, Scarlett estava a toda:

— Ele deve estar saindo de Matemática exatamente agora. Certo. Vou encontrá-lo e depois vou lhe dizer que ele está se interpondo no caminho entre mim e minha felicidade. Eu sou dona de mim mesma, não sou?

— Você é — eu disse, e nunca vou admitir isso para ninguém, especialmente para Barney, mas quando ficava toda irritada e indignada, Scarlett era quase divertida. — Boa sorte!

— Eu não preciso de sorte — Scarlett gritou por cima do ombro enquanto caminhava pelo corredor. — Eu faço minha própria sorte.

Eu ainda tinha dúvidas de que Scarlett seguiria adiante. No momento em que ela estivesse na frente de Michael Lee, e das maçãs do rosto dele, se desintegraria, e ela e Barney não seguiriam além do que vinham fazendo, e ele continuaria com raiva de mim.

Para tirar aquelas coisas de minha mente, enfrentei, na aula de Estudos de Negócios, o Sr. Latymer em um animado debate sobre os bônus dos banqueiros e as maneiras como as grandes corporações avarentas sonegavam o pagamento de impostos. Nós deveríamos falar de globalização, mas como não tinha feito minha leitura, pude disfarçar por algum tempo e, como bônus adicional, era sempre engraçado quando ele se empolgava e seu rosto ficava vermelho e começava a voar cuspe de sua boca.

Nós estávamos indo e voltando na questão do quanto a dívida nacional seria reduzida se todos pagassem o montante correto de imposto quando percebi que o resto da classe não estava prestando atenção, mas, em vez do murmúrio desinteressado que geralmente se ouvia nessas circunstâncias, eu podia ouvir as pessoas rindo atrás de mim. Por um momento, me perguntei se Rufus Bowles tinha pregado um bilhete rude nas costas de minha cadeira de novo — "Jeane Lamentações" fora seu momento mais delicado —, mas ninguém estava olhando em minha direção. Olhei por cima do ombro e observei cada um na classe, e realmente quero dizer cada um deles, olhando para seus celulares sem nenhum esforço para esconder aquilo.

— Certo, Jeane, chega disso. — O Sr. Latymer se aproveitou de minha distração para bater palmas. — Não quero ouvir nenhuma outra palavra sua pelo resto da aula.

Meu plano tinha funcionado, meus planos sempre funcionavam. Agora eu poderia me reclinar na cadeira e perguntar para Hardeep, que sempre se sentava ao meu lado em Estudos de Negócios, por que ele conseguia chegar à aula ainda depois de mim:

— O que está acontecendo?

— Scarlett rompeu com Michael Lee — ele sussurrou de volta. — Nos armários do 4º ano. Ela estava agindo como uma completa insana, gritando para ele sobre estar nos filmes ou algo assim.

— Você não deveria usar palavras como essa — disse automaticamente, mesmo que, por dentro, estivesse dando murros no ar de triunfo. Às vezes eu quase temia meu próprio poder.

— Está falando a garota que a chamou de retardada — Hardeep rebateu e, em seguida, o Sr. Latymer estava rosnando para nós de uma maneira que prometia advertência se não calássemos a boca.

Então calei a boca e, enquanto eles debatiam globalização, fiz a leitura que eu deveria ter feito na noite anterior, e até comecei a ler o próximo capítulo.

No final das contas, tinha sido uma aula de Estudos de Negócios bem-sucedida, pensei, enquanto caminhava para o barracão das bicicletas. E Barney estava, provavelmente, encomendando uma cesta de muffins para mim bem naquele momento, por causa do meu trabalho estelar com Scarlett e suas questões de autoestima.

Não havia realmente nenhuma maneira de o dia ficar melhor.

Então eu vi Michael Lee esperando ao lado de minha bicicleta. Ele esperava por mim. E se o olhar irritado em seu rosto significava alguma coisa, o dia se tornaria muito, muito pior.

8

Jeane Smith veio em minha direção com outra roupa de fazer os olhos doerem, vestindo coisas que não combinavam e meia-calça alaranjada. Por que alguém pensaria que é uma boa ideia criar e vender meias alaranjadas, e por que Jeane achou que seria uma boa ideia comprá-las?

Um casal do 8º ano passou correndo e quase a derrubou, eles eram maiores do que ela, e eu me perguntei como alguém tão pequeno poderia causar tantos problemas. Ela era uma bola de demolição em forma de gente.

— Eu sei que você veio para gritar comigo — disse ela, irritada, assim que chegou perto o suficiente. — Então faça isso já, tenho um compromisso.

Ninguém, além de Jeane Smith, podia me fazer sentir como se eu fosse uma grande porcaria. Mesmo que eu resgatasse crianças pequenas e cachorrinhos e gatinhos de um prédio em chamas, sem pensar nem por um instante em minha própria segurança, ainda assim Jeane não ficaria impressionada. Esse pensamento fez meu lábio superior se curvar como uma colcheia.

— Que você disse a Scarlett? — perguntei quando Jeane chegou ao meu lado e começou a prender sua cesta na parte traseira de sua bicicleta.

— Eu pedi desculpas a ela — Jeane disse arrogante. — E depois nós começamos a falar sobre coisas de garota. Não espero que você entenda.

— Eu definitivamente não entendi quando ela começou a gritar sobre ir atrás da felicidade dela e estrelar em filmes, mas consegui decifrar o suficiente para saber que fui chutado.

Jeane sorriu serenamente. Na verdade, ela sorriu presunçosamente.

— Veja, se serve de consolo, ela estava querendo fazer isso há muito tempo...

— Não, não serve — afirmei.

— Você sabia que havia algo acontecendo entre ela e Barney...

— Você está cantando essa música agora, não é? — Eu não podia acreditar no que estava ouvindo. — Mas fui eu quem lhe ensinou essa música.

— Tanto faz — Jeane encolheu os ombros. — Você e Scarlett não estavam fazendo um ao outro felizes, foi o que ela me disse, e ela e Barney vão fazer um ao outro felizes, embora só Deus saiba sobre o que eles falem realmente, e tenho certeza de que você vai encontrar outra namorada para validar sua existência até o final da próxima semana, por isso, na real, qual é o problema?

— Você! Você é meu problema. Você não tinha o direito...

— Me desculpe! Você foi o único que me disse que eu precisava fazer algo sobre Barney e Scarlett, então eu fiz. Você devia me agradecer.

Era uma mentira deslavada. Ela não tinha lançado seu feitiço de fofice sobre Scarlett em nome do poder feminino, ou de irmãs que agiam por si mesmas. Eu lera seu blog na noite anterior, quando ela estava espumando pelo sangue de Barney, e era óbvio que ela decidira que se ela ia ser miserável, então eu também deveria ser. Ela me odiava, embora eu não pudesse imaginar o porquê. Eu não tinha feito nada a Jeane, mas minha simples existência parecia realmente irritá-la.

— Por que eu deveria lhe agradecer? Não havia necessidade de você se envolver, eu estava lidando com isso. — A única maneira com que eu estava lidando com aquilo era atrasando o rompimento inevitável, mas eu não diria isso a Jeane para ver seu rosto se iluminar em uma exultação rancorosa.

— A razão pela qual você está bravo comigo é porque esta é, obviamente, a primeira vez em sua vida que as coisas não acontecem do seu jeito — Jeane me informou. — Toda essa situação vai ajudar você a construir seu caráter e, de qualquer maneira, ainda estamos estudando, não é como se Scarlett fosse seu único e verdadeiro amor e vocês fossem se casar e ter filhos. Você está exagerando totalmente.

— Olha, qualquer que fosse o problema que Scarlett e eu tivéssemos, era nosso problema. Ninguém lhe pediu para meter seu nariz gordo nele.

— Bem, na verdade, você pediu. — Jeane estendeu a mão para tocar a ponta do nariz. — E meu nariz não é gordo, ele tem ossos grandes — acrescentou ela, e eu queria rir, porque era uma das melhores réplicas que eu já ouvira, mas eu nunca, jamais, lhe daria essa satisfação. — Olha, você quer discutir por muito mais tempo? Porque eu tenho uma tonelada de coisas que preciso fazer esta noite. Scarlett tinha razão quando me disse que você era chato. Você é como um CD que insiste em pular; nunca chega ao fim.

— Mas... Mas... Mas... — Eu não podia acreditar que estava lá rugindo e me desculpando e perdendo as palavras porque, sim, Scarlett rompera comigo, mas eu sabia que estávamos bem com o rompimento e, embora fosse humilhante, não era esse o problema. Ainda assim, havia uma maneira certa e uma errada de se terminar com alguém. — Por que você teve que deixar Scarlett tão brava? Na verdade, como você conseguiu fazer Scarlett perder o controle?

— É um dos meus superpoderes — Jeane disse. Ela se agachou para destravar sua bicicleta. — Eu não posso dizer que foi divertido, porque não foi, mas eu tenho que ir.

Ela subiu em sua bicicleta e estava prestes a ir embora, e, ainda que eu tivesse muitas coisas para dizer, não conseguia lembrar o que eram naquele exato momento.

— Bem, nós realmente não devemos fazer isso mais vezes — disse ela alegremente. Levantou-se sobre os pedais e moveu-se adiante, mas eu agarrei a parte traseira de sua bicicleta, pois me lembrei do que queria dizer a ela: que ela era uma vaca teimosa e insuportável...

Então tudo pareceu acontecer em câmera lenta. Jeane foi lançada para a direita sobre o guidão. Impotente, eu a vi flutuando no ar por vários e longos momentos para, em seguida, ela bater no chão com um baque surdo, braços e pernas em ângulos horrivelmente estranhos, como se ela tivesse quebrado todos os seus membros. Eu quebrara todos os seus membros.

Ela ficou ali em silêncio e imóvel, o que teria sido um alívio em qualquer outro momento, mas não quando eu tinha certeza de que tinha acabado de matá-la. "Ah, Deus! Isso vai estragar minha entrevista para Cambridge", foi o pensamento imediato que surgiu em minha cabeça quando me lembrei de que eu era um socorrista treinado. Em parte porque meu pai insistia que todos deveriam aprender habilidades básicas de salvamento, mas também porque minha mãe dizia que aquilo ficaria bem em meu formulário para as universidades.

Eu precisava verificar se Jeane ainda estava respirando, mas para isso eu teria que virá-la, e ela realmente não deveria ser movida. Ou deveria? Eu deveria colocá-la em posição de recuperação?

— Ai, droga do céu, me acuda! — ela gemeu de repente e rolou. Não estava morta e eu não seria acusado de homicídio. Talvez agressão, porque suas meias estavam rasgadas e havia fluxos contínuos de sangue escorrendo por suas pernas, o que fazia com que as meias alaranjadas parecessem mais feias. — E meu telefone? Meu telefone está bem?

Jeane não estava gritando comigo, o que era algo bom, a menos que ela estivesse guardando suas energias para quando chamasse a polícia. Peguei a bicicleta — a roda da frente estava completamente deformada — e a coloquei sobre um suporte.

— Onde está seu telefone? — perguntei-lhe com voz rouca.

Franziu a testa, ou então seu rosto vincou-se de dor, era difícil dizer.

— Talvez esteja na cesta.

Soltei a tampa, tirei sua bolsa "Dork is the new black" e a coloquei diante dela. Jeane se sentou e gemeu antes de começar a escarafunchar a bolsa, por isso, pelo menos, os braços não estavam quebrados, o que só deixava as pernas, costelas e uma possível concussão cerebral na lista, já que Jeane era muito rebelde para usar um capacete.

— Talvez você não devesse se mover — sugeri. — Você pode ter algum sangramento interno.

— Eu preciso do meu telefone — insistiu ela, olhando para mim com um olhar tão lamentoso que a fazia parecer mais com Bambi do que com uma guerreira. — Não consigo encontrá-lo.

— Tem certeza de que estava em sua bolsa?

Jeane olhou ao redor do pátio e eu até me agachei e olhei sob alguns carros estacionados, até que ela deu um grito. Voltei-me tão depressa que quase caí, porque soou como um grito doloroso, mas era um grito de "encontrei meu telefone".

— Ele estava em meu bolso — disse, e então beijou seu telefone e o esfregou contra o rosto até que percebeu que seu rosto estava machucado.

— Você está bem? — perguntei-lhe, porque o modo como ela estava agindo me fazia pensar que estivesse em estado de choque, embora não parecesse mais louca do que o habitual. — Dói em algum lugar?

— Estou um pouco sem fôlego — disse Jeane, e ela encarava tudo muito melhor do que eu jamais poderia esperar. Ela não gritou ou disse qualquer coisa sarcástica e cortante, por isso talvez ela estivesse sofrendo uma hemorragia cerebral. — Tudo está ardendo um pouco.

— Sinto muito. Eu não queria fazer o que fiz. Foi um momento de loucura. Vou pagar o conserto de sua bicicleta.

Jeane olhou sua bicicleta de relance e de forma sumária, e, em seguida, voltou sua atenção para o telefone. Eu nunca tinha visto alguém teclar tão rápido.

— Está tudo bem — disse ela. — É apenas uma bicicleta. Nenhum osso quebrado.

— Você tem certeza?

— Eu acho que sei se os meus ossos foram quebrados — murmurou. — E a bicicleta é apenas uma coisa, as coisas podem ser substituídas.

Eu fiquei lá, com os braços pendendo inutilmente ao lado do corpo. Não estava acostumado a me sentir inútil e sem saber o que fazer. Deveria fazer Jeane se levantar? E depois que ela estivesse de pé, deveria lhe oferecer uma carona para casa? E algum tempo depois disso, deveria lhe pedir para não fazer uma queixa oficial contra mim que poderia, de alguma maneira, influenciar na minha escolha da universidade?

— Bem, você provavelmente deveria se levantar...

— Sim, só estou terminando meu tuíte. Passei o dia inteiro totalmente impedida de tuitar, então isso é uma pequena bênção disfarçada — disse Jeane, depois olhou para cima e depois olhou para baixo e então, só então, ela gritou.

Era um som agudo horrível, que rasgou o ar, assustando um bando de pombos que estava caçando comida nas lixeiras e o fez voar.

— Você! Seu grande estúpido e idiota! Olhe o que você fez com minhas meias! — Jeane apontou para as meias rasgadas. — Elas estão destruídas!

Elas estavam e, francamente, aquilo era uma melhoria.

— Você acabou de dizer que as coisas podem ser substituídas.

— Não minhas meias laranja! Levei anos para encontrar um par no tom certo de laranja e comprei esse em uma loja em Estocolmo, e era o último par. — Jeane fechou os punhos e eu realmente pensei que ela fosse chorar. Ou me dar um soco. — Você não deve sair por aí derrubando pessoas de suas bicicletas. Você é chefe do conselho estudantil, e deve servir de exemplo.

— Eu sei, eu disse que estava arrependido e lamento sobre suas meias, mas são apenas meias. — Eu olhei para elas novamente e me perguntei por que Jeane não estava mais preocupada com seus cortes e arranhões e, em seguida, meus olhos foram até seu tornozelo esquerdo e permaneceram por lá. — Ah, meu Deus.

— Estou feliz por você apreciar a gravidade da situação — Jeane rosnou. Inacreditavelmente, ela estava pegando seu telefone de novo. Vou tentar encontrar um par de meias laranja no eBay e você vai pagar por ele.

— Jeane!

— O que foi agora?

Apontei o dedo trêmulo para o tornozelo dela, que nem sequer parecia mais com um tornozelo. Estava do tamanho de uma bola de futebol americano. — Como é que isso não dói?

— O quê? Ela olhou para baixo e, em seguida, seus olhos rolaram, de modo que eu pude ver apenas os brancos, e ela desabou para trás, por isso tive que correr para seu lado para impedi-la de contundir a cabeça no concreto. Ela abriu a boca para dizer algo, mas tudo o que saiu foi um pequeno e fraco gemido.

— Isso realmente não dói, Jeane?

Ela agarrou no meu braço. Suas unhas estavam pintadas com listras extravagantes em cores pastel.

— Agora que pensei nisso, dói pra diabo — disse entre os dentes. — Acho que vou vomitar.

Toquei a mão dela, que estava gelada, como se ela estivesse em choque. Tirei minha jaqueta de couro e coloquei-a sobre seus ombros. — Olhe, vou levá-la ao hospital pra que você possa radiografá-lo.

Jeane balançou a cabeça decidida.

— Não! Eu odeio hospitais. Acho que posso sentir meus dedos. Eu seria capaz de sentir meus dedos se estivessem quebrados? Devo perguntar no Twitter?

— Eu não faço ideia. — Obriguei-me a olhar para o tornozelo novamente. Ele estava se avolumando por cima da sapatilha. — E, em vez de perder tempo tuitando, não deveríamos, talvez, tirar seu sapato antes que ele impeça a circulação sanguínea?

— Não! Vai doer muito! — Jeane deitou-se no chão. — Vou ter que ficar aqui pra sempre, e tenho tanta coisa pra fazer hoje à noite.

Agora que Jeane tinha voltado a escrever, eu me senti melhor. Ela era ainda mais drama queen do que Alice, mas pelo menos Alice tinha a desculpa de ter apenas 5 anos. No entanto, ainda não tinha a menor ideia do que faria com ela.

— Você não pode ficar aqui pra sempre e você não pode andar, e sua bicicleta está toda amassada, então eu vou lhe dar uma carona. Para o hospital.

— Eu não vou para o hospital — protestou ela. — Basta sentir o cheiro do produto de limpeza ou ver uma pessoa idosa, de pele amarelada e varizes, andando com soro pendurado, que eu vomito em cima de você.

— Não aja como um bebê — eu disse, firme. Então tive uma ideia. — Meu pai é médico. Será que você se dignaria a vê-lo?

Jeane contorceu o rosto com indecisão.

— Que tipo de médico?

— Clínico geral. Dono de sua própria clínica. Tem vinte anos de experiência e, se você for bem-comportada, ele lhe dará um pirulito sem açúcar.

— Por que pirulito sem açúcar? — queixou-se. — Bem, acho que eu posso ver seu pai, desde que ele prometa não me machucar.

Acorrentei a bicicleta dela, enquanto ela insistia em tirar uma foto de sua perna mutilada e tuitá-la para seus seguidores. Em seguida, em meio a muitos estremecimentos e recuos de dor, ajudei Jeane a ficar em pé, ou melhor, sobre seu pé direito, porque ela não podia colocar peso sobre o pé esquerdo. Então, segurando em meu braço, ela pulou até meu carro. Toda vez que ela fazia contato com o solo prendia a respiração, como se o impacto estivesse afetando seu tornozelo.

— Posso carregar você? — eu me ofereci de coração. — Você não deve pesar tanto.

Seus olhos se estreitaram.

— Se você tentar me carregar, pode esquecer a ideia de ter filhos um dia — ela sussurrou. — Eu posso fazer isso.

No final, trouxe meu carro o mais próximo que pude do barracão das bicicletas e logo estávamos a caminho de minha casa, sem que eu prestasse muita atenção ou considerasse se queria Jeane em minha casa.

Jeane estivera colada ao seu iPhone por toda a viagem de cinco minutos, mas quando entrei na garagem e estacionei ao lado do Volvo de meu pai, ela olhou e deu um assobio longo e baixo.

— Pomposolândia — disse ela com um leve escárnio na voz, como se não fosse legal viver em uma casa grande.

Mas nós não vivemos em uma mansão num terreno de cinquenta hectares, com uma lagoa com patos, um lago ornamental e um campo de críquete. Era apenas uma grande e irregular casa vitoriana, com um telhado com vazamentos e janelas com caixilhos que sacudiam. E o porão e a maior parte do piso térreo foram destinados à clínica, mas Jeane ainda olhava, implicante.

Meu pai terminava cedo às quintas-feiras, e quando irrompi pela porta lateral com Jeane mancando, ele estava saindo da clínica.

— Oi, filho — disse ele. — Alguém andou participando de uma guerra?

Esperei que Jeane lhe desse um relato detalhado de como eu a aleijara, mas ela apenas se encostou no batente da porta para que pudesse liberar a mão.

— Eu sou Jeane, o senhor atende sem consulta marcada?

— Creio que eu possa fazer uma exceção — papai disse calmamente, como se não estivesse nada intimidado com uma garota de 17 anos de idade, com cabelo cor de ferro fundido cinzento e que estava vestida como uma aberração. — Michael, vá dizer a Agatha que ela pode ir pra casa, e depois, certifique-se de que Melly e Alice não estejam com a TV ligada.

Jeane acenou para mim com os dedos, enquanto eu subi as escadas para liberar a babá.

— Então, o senhor acha que meus dias de foxtrote acabaram? — ela perguntou ao papai. — E se importa se eu tuitar ao vivo meu exame médico?

Meia hora depois, eu já tinha colocado Melly e Alice sentadas à mesa da cozinha fazendo sua lição de casa, mas, principalmente, discutindo sobre quem era a rainha da Disneylândia de Paris, e eu estava começando a preparar o jantar. Quinta à noite era a vez dos refogados, o que envolvia cortar uma enorme quantidade de verduras e legumes.

Eu apenas começara com os pimentões quando ouvi um baque pesado, um arrastar pelas escadas e o som de vozes. Levantei os olhos a tempo de ver Jeane entrar na cozinha com...

— Muletas! — ela exclamou alegremente, ao mesmo tempo que tanto Alice como Melly pararam de discutir para olhar para Jeane com olhos arregalados e confusos. — Certamente tenho um assento garantido no ônibus.

— O pé não está quebrado? — perguntei, nervoso. Papai tinha seguido Jeane até a cozinha, e não tinha o olhar de um homem que ia me castigar e me dar uma "looooooonga" palestra sobre boas maneiras e sobre não derrubar pessoas muito menores do que eu de suas bicicletas. Pelo contrário: estava sorrindo gentilmente para Jeane, que estava segurando um buquê de pirulitos sem açúcar em uma das mãos.

— É apenas uma entorse ruim — disse ele enquanto abria o freezer e pegava um saco de ervilhas congeladas, que só eram utilizadas em uma emergência vegetal. Ele apontou para uma das cadeiras da cozinha, e Jeane sentou-se e apoiou a perna branca pastosa (agora sem meias alaranjadas rasgadas) na cadeira ao lado dela. — Agora, mantenha isso gelado por mais um tempo e depois eu vou fazer uma bandagem.

Alice balançou a cabeça.

— RGCE — observou ela. — Repouso, gelo, compressão e elevação. Se os sintomas persistirem, consulte seu médico. Quem é você?

— Sou Jeane, e quem é você? — Jeane fitou Alice, que não pôde suportar a pressão e escondeu o rosto nas mãos.

— Ela é Alice — Melly disse. — Eu não daria atenção a ela, ela tem apenas 5 anos. Eu tenho quase 8.

— Você não tem quase 8 — papai a lembrou. — Você só fez 7 há dois meses.

— Sim, mas eu nunca vou completar 7 anos de novo — Melly insistiu. Ela olhou para Jeane de modo avaliador. — Você é uma das namoradas do Michael?

— Não — eu disse rapidamente. — Jeane frequenta minha escola, e não faça perguntas pessoais.

— Melly está fazendo perguntas pessoais de novo? — mamãe queria saber tão logo passou pela porta. Ela jogou a bolsa de mão, a pasta e o laptop sobre a mesa, tirou o casaco, pendurou-o sobre as costas de uma cadeira, beijou papai e depois captou o olhar de Jeane, que a estava observando com interesse. — Olá, quem é você?

As apresentações foram feitas. Era como ver dois cães rondando um ao outro cautelosamente. Eu nunca tinha visto Jeane parecer menos segura de si mesma.

— Bem, eu repousei e apliquei o gelo — disse ela, olhando para o pé. — Já é hora da compressão?

— Por que você não fica para o jantar? — mamãe sugeriu. As sugestões de mamãe sempre soavam como uma ordem direta.

— Bem, eu realmente tenho muito o que fazer esta noite — disse Jeane, olhando para a bancada onde meu pai estava fazendo uma marinada. — O que o senhor está fazendo?

— Peru e tofu refogado — disse Alice e arrepiou. — Eu nunca como tofu, é eca.

— Por que você não telefona para seus pais e lhes diz onde você está?

Olhei para minha mãe com horror. Ela me conhecia. Eu era seu filho mais velho. Seu único filho do sexo masculino. Ela me criou, e se preocupou, e me admoestou a fazer minha lição a tempo e a não comer entre as refeições, e nós até mesmo assistimos juntos aos programas de detetive na TV, legendados em dinamarquês, de modo que ela tinha que saber que Jeane não era uma amiga minha e, certamente, não era alguém que eu quisesse que ficasse para jantar.

Pelo menos dessa vez Jeane e eu estávamos em completa sintonia, porque ela parecia estar igualmente horrorizada, principalmente quando ela viu meu pai cortando grandes pedaços de tofu.

— Não, está tudo bem — disse ela. — Eu não preciso ligar pros meus pais. Eu adoraria ficar pro jantar.

9

Jesus chorou.

Havia muitas razões pelas quais eu não deveria ter jantado na casa de Michael Lee, mas seu pai fora muito gentil quando tirara os cascalhos de minha pele com um par de pinças e, depois, quando me deu pirulitos, mesmo que eles fossem sem açúcar. Além disso, já se passaram séculos desde a última vez que tivera uma refeição caseira, provavelmente nenhuma desde que Bethan fora para os Estados Unidos. Mas a melhor razão para ficar para o jantar foi o olhar de pânico total no rosto de Michael Lee, como se seu mundo inteiro estivesse prestes a desabar.

Foi o pagamento por meu tornozelo torcido e minhas meias laranja arruinadas, e também foi uma lição para ele sobre como a vida era quando não estava dentro dos planos.

E, para começar, foi divertido. Eu me liguei totalmente a Melly e a Alice, e, enquanto o refogado estava sendo preparado, elas me levaram até seu quarto, que era totalmente cheio de parafernálias cor-de-rosa de princesas, mas também com uma quantidade estúpida de Lego e Beyblades, por isso não tive que lhes dar uma palestra sobre os males dos estereótipos de gênero. Não que isso pudesse lhes fazer qualquer bem.

Alice e Melly eram doces e deixaram claro que prefeririam muito mais a mim que Scarlett, e que minha taxa de aprovação seria muito alta com os menores de 10 anos. Melly até se ofereceu para me emprestar suas meias listradas favoritas, mas elas eram muito pequenas, o que era uma pena, porque as meias listradas favoritas de Melly eram verde e rosa e totalmente incríveis.

Eu poderia ter ficado no beliche de Alice pelo resto da noite, me entretendo com as histórias da linha de frente da escola primária, mas, muito em breve, seria a hora de me sentar para comer o infame peru e o tofu refogado, que estavam, na verdade, realmente deliciosos. Quer dizer, até mesmo o tofu estava delicioso, e ainda havia macarrão japonês, que simplesmente adoro, e tudo teria sido ótimo se a mãe de Michael tivesse me deixado chafurdar na comida em paz.

Sua mãe (ela disse que eu poderia chamá-la de Kathy, mas parecia que ela ia me esfaquear caso eu o fizesse) é advogada, e me inquiriu como se eu estivesse no banco dos réus com dez acusações de agressão com arma letal. Ela queria saber por que eu tinha jogado fora os grilhões do poder paternal em uma idade tão precoce, e o que eu estava fazendo para obter a Qualificação, e se eu tinha um trabalho em tempo parcial, e por que meu cabelo era cinza.

Eu poderia dizer que ela não gostou de mim. As mães das pessoas nunca gostavam, não que eu ligasse se ela gostava de mim ou não — nunca a veria novamente —, mas quando alguém tinha uma má atitude, eu não podia deixar de perceber sua má atitude; e aguçá-la.

Assim, em vez de ser educada e simplesmente responder às suas perguntas com respostas monossilábicas, como qualquer jovem normal de 17 anos faria, eu fui muito, muito defensiva e muito, muito informativa.

— Minha mãe está no Peru sendo doce e sensível com prisioneiras. Ela está tentando ensiná-las a meditar — eu disse. — E meu pai se mudou para a Espanha para dirigir um bar e ficar bêbado toda noite, de graça. Acredite, estou melhor sem eles e suas crises de meia-idade.

Eu não podia parar por aí simplesmente. Não quando eu podia dizer: — De qualquer maneira, amigos são a nova família, e Gustav e Harry, que vivem no apartamento ao lado do meu, aparecem uma vez por mês para me forçar a arrumar tudo e a comer alguns legumes. Realmente não posso ver qual é a questão de ir para a universidade — disse também. — Já tenho minha própria marca e posso apenas contratar um gerente de negócios para cuidar do processamento de números. Enfim, qual é a vantagem de se obter uma graduação e dezenas de milhares de libras de dívida? Perda de tempo.

Eu estava sendo tão intragável, irritante, e muitas outras palavras pouco lisonjeiras que não começam com "i", que devia baixar meus hashis e estapear meu próprio rosto. Pela expressão fria da mãe de Michael (desculpe, Kathy), acho que ela também queria fazer isso.

Foi só quando estávamos comendo a sobremesa, uma salada de frutas com iogurte grego muito decepcionante, que finalmente parei de falar, mas Kathy não tinha terminado.

— Então, como você torceu o tornozelo? — perguntou ela.

— Bem, tive uma discussão com minha bicicleta e o solo — disse rapidamente, mas não fui rápida o suficiente para terminar antes de Michael.

— Foi minha culpa — disse ele por cima de mim. — Eu meio que derrubei Jeane de sua bicicleta.

— Michael! Por que você faria algo assim? — Kathy questionou.
— Não foi assim que você foi criado.

Disparei um olhar de censura a Michael porque eu não gostava do cara, mas ele devia conhecer o código que declarava que não se jogava um parceiro na lama diante de seus pais.

— Foi um acidente — insisti. — Apenas um acidente estúpido. Nós estávamos tendo uma discussão e...

— Uma discussão? — Kathy parecia Lady Bracknell batendo sua bolsa. Ela estava ainda mais perplexa por seu querido filho entrar em uma discussão do que por jogar uma garota indefesa de sua bicicleta. Embora, depois de cinco segundos em minha companhia, ela provavelmente tivesse percebido que eu estava longe de ser indefesa. Eu era inteiramente amparada. — Isso não tem nada a ver com você.

— Eu tenho discussões com pessoas — disse Michael enquanto corava de vergonha. Foi muito divertido vê-lo tentando fingir que era polêmico.

Apesar de ele ter olhos da cor de café, e em forma de amêndoas (nota pessoal: naquele momento havia um bolo esperando para ser assado), ele era, tipo, o garoto de olhos azuis dos Lee. Quando Kathy acabou de me interrogar acerca de minhas escolhas de vida, ela e o Sr. Lee (que me disse para chamá-lo de Shen) perguntaram a Michael tudo sobre suas aulas e sua lição de casa, e se ele tinha lido um artigo no *The Guardian* sobre os resultados da Qualificação do ano passado. Ele fora reticente no início, e me olhara de modo desconfiado, mas como logo percebeu que tinha a vantagem de estar em seu próprio ambiente, falou longamente sobre os eventos atuais, como o fato de ele estar participando das assembleias mortalmente maçantes da sociedade de debate da escola. Era o reino do sono, mas os pais de Michael, na verdade, ouviam o que ele tinha a dizer com olhos fixos em seu rosto, enquanto sorriam e acenavam de modo encorajador.

Até mesmo Melly e Alice fitavam Michael com adoração, e o importunavam para jogar *Dance Revolution*, ou agradeciam pela grande ajuda fraterna em um projeto escolar sobre dinossauros.

Michael Lee era o Sol, a Lua e as estrelas, talvez até mesmo a droga do sistema solar inteiro, no que dizia respeito à sua família. Não era de admirar que ele fosse tão arrogante.

Ainda assim, eu não conseguia me lembrar da última vez que os Smith tinham se sentado como família para jantar, ou mesmo da última vez que eu expressara uma opinião que Pat e Roy quisessem ouvir. Mas não se podia ansiar por aquilo que nunca conseguiria: é preciso ter os próprios sonhos e inspirações, e não viver por meio de outras pessoas. Por isso não invejava Michael Lee, porque me parecia que, se seus pais lhe pedissem para pular, então ele não só deveria pular, mas ainda prometer pular mais alto da próxima vez.

No entanto, naquele exato momento, eles não estavam lhe pedindo para pular, mas para pagar o estrago que tinha causado à minha bicicleta.

— Realmente, Michael, isso é o mínimo que você pode fazer. Eu espero que você tenha pedido desculpas a Jeane.

— Ele pediu, inúmeras vezes, e já se ofereceu para pagar o conserto de Mary — eu disse com calma, porque não fora a terrível calamidade que Kathy parecia pensar que fora, embora tenha sido algo muito inconveniente. — E eu chamo minha bicicleta de Mary em homenagem a uma exploradora famosa — adicionei, quando ela abriu a boca para me bombardear com ainda mais perguntas. — Está tudo resolvido.

— Você também vai dar carona até a escola para Jeane — o Sr. Lee disse suavemente, mas com um tom de voz que era muito mais assustador do que o queixume constante de sua esposa. — Isso parece justo, não?

— Claro que vou — disse Michael, mas eu podia ver o pânico em seus olhos novamente, e eu certamente não queria passar mais tempo com ele duas vezes por dia.

— Você não precisa fazer isso — eu lhe assegurei. — Há uma parada de ônibus ao lado do prédio onde moro, e o ônibus me deixa quase no portão da escola, e você não ouviu o que eu disse antes? Com minhas muletas, eu realmente consigo um assento no ônibus.

— Não seja ridícula — Kathy virou-se para mim. — Somos muito sérios em relação às consequências de cada ação nessa casa.

— Mas foi um acidente e eu estava sendo muito mais que chata. Seu filho não costuma infligir danos físicos em pessoas. Foi uma exceção.

Era como tentar argumentar contra uma viga de aço. Nada do que eu dissesse poderia influenciar Kathy e Shen Lee e, meia hora depois, Michael estava me levando para casa com minhas muletas batendo-lhe no rosto cada vez que ele movia a cabeça.

Agora que o assunto Barney e Scarlett estava resolvido, nós não tínhamos mais nada para falar.

— Sinto muito sobre minha mãe — Michael disse finalmente, quando entrou em minha rua. — É muito difícil dizer não à própria mãe, não é?

— Não é verdade. Acho que é muito fácil dizer não à minha. — Apontei para o outro lado da rua. — Pode se espremer atrás daquela van branca.

— Então, a que horas você quer que eu venha buscá-la amanhã? — Michael me perguntou numa voz resignada, enquanto eu soltava meu cinto de segurança.

— Eu não quero — disse simplesmente, enquanto tentava tirar as muletas do banco de trás. — Posso me organizar sozinha perfeitamente bem.

— Mas eu prometi que viria. — Michael saiu do carro e deu a volta para abrir minha porta, como se eu tivesse perdido o uso dos meus braços junto ao de minha perna. Embora eu não fosse o tipo de feminista que começava citando o Manifesto SCUM cada vez que um garoto abria uma porta para mim, aquilo me incomodou. Tipo, ele só fez aquilo para ser um cara servil, e não porque quisesse demonstrar qualquer cortesia.

— Bem, você pode simplesmente retirar a promessa. — Empurrei as muletas contra ele e recusei furiosamente sua tentativa de tomar meu braço para me ajudar a sair do carro.

— Eu vou lhe dar carona, quer você goste ou não — disse ele, sombriamente, enquanto me devolvia as muletas. — Então, a que horas?

— Não gosto nada disso, então eu não vou lhe dizer a que horas, e você não sabe o número do meu apartamento, de modo que não poderá tocar a campainha, e mesmo que você ficasse do lado de fora e esperasse por mim, você não poderia, tipo, me colocar à força em seu carro.

— Eu aposto que sim — Michael refletiu, olhando-me de cima a baixo enquanto eu ajustava as muletas, e, lenta e cuidadosamente, punha o pé na rua. — Veja, Jeane, você poderia apenas ser razoável por uma vez em sua vida? Fiz você cair da sua bicicleta, e disse aos meus pais que vou levá-la e trazê-la da escola, e é isso que eu vou fazer.

— Veja, Michael, eu não sou razoável. Isso não serve para mim, e o que você disse aos seus pais não é problema meu. Basta deixar sua casa um pouco mais cedo e não vir me pegar. Esse será nosso pequeno segredo.

Não havia nenhum modo de discutir comigo. Pessoas melhores do que Michael Lee tentaram, mas falharam tristemente.

— Ótimo — suspirou. — Ótimo. E eu espero que você não consiga um assento no ônibus, porque é isso que você merece por ser uma vaca encrenqueira com cabeça de vento.

— Tanto faz — eu disse com voz arrastada, e gostaria de poder seguir arrogante, mas tudo o que eu podia fazer era mancar e me arrastar para longe dele com meu nariz levantado, o que realmente não tem o mesmo tipo de vibração.

10

Eu poderia dizer que a vida voltou ao normal depois que Scarlett e eu terminamos, mas, se eu dissesse, estaria mentindo. A vida não estava normal. Estava tudo errado.

Para começar, todos sabiam que eu tinha sido chutado, ainda que não conhecessem as circunstâncias dolorosas e humilhantes do nosso rompimento. E todos sabiam que Barney e Scarlett estavam se vendo, porque eles davam as mãos em cada oportunidade. Não era nenhuma surpresa que altos sussurros me seguissem para onde eu fosse.

Fiz questão de cumprimentar Barney e Scarlett, para mostrar que não havia ressentimentos e que eu estava bem com aquilo. Mas meu ego estava ferido e passei grande parte dos dias com um frio na barriga e me sentindo como se eu fosse menos do que costumava ser. Eu também estava muito irritado.

Minha irritabilidade extrema não tinha muito a ver com Barney e Scarlett, mas tinha muito a ver com Jeane Smith, porque ela ficou sob minha pele como uma brotoeja. Obtive algum conforto ao saber que não fora o único chutado do bloco, além disso, eu tinha meus companheiros para me bater nas costas e dizer "Há muitos outros peixes no mar, companheiro", e "Foi ela quem perdeu, Mikey", e eu recebi um monte de mensagens de texto de garotas, incluindo Heidi, dizendo que estavam lá para mim se eu precisasse conversar.

Mas Jeane... Jeane, ela não tinha ninguém. Eu até sentia pena dela, mesmo que não merecesse qualquer simpatia, especialmente quando executava um desajeitado 180° com suas muletas cada vez que me via. Mas eu poderia dizer que ela estava perturbada. Ela não estava balançando suas estampas fluorescentes, só para citar um exemplo: na quarta-feira, ela até estava usando cáqui e ameixa (que parecia roxo para mim, mas em seu blog ela insistira que era ameixa; não que eu visse seu blog todos os dias, mas aconteceu de eu dar uma passada naquela manhã), que devia ser algo como vestido preto no mundo de Jeane. Ela estava até meio discreta na internet. Em vez de tuitar sobre bolos, ela tuitou sobre as várias injustiças que eram cometidas contra garotas em todo o mundo. Eu nunca percebera que as garotas passavam momentos tão duros, mas elas podiam ser apedrejadas e tinham ácido jogado no rosto quando procuravam uma educação adequada, farmacêuticos de pequenas cidades norte-americanas não lhes davam a pílula do dia seguinte, e quando Jeane desafiou o esperado bom comportamento e postou fotos de seu glorioso tornozelo technicolor, foi uma revolta bem-vinda.

Então, na sexta-feira, eu me senti melhor do que tinha me sentido durante toda a semana. Haveria uma grande festa no sábado à noite, e eu recebi um SMS sedutor da elegante Lucy, que frequentava as aulas especiais de gramática, porque, afinal: "Queria ter ctza q vc vai na festa do Jimmy K & c vc & Scar terminaram. Azar o dela, sorte minha!".

A elegante Lucy era benfeita de corpo, muito sociável, não usava roupas estranhas e era exatamente de quem eu precisava para voltar a usar meu gel. Melhor ainda, recebi um telefonema da oficina de bicicletas para dizer que a bicicleta da Jeane estava pronta para ser retirada. Eu pagaria pelos reparos, retiraria sua bicicleta e, então, nunca mais teria alguma coisa a ver com Jeane Smith.

Nem mesmo me importei em pedir a Scarlett para pedir a Barney para dizer a Jeane que sua bicicleta estava pronta para ser retirada no fim da aula. Eu não tinha o número de telefone dela, por nada do mundo lhe enviaria um e-mail e, de forma alguma, poderia tuitar, porque ela não sabia que eu era o mesmo @dimsumsaboroso que lhe enviara os links dos filhotes em pranchas de surf.

Por isso, foi um grande choque quando, logo depois de pagar a Colin, o reparador de bicicletas, sessenta das minhas suadas libras, de repente dei de cara com Jeane, enquanto ela entrava mancando pela porta, sem muletas, mas com um grande sorriso no rosto. Que desapareceu assim que ela me viu.

— Por que você está aqui? — questionou. — Isso não fazia parte do trato.

— Eu não poderia pagar até que Colin soubesse exatamente o que precisava ser feito — disse ressentido. — Acredite, se você se preocupasse em me deixar saber quando faria sua próxima aparição, eu me manteria bem distante.

— Se você não tivesse me derrubado de minha bicicleta, nenhum de nós teria que estar aqui. — Jeane cruzou os braços. — Vai!

Colin pigarreou, e nos viramos para olhar para ele. Ele estava na casa dos 50, com tatuagens sobre cada centímetro de seu corpo, exceto na cabeça raspada (dava para ver porque ele estava usando um calção, embora fosse um dia gelado de outubro), e vários piercings no rosto, o que parecia doloroso. Em suma, ele era intimidador, e você não ia gostar de estar no mesmo lugar com alguém assim enquanto uma garota berrava e o acusava de derrubá-la de sua bicicleta.

— Você quer que eu o expulse então, Jeane?

Eu nunca sentira um medo como aquele. Eu queria vomitar e, em seguida, cair de joelhos e chorar "Por favor, não me machuque!". Felizmente, fui salvo por Jeane.

— Bem, talvez ele não tenha me derrubado da bicicleta. Não de propósito, na verdade — ela admitiu. — No entanto, você ainda pode expulsá-lo se quiser.

— Agora, por que alguém ia querer infligir algum dano físico a uma garota tão doce como você? — Colin perguntou, e piscou para mim, então imaginei que estávamos bem e que eu não precisava temer por minha integridade pessoal. — Enfim, endireitei a roda e reajustei as marchas e os freios, e lubrifiquei a corrente para você. Mary está tão bem quanto uma bicicleta nova.

Jeane se esgueirou para mais perto. Normalmente, tudo o que eu podia ver quando ela estava perto era alguma roupa de cor chocante que ela usava, mas hoje ela estava com um vestido azul-marinho e meias cor de mostarda, o que não poderia me distrair para longe de seu rosto pálido e as sombras sob seus olhos. Ela parecia perdida. Ela não era bonita, nem um pouco bonita, mas tinha certo fogo dentro de si, a não ser hoje, que parecia como que se a chama tivesse tremeluzido e apagado.

Depois que eu voltei, após levá-la para sua casa na semana anterior, fiquei esperando um interrogatório entre médio e pesado, por parte de mamãe, sobre Jeane e quaisquer intenções que eu pudesse ter em relação a ela, mas minha mãe apenas meneou a cabeça e disse:

— Taí uma garota muito problemática e muito infeliz.

Tentei levar na brincadeira.

— Ela é um milhão de vezes mais difícil do que parece.

— Não, ela não é — mamãe disse simplesmente. — Ela é tão frágil que um golpe duro a quebraria.

Na época, eu não prestara muita atenção. Mamãe estava lendo Tolstói com seu grupo de leitura e pensei que fosse por isso que ela falara assim. De fato, nunca li Tolstói, mas seus livros são longos e cheios de pessoas com nomes russos confusos, e papai disse que eles eram a razão pela qual mamãe estivera de mau humor por semanas; quando Alice pintou a parede do hall com canetinha, realmente pensei que minha mãe ia colocá-la para adoção. Mas agora, enquanto eu observava Jeane escalar sua bicicleta para ver se o selim necessitava de ajuste, as palavras de mamãe voltaram para mim.

Eu tinha muitos amigos, tanto dentro como fora da escola. Jeane parecia ter muito menos, a menos que você contasse as pessoas que a seguiam no Twitter, e eu não contava. Verdadeiros amigos estavam ali por você, e eu pensei que podia tentar estar ali por Jeane. Não como um amigo. Cara, não! Mas se as pessoas soubessem que eu era legal com ela, então eles seriam legais com ela também. Não seria preciso muito esforço para dizer "Olá, como vai você?" na escola. Eu podia fazer isso.

— O que você ainda está fazendo aqui? — perguntou uma voz rabugenta, e percebi que Jeane estava tentando sair da oficina andando em sua bicicleta e eu, postado no caminho, estava, provavelmente, com um olhar embasbacado.

Ganhei outro olhar sombrio enquanto segurava a porta aberta para ela, então, quando ela começou a despejar sacos de pertences na cesta da bicicleta, tive que fazer a pergunta que vinha me incomodando havia dias.

— Se tirarmos da equação o fato de que eu derrubei você de sua bicicleta, qual é o motivo de você não gostar de mim?

Jeane revirou os olhos escurecidos.

— Eu não tenho tempo para isso.

— Vamos lá, é uma pergunta válida. — Descansei minha mão sobre o cano de sua bicicleta e ela se encolheu, embora nem tivesse montado ainda.

Ela pensou naquilo por três longos segundos.

— Eu simplesmente não gosto — disse, sem rodeios, o que era muito pior do que se ela dissesse ferozmente. — Por mais difícil que possa ser de entender, nem todo mundo que você encontrar na vida vai achar que o Sol brilha através de você, por isso é melhor se acostumar com isso agora.

Resolvi deixar essa passar.

— Mas do que, especificamente, você não gosta em mim? Nomeie uma coisa. Não! Nomeie três coisas. — Se Jeane só pudesse apontar uma razão, então seria apenas Jeane sendo Jeane; mas se ela tivesse pelo menos três razões convincentes para odiar minhas entranhas, então aquelas seriam áreas em que eu precisaria trabalhar.

— Qual é o problema? Você não gosta de mim também!

— Eu gosto!

— Isso é uma baita mentira deslavada e você sabe disso — zombou.

— Eu não desgosto de você. — Não era isso que eu queria dizer. — Eu estou aberto à ideia de gostar de você, mas você não torna isso mais fácil.

— Por que eu deveria tornar isso mais fácil? — Jeane questionou. — O que faz você pensar que alguém como você merece ser amigo de alguém como eu?

Olhei em volta lenta e deliberadamente.

— É mesmo, já que você tem tantas pessoas na fila para sair com você.

Jeane se elevou até sua altura máxima, o que na verdade não era muito alto.

— Sabe quantos seguidores tenho no Twitter?

Eu sabia e eu era um deles, mas...

— A internet não conta. Aposto que metade dos seus seguidores são homens de meia-idade com higiene pessoal ruim que moram com suas mães, e o resto deles, spans que irão infectar seu computador com um vírus.

— Não, eles não são nada disso! Eles são reais. Ou a maioria deles é. E só porque você interage com pessoas on-line não significa que essas amizades não devam ser valorizadas — Jeane argumentou. — É a droga do século 21.

— E onde estavam todos os seus amigos da internet quando você estourou seu tornozelo?

Jeane praticamente uivou em descrença.

— Eu? Eu? Eu não estourei meu próprio tornozelo. Você me derrubou de minha bicicleta!

Eu não tinha certeza de como eu passara de "sentindo pena de Jeane" para "brigando com Jeane com raiva total". É que ela era tão arrogante que alguém precisava chamar-lhe a atenção para isso e... e... ela reagia de maneira tão bonita. Bastava acender o estopim, ficar bem para trás e vê-la explodir; o problema foi que me esqueci de ficar bem para trás, e agora ela estava apontando o dedo em minha direção e, a cada quinta apontada, mais ou menos, ela me batia no peito. E ela podia socar forte com apenas um de seus dedos indicadores curtos e grossos.

— De qualquer forma, tanto faz — eu disse com minha voz mais lenta, arrastada e entediada possível. — Você estourou seu tornozelo, e onde estavam todos os seus seguidores do Twitter, então? Será que eles correram atrás de cachos de uvas e ibuprofeno? E eles saem com você quando você está na escola ou você tem que se esconder sozinha em um pequeno esconderijo onde possa fazer tricô e agir como uma solitária aberração esquisita?

— Como você se atreve? Como você se atreve? Você sabe o quê? Você acha que é um cara tão importante na escola, mas estes serão, para sempre, os melhores dias de sua vida. Isso é o bastante pra você, por isso é muito bom — Jeane cuspiu. — Mas você é apenas um grande peixe mudo nadando na porcaria de uma piscininha, mas a piscininha vai ficar maior e maior, e você vai ficar menor e menor, até que você será apenas um peixinho de aquário, e enquanto você estiver se estabelecendo na mediocridade de sua vidinha miserável e confinada, eu serei senhora de mim mesma. Você pode pensar que sou uma solitária aberração esquisita, mas pelo menos não tenho medo de quem sou.

Seu dedo era como ferro em brasa, cravando uma marca feroz e dolorosa em meu coração, e a única maneira de parar aquilo era agarrar o pulso de Jeane. Sua pele estava incrivelmente quente debaixo dos meus dedos, e esperei que ela gritasse, mas ela olhava para mim com uma expressão confusa no rosto, seus olhos se estreitaram como se ela não tivesse certeza do que eu estava fazendo ou de por que eu estava fazendo aquilo. Eu também não tinha certeza. Mas havia uma coisa que ela precisava saber.

— Não tenho medo de quem eu sou.

Ela balançou a cabeça.

— Você nem sabe quem você é — disse ela com uma voz muito mais baixa, como se ela nem sequer estivesse tentando me ferir agora, e aquilo fosse a verdade absoluta. — Você apenas é aquilo que as outras pessoas querem que você seja.

Talvez eu tenha beijado Jeane porque isso a faria calar a boca. Ou aquela pode ter sido a maneira mais fácil de lhe mostrar que eu não era quem ela pensava que eu era, que realmente podia haver algumas profundezas ocultas em mim, no final das contas. Mas tenho a terrível sensação de que a beijei porque queria.

Num momento nós estávamos na rua, a bicicleta entre nós, e no momento seguinte, nós estávamos nos beijando. As pessoas sempre dizem: "E então, tipo, a próxima coisa de que me lembro foi que estávamos nos beijando", e que nunca planejaram aquilo. É que precisava haver algo antes do beijo. Mas dessa vez, realmente, não havia.

Era eu, eu, Michael Lee, beijando Jeane Smith.

11

Eu beijei Michael Lee.

Quatro palavras que nunca pensei que fosse escrever. Quatro palavras que, em meus sonhos mais loucos (mais loucos ainda do que os sonhos que tive quando devorei um brownie enganador, que estava recheado com maconha e tâmaras picadas), nunca poderia imaginar juntá-las.

Eu nem sei por que o beijei. Talvez fosse para chacoalhá-lo de sua vidinha triste e segura. Para fazê-lo ver que tudo era possível. Certamente não foi porque eu queria beijá-lo.

Mas eu o estava beijando e tudo em que conseguia pensar era: "Meu Deus, por que estou beijando Michael Lee?".

E então eu fiquei, tipo, "Ah. Meu. Deus! Por que ainda estou beijando Michael Lee?" e me afastei dele, mas vou lhe dar o benefício da dúvida e dizer que acredito que ele estivesse se afastando de mim exatamente no mesmo instante.

Eu não sabia o que dizer, o que nunca acontece, porque eu sempre sei o que dizer, e Michael Lee estava parecendo o coiote do Papa-Léguas naquela fração de segundo quando ele percebe que foi além da borda do penhasco e que está prestes a despencar em um terreno rochoso repleto de "kactos". Desculpe-me, cactos. Resumindo, ele parecia um garoto cujo sistema de crenças acabara de se tornar total poeira e escombros.

Nós dois permanecemos ali, sem falar, apenas fitando um ao outro. O não falar e o fitar pareceram durar várias eternidades, e eu queria desviar o olhar, mas não fui capaz. Foi um alívio quando Michael Lee parou de me fitar e fixou os olhos no chão.

— Bem, isso ia acabar acontecendo — eu disse calmamente, porque gritar histericamente não iria apagar o fato de que nós nos beijamos. Que eu tinha beijado Michael Lee. Eu não podia fazer nada, e limpei minha boca com o dorso da mão. — Toda essa energia negativa entre nós, bem... tinha que acabar em algum lugar.

Ele franziu a testa e levantou os olhos, fitando meus lábios, como se não pudesse acreditar que, dois minutos antes, ele tivera a boca sobre eles.

— É, com certeza. É. Quero dizer, todas aquelas indiretas. Tinham que acabar em algum lugar. — Ele balançou a cabeça. — Isso foi tão estranho!

Eu balancei a cabeça e tirei Mary de seu alcance.

— Bom, pelo menos você não me derrubou de minha bicicleta novamente...

Aquilo tirou a carranca de seu rosto.

— Pela milionésima vez, não fiz de propósito! — Ele estava conseguindo falar frases completas novamente.

— Eu sei. Foi uma piada. Você sabe o que é uma piada, não é? — Montei em Mary e, cuidadosamente, guiei-a para o meio-fio. Meu tornozelo parecia estar aguentando bem. — De qualquer forma, aconteceu. Isso nunca mais vai acontecer e, se você contar a alguém, eu nego tudo.

— Como se alguém pudesse acreditar nisso — disse Michael. Então ele passou a mão pelos cabelos e arruinou seu falso moicano. De um jeito irritante, estar com o cabelo bagunçado fazia Michael parecer muito fofo, embora não fosse o tipo de fofo que pudesse me bagunçar. — Prometa que, absolutamente, não vai contar pra ninguém.

— Você realmente sabe como conquistar o coração de uma garota — disse-lhe, enquanto checava se havia carros próximos. Eu estava tão assustada com o beijo quanto ele, mas ele não precisava deixar tão claro que estava tão enojado com o toque dos meus lábios. — Não se preocupe, seu segredo está seguro comigo.

Pedalei adiante sem olhar para trás, mesmo ignorando as pontadas em meu tornozelo, porque elas não eram importantes. O importante era ficar o mais longe possível de Michael Lee.

E foi isso. Foi realmente assim. Os dias simplesmente voaram. Eu bloguei, tuitei. Observei as tendências. Até fiquei com Barney e Scarlett para mostrar que nós três éramos pessoas maduras (bem, eu já sabia que eu era uma pessoa madura, Barney tem seus momentos e creio que Scarlett nunca será madura, nem que ela viva até os 105 anos).

Fora Barney quem inventara aquela história de nós três almoçarmos juntos no refeitório da escola, para que todos soubessem que tudo estava legal e que éramos civilizados. Creio que ele também tinha alguma ideia de que poderia gentilmente me introduzir na sociedade, como se isso fosse uma grande ambição para mim.

Não ajudava o fato de que meu almoço consistia de três xícaras de café solúvel de máquina, um muffin de banana e algumas Haribo Sour Mix. Ficara acordada até as 5 horas da manhã, trabalhando em um artigo sobre tribos de jovens para uma revista alemã, e eu precisava de todos os estimulantes artificiais que conseguisse.

Meu joelho ficava batendo contra a perna da mesa, enquanto Barney tentava desesperadamente encontrar algo que nós três tivéssemos em comum. Sim, Scarlett não era exatamente a sem graça infeliz que eu imaginara inicialmente, mas, depois que ela me atualizou de todas as novelas, não tinha mais nada a dizer. Barney e eu começamos a falar de um mangá que havíamos lido, mas tivemos que parar depois de um minuto, porque Scarlett não sabia do que estávamos falando.

Era uma agonia e, depois disso, Heidi/Hilda/seja lá qual for o nome dela, mais o resto dos amigos de Scarlett chegaram e deixaram claro que a visão de nós três juntos os estava divertindo muito, tanto que queriam nos observar de perto. Eu não concordava em ser observada de perto por pessoas que eu evitava dando volta nos corredores.

— Bem, isso foi ótimo, mas realmente tenho coisas para fazer — disse, me levantando. Estiquei minha boca em um sorriso, mas pareceu uma careta de dor. — Obrigada por me atualizar sobre *Hollyoaks*.

Scarlett ficou um pouco chateada com o que eu disse, embora eu não tivesse a intenção de parecer tão sarcástica quando formei as palavras em minha mente. Não havia muito que eu pudesse fazer sobre aquilo, no entanto, Barney não parecia ter se incomodado. Ele estava realmente conversando com o amigo dela, Mads, como se ele e Mads tivessem coisas sobre as quais pudessem falar.

Aquilo tudo foi muito estranho, pensei, enquanto saía do refeitório e dava de cara com Michael Lee. Senti-me corando, embora, geralmente, como regra, não corasse. Corar era para pessoas sem espinha dorsal.

— Ah, ei — disse ele, surpreso, e ele estava corando também. — Como você está?

— Estou bem — disse, porque ver Barney ser amigo do povinho iPod e, em seguida, colidir com Michael Lee e ter que me lembrar do beijo fez o pedacinho do meu cérebro que pensava nas respostas ácidas entrar em completo mau funcionamento. — Na verdade, eu venho querendo, você sabe, encontrar você.

Ele enrijeceu. Não, não desse jeito. Ele ficou tenso, e pareceu triste e desconfiado, como se achasse que eu não poderia deixar de devastar sua pobre, indefesa e inocente boca mais uma vez, o que não era o caso.

— Por que você queria me encontrar?

— Porque eu tenho as muletas que seu pai me emprestou entulhando meu armário.

Michael soltou um suspiro de alívio.

— Certo! OK! Você quer que eu as pegue agora ou que espere até depois da escola?

— Devemos fazer isso agora — decidi, pois faltavam apenas dez minutos para que as aulas da tarde começassem e, assim, eu não teria que passar o tempo numa conversa dolorosamente difícil com ele. Já tivera minha cota semanal de conversa dolorosamente difícil.

Nem uma única palavra foi dita no caminho até meu armário. Michael Lee seguiu por um lado do corredor, e eu segui pelo outro. Então ele se encostou à parede quando abri meu armário e me preparei para a avalanche de lixo que sempre caía. Uma das coisas que caíram foi uma muleta.

— Uma que cai, uma que se vai — disse eu, enquanto ele a pegava e eu soltava a outra tentando, ao mesmo tempo, impedir que livros, Tupperwares e outras coisas caíssem no chão.

— O que exatamente você tem aí? — Michael perguntou, espiando por cima do meu ombro para dar uma boa olhada. — Aquilo é um pote inteiro de balas?

— Não, é claro que não — disse, arrancando a muleta com uma das mãos e fechando meu armário, de uma só vez, com a outra. Era um pote de balas cheio até mais da metade. Virei-me, mas Michael ainda estava bem atrás de mim e, então, nós estávamos, de repente, juntos. Quase nos tocando, apenas um par de muletas entre nós, e eu não conseguia nem sequer entender como tínhamos nos beijado pela primeira vez, porque minha boca estava no nível da pequena depressão entre seu botão mais alto e seu pomo de adão.

Então, para que nos beijássemos, eu teria que ficar na ponta dos pés e Michael Lee teria de se inclinar para baixo, o que sugere que havia sido um beijo mútuo. Que havia dois partidos dispostos e que essa era uma teoria que precisava ser analisada. Muito analisada. Tipo, mesmo que eu tivesse ficado na ponta dos meus dedos mais pontudos, não havia absolutamente nenhum modo de alcançar a boca de Michael Lee, a menos que ele inclinasse a cabeça exatamente da mesma maneira como ele estava fazendo agora.

Acho que dessa vez foi ele que me beijou, porque a única coisa que eu fiz com minha boca foi abri-la para lhe dizer que fosse para longe do meu espaço. E não foi apenas um esfregar de lábios contra os meus, foi um beijo correto, firme, mas entregue, e, a despeito de perder o bom senso e até pensar em retribuir seu beijo, eu continuava apenas sendo beijada quando, então, ouvi o som de vozes, um estrondo de uma porta sendo batida e o sinal para as aulas da tarde.

Separamo-nos em apenas um nanossegundo antes que o corredor fosse invadido pelos alunos do 3º ano. Empurrei a segunda muleta para Michael, que a pegou de mim, e então fiquei ali abrindo e fechando a boca e agindo como uma tola idiota.

— Certo, você já pegou as muletas — disse rapidamente, porque alguém precisava assumir o controle da situação. — Não há absolutamente nenhuma razão para que tenhamos mais contato um com o outro.

— É, é. Absolutamente nenhuma razão — ele repetiu, esfregando o queixo. As pontas de seus dedos apenas roçaram seu lábio inferior, e percebi que estava olhando para minha boca como se fosse a fonte de todo conforto e alegria.

Ele estava olhando para mim também como se eu fosse alguma nova espécie de vida que ele nunca vira antes.

— Eu vou... agora — eu disse, e Michael abriu e fechou a boca algumas vezes mais. Quando se tornou claro que nenhuma palavra de verdade sairia por ela, fui embora.

12

O primeiro beijo foi um acaso.

O segundo beijo foi, obviamente, só para ver se o primeiro beijo realmente tinha sido um acaso.

Mas não havia desculpas para os beijos que vieram depois disso.

O terceiro beijo ocorreu quando Jeane estava passando por meu carro no exato momento em que eu estava saindo mais cedo, na tarde de quinta-feira, como faço todas as semanas, porque é quando tenho um período de estudo livre. Tenho certeza de que era para ela estar em aula, mas ela estava andando pelo estacionamento vindo diretamente para mim com uma expressão sombria no rosto, e eu coloquei minha bolsa sobre o capô do carro para que, quando ela chegasse ao meu lado, eu tivesse as mãos livres para puxá-la perto o suficiente para que pudesse beijá-la.

O quarto beijo rolou na minúscula e sinuosa escadaria que leva do 2º andar da escola para a sala de Arte, no sótão. Jeane tendia a acampar lá durante os intervalos, quando estava muito frio e úmido para se esconder no barracão de bicicletas. Eu não sei como sabia disso, apenas sabia. Ninguém passa mais tempo por lá, embora seja um local acolhedor e tranquilo; talvez isso acontecesse porque toda a escola sabia que era um dos lugares especiais de Jeane, e que ela mataria, com apenas um olhar, quem fosse estúpido o suficiente para invadi-lo.

Quando ela me viu ao pé da escada, tirou os olhos de seu laptop, colocou-o alguns degraus acima dela e ficou ali, com as mãos no colo, esperando por mim. Sentei-me no degrau abaixo do seu, ficamos quase na mesma altura, e isso era um pouco estranho e fazia o pescoço estalar, mas nós nos beijamos por uns bons dez minutos, sem quaisquer interrupções.

Jeane era a nona garota que eu beijara, mas seus beijos não eram nada como os beijos das outras oito garotas. Ela era ao mesmo tempo doce e salgada, e beijava como se sua vida dependesse disso. Beijou-me como se eu estivesse indo para a guerra ou como se fosse o fim dessa droga de mundo. Não havia um aquecimento para o beijo, nada de mordiscar ou de fungar e cheirar, ou de beijos introdutórios desajeitados — com ela, era apenas "boom"!

Então, os beijos acabavam da mesma forma como haviam começado. Nós nos separávamos e colocávamos a maior distância possível entre nós e nunca falávamos sobre o que tínhamos acabado de fazer. Nós nunca falávamos de coisa alguma.

Eu não sabia se ela estava me usando ou se eu a estava usando. E eu ainda não sabia por que estava beijando alguém que eu não deveria estar beijando. Quero dizer, ela não era doce, ou sexy, ou legal, ou qualquer das outras qualidades que eu queria em uma namorada. Obviamente, gostaria de sair com alguém que fosse agradável de se ver, da mesma forma que, se eu tivesse que escolher entre duas camisas, eu sempre escolheria a que parecia melhor.

E ela nem era discretamente bonita. Embora, talvez, se você tirasse o cabelo cinzento horrível, as roupas ainda mais horríveis e os sapatos sujos, então, talvez, ela pudesse ser razoavelmente bonita. Ou até mesmo ser simples e comum, o que não era tão ruim quanto, digamos, ser feia.

Tanto faz.

Tudo ainda estava muito errado e estranho, e eu não sabia o que estava fazendo e por que estava fazendo aquilo. Tudo que eu sabia era que tinha que parar.

Assim, duas semanas depois que os beijos começaram, estávamos escondidos novamente nas escadas que levavam até as salas de Arte,

Jeane sentada em meu colo, porque essa era a maneira mais confortável para nos beijarmos, as unhas curtas arranhando suavemente atrás do meu pescoço enquanto a língua dançava em minha boca, e eu estava determinado a não fazer mais aquilo.

Parei de beijá-la e ela suspirou um pouco; em seguida, desceu do meu colo para o degrau e arrumou os cabelos.

— Nós não podemos continuar fazendo isso — eu disse com firmeza. Acho que foi a primeira coisa que disse a ela em duas semanas. Ela não parecia surpresa.

— Eu sei — disse ela, enquanto começava a procurar algo em sua bolsa. Todas as vezes em que nos encontramos ela tinha pelo menos duas bolsas consigo, além de livros e pastas. Ninguém precisava de tanta coisa.

— É toda essa coisa de agir sorrateiramente e se esconder das pessoas — continuei. — Isso está fazendo minha cabeça pirar.

Seu rosto era tão impassível quanto uma folha de papel em branco, de modo que eu não fazia ideia sobre o que ela estava pensando.

— O que você quer fazer sobre isso, então? — perguntou calmamente.

"Parar com isso aqui e agora, jurarmos nunca nem sequer sussurrar uma palavra disso para outra pessoa e tocar o resto de nossas vidas", pensei comigo mesmo. Limpei a garganta.

— Bem, talvez pudéssemos nos ver fora da escola. Se você quisesse...

Ela realmente teve a coragem de sorrir. Um sorriso pequeno, triunfante, que me fez querer me atirar escada abaixo, para que eu tivesse amnésia e não fosse capaz de me lembrar do momento, há cerca de trinta segundos, quando eu, de algum modo, convidei Jeane Smith para sair.

— Vou pensar sobre isso. — Ela ergueu o telefone. — Me passa seu número.

— Ahn, por quê?

— Dãh! Daí eu posso mandar uma mensagem para você quando decidir que quero sair. — Ela ergueu as sobrancelhas para mim. — A menos que você esteja em dúvida, porque nós poderíamos apenas continuar como estávamos ou, tipo, não continuar. Eu não me importo, de qualquer maneira.

Eu não ia deixar Jeane disparar todos os tiros.

— Bem, nem eu — explodi. Eu sempre acabava perdendo a calma com ela. — Quero dizer, poderíamos simplesmente não fazer nada isso.

— Então, o que você quer fazer? — Ela parecia irritada, mas não tão irritada como costumava ficar, o que talvez fosse um sinal de que ela estava tão apavorada com nossas sessões de beijos quanto eu estava.

— De jeito nenhum! Se eu disser o que eu quero ou o que eu não quero, você vai usar isso contra mim.

Jeane colocou as mãos nos quadris.

— Por que eu cogitaria fazer isso?

— Porque é isso que você faz! — Descansei os cotovelos sobre os joelhos. — Isso tudo é algum tipo de truque maldoso, não é? Isso vem sendo algum tipo de experimento psicossexual para seu blog? As pessoas deixarão comentários maldosos sobre mim?

— Você não acha que está sendo um pouco paranoico? — perguntou docemente. — Eu não humilho na internet as pessoas que conheço na vida real. Esse é um dos pilares de minha filosofia sobre blogar. Isso vai contra todo o espírito da marca Adorkable.

— Tanto faz! — Ela havia blogado sobre Barney, de modo que sua filosofia não significava nada. Muito menos a crença, equivocada, de que ela estava construindo uma raça geek superior em seu tempo livre. — Isso tudo é muito confuso e...

— Eu tenho Arte em cinco minutos, por isso, por favor, vá e tenha sua crise existencial em algum outro lugar antes que a Sra. Spiers e o resto de minha classe cheguem. — Ela subiu as escadas majestosamente e se sentou no degrau mais alto.

— Você não pode me culpar por não confiar em você. Eu sei que você adoraria aprontar comigo. — Realmente, que outra razão poderia haver para que Jeane tivesse vontade de me beijar? Não havia. Não quando parecia que ela estivesse prestes a descer pelas escadas, novamente, para dar uma joelhada em minhas bolas.

— Desculpe! Desculpe! Eu sou confiável, o que você saberia se conhecesse um pouco sobre mim, em vez de me julgar pelo que as outras pessoas dizem. — Ela contorceu sua face até parecer uma gárgula. — Acredite em mim, sou cheia de falhas, mas se você me pedir para fazer alguma coisa e isso for algo que eu queira fazer, ou se você tem um segredo que precisa guardar, então você pode confiar em mim com a própria vida.

— Bem, sinto muito, é só que você...

— O que você pensou que aconteceria aqui, Michael? Você acha que eu ia implorar pra você continuar fazendo isso comigo?

Como ela fez isso? Eu tinha tanta certeza de que estava certo, e então Jeane ataca em meu ponto cego e, de repente, eu estava errado.

— E por que eu deveria implorar a você, quando há toneladas de garotas que querem ficar comigo? Garotas bonitas, não emburradas e que não são uma baita dor de cabeça — disse-lhe furiosamente.

— Bem, fique com elas, então, porque eu não quero mais fazer parte desse... desse show de horrores. — Jeane sacudiu a maçaneta da porta da sala, mas ela continuou travada, e a única maneira que eu tinha de acabar com isso e de parar com uma discussão que eu nunca venceria era ficar o mais longe possível dela.

13

Beijar Michael Lee a primeira vez foi um acidente. Beijá-lo a segunda vez foi uma coisa simplesmente boba. E nas vezes subsequentes foi simplesmente questão de "Ah, meu Deus, o que há de errado com você?".

Era óbvio que não duraria, mas nunca pensei que fosse acabar com ele me chamando de horrorosa e de pessoa mais indigna de confiança, calculista e maldosa do mundo. Como se eu pudesse blogar sobre o que estávamos fazendo. Como se eu estivesse me vangloriando do que estávamos fazendo.

Eu devia estar trabalhando em uma paisagem estúpida, em Arte, porque a Sra. Spiers dissera que se eu não a fizesse, ela me reprovaria nesse módulo. Realmente, esse era o menor dos meus problemas; além disso, eu estava com o humor perfeito para pintar um oceano tempestuoso, cheio de cinza, preto e roxo de diversas tonalidades; até adicionei um barquinho sendo puxado para baixo com um homenzinho bem pequenininho a bordo... E se ele não fosse tão extraordinariamente pequeno, eu teria lhe colocado uma camiseta da Abercrombie & Fitch e um falso moicano, porque o homenzinho bem pequenininho era Michael Lee, e o barquinho era sua vida miserável, que seria reduzida a nada além de uma fonte de frustração e de desapontamento, uma vez que ele não era mais o garoto mais popular da escola e fora forçado a se juntar ao mundo real.

Claro que eu não poderia dizer isso a Sra. Spiers, de modo que descrevi minha pintura como uma metáfora para a selvageria da natureza e de como ela acabaria por triunfar sobre todos os males que o homem criara. A Sra. Spiers realmente se impressionou com a metáfora, pois até se atreveu a dar tapinhas em minha cabeça e dizer que esperava grandes coisas de mim neste ano, se eu continuasse com esse padrão.

Tanto faz triplo.

Eu mal podia esperar para sair da escola, embora tivesse que me blindar para ir até Mary, no caso de Michael Lee estar vadiando ao redor do barracão de bicicletas porque quisesse jogar mais alguns insultos sobre mim, ou pior, no caso de ele querer me beijar novamente. Mas eu vou dizer uma coisa sobre ele, e apenas uma coisa: ele era um beijador muito bom. O que era uma grande parte do problema.

Beijei sete garotos e duas garotas, e Michael Lee estava, definitivamente, entre os três primeiros. Ele fazia aquela coisa com meu lábio inferior e seus dentes que me dava vontade de gritar e desmaiar um pouquinho.

De qualquer forma, ele não estava lá, o que foi bom para mim, porque isso significava que a coisa, a estúpida coisa que nunca deveria ter começado, acabara. Eu nem pedalei pelo estacionamento de funcionários, no caso de ele estar enrolando por ali, mas tomei o caminho mais longo, descendo a encosta gramada e passando pela escola secundária.

Estava frio, com aquela sensação de gelo no ar, que me fazia pensar em maçãs carameladas, em esmagar folhas caídas, em canecas de chocolate quente e em todas as outras coisas que eram clássicas do outono, mas ainda havia luz suficiente, de modo que decidi não ir diretamente para casa e subir, mas ir resfolegando, a grande colina para Hampstead. Apesar do esforço, não queria parar.

Eu amo ficar de pé sobre os pedais, mas com o corpo abaixado, para que eu possa ir mais rápido e sentir a brisa passar pelo cabelo. E quando pedalo mais rápido, e minhas pernas doem, não tenho que pensar, eu apenas sou.

Pedalei para Regent's Park, esticando o pescoço para poder ver as girafas atrás das copas das árvores, enquanto passava zunindo pelo Jardim Zoológico de Londres. Pensei em passar de bicicleta pelo parque, mas o sol estava ficando cada vez mais baixo, por isso pedalei de volta, passando por Camden, reduzindo a velocidade para economizar minha energia para a grande colina íngreme que eu não poderia evitar a caminho de casa.

Minhas pernas tremiam quando cheguei à minha porta. Deus, o apartamento estava uma baderna. Normalmente eu não reparava na bagunça. Bagunça é sinal de mente criativa, no final das contas, mas, naquele exato momento, parecia ser apenas mais um aspecto de minha vida, em que o caos reinava.

O refrigerador era outro lugar onde não havia nenhuma ordem. Também não havia nada lá para o jantar, e eu passara minha hora de almoço sugando a boca de Michael Lee de seu rosto, e depois ainda fizera mais duas horas de bicicleta pelo norte de Londres, de modo que estava faminta. Eu não podia nem sequer pedir comida pronta porque uma vasculhada rápida por minhas sacolas e bolsas, e pelas costas do sofá, só renderam duas libras e 37 pence. Meu cartão de débito estava em algum lugar no apartamento, ou talvez em meu armário na escola, mas naquele instante estava perdido para mim.

Felizmente, nunca estou há mais de cinco segundos de distância de algumas Haribo, e, então, abri um saco de Tangfastics, liguei meu MacBook e fui para o Twitter.

> adork_able Jeane Smith
> Sartre estava errado. O inferno não são os outros. O inferno são os outros. E a total ausência de Pad Thai agora. Por favor, enviem comida.

Imediatamente, as pessoas começaram a me tuitar imagens de Pad Thai e também de bolos, o que era adorável, mas que não ajudava a aliviar a dor da fome, e os Tangfastics também não estavam resolvendo muito.

    dimsumsaboroso é uau
    @adork_able Sartre não tinha nada pra reclamar — ele não estava fazendo cinco disciplinas da Qualificação nem era filho da minha mãe.

Foi um tuíte de um novo seguidor, @dimsumsaboroso. Quer dizer, eu tinha novos seguidores às centenas todos os dias, e ainda mais quando eu publicava alguma coisa ou quando um dos meus tuítes era retuitado por uma celebridade, de maneira que eu não tomava muito conhecimento deles e raramente os seguia de volta. Mas @dimsumsaboroso compartilhava meu amor por alimentos estranhos e nós apenas nos conectamos. E pelo menos ele não era um dos 57 seguidores, até aquele instante, a me enviar uma foto de Pad Thai.

    adork_able Jeane Smith
    Galera, pf, parem de tuitar fotos de comida que não posso ter. Não que não aprecie o sentimento, mas isso está me fazendo chorar de verdade.

    adork_able Jeane Smith
    @dimsumsaboroso Gosto de pensar que a mãe de Sartre estava constantemente criando caso por ele deixar sua toalha molhada sobre a cama.

    dimsumsaboroso é uau
    @adork_able "Não me importo se você está escrevendo sobre existencialismo, Jean-Paul, essa toalha não vai andar sozinha até o varal."

Eu quase engasguei com um Tangfastic. Isso era o que eu mais amava no Twitter: generalizar, de maneira totalmente absurda, com um completo estranho que demonstrava estar na mesma onda bizarra que eu.

adork_able Jeane Smith
@dimsumsaboroso Claro que você sente Náusea, meu jovem, são muitos pratos sujos sob a cama.

Essa era a soma total do meu conhecimento sobre Jean-Paul Sartre, por isso não tinha certeza se seria capaz de responder a qualquer outro tuíte sobre ele.

dimsumsaboroso é uau
@adork_able É melhor ir se divertir enquanto busco na Wiki mais alguns fatos divertidos sobre Jean-Paul Sartre.

adork_able Jeane Smith
@dimsumsaboroso Eu estava prestes a tuitar exatamente a mesma coisa!

dimsumsaboroso é uau
@adork_able Deve ter sido um dia ruim, mesmo, se você está publicando JPS (não estou a fim de ficar digitando o nome dele).

adork_able Jeane
@dimsumsaboroso Não apenas um dia ruim, mas um dos dias mais desgraçados.

Sinceramente, não foi aquela desgraça toda. Embora eu tenha me chocado contra o carteiro enquanto fazia minha caminhada semanal até o correio para pegar minhas encomendas. Nos correios, havia algumas revistas especializadas, um tubinho de Pez que eu comprara no eBay, dois cheques, seis vidros de esmalte e um vestido de algodão de meu amigo Inge, de Estocolmo.

Depois, cheguei à escola com tempo suficiente para liquidar metade de uma redação de Inglês, recebi um e-mail de uma agência de Nova York, que tinha me pedido para ser palestrante em uma conferência, confirmando os detalhes de minha viagem na primeira classe (!), e estive em um festival de ciclismo por duas horas. Fora um dia incrível. O único flagelo em toda a maravilha foi perceber que Michael Lee era tão ruim quanto eu suspeitava.

"Você não deve beijar alguém só porque ele é um bom beijador e ignorar tudo o mais sobre ele", disse a mim mesma, mas estava dizendo aquilo a mim mesma pelas duas últimas semanas e ainda me encontrava ligada à boca de Michael Lee.

Meu computador apitou e percebi que tinha outro tuíte do @dimsumsaboroso.

> dimsumsaboroso é uau
> @adork_able Prometo que não é Pad Thai, mas pensei que este vídeo do YouTube de cães skatistas poderia atingir o ponto.

Não era tão bom quanto cães surfando, porque, francamente, nada poderia ser mesmo. Ainda assim, era um segundo lugar bem próximo, e me esqueci de que estava com fome, porque tinha um buldogue inglês demonstrando todas as maneiras de ser feliz sobre um skate.

Tuitei @dimsumsaboroso para lhe agradecer, mas ele não estava em nenhum lugar, e nenhum de meus amigos habituais do Twitter estava, e eu não tinha nenhuma lição de casa ou artigos para escrever, e não havia nada que eu quisesse googlar, e eu poderia ter escrito um post no blog, mas não me sentia apaixonada o suficiente sobre qualquer coisa para blogar naquele instante e, principalmente, porque me sentia sem sal e sem açúcar, meio sem graça. Eu suspeitava de que tinha tudo a ver com a discussão que tivera com Michael Lee, mas não podia me permitir pensar assim, lhe dar esse tipo de poder sobre mim. Eu era muito, muito melhor do que isso.

Não sabia o que fazer comigo mesma. Bem, eu sabia. Queria falar com Bethan, porque mesmo quando eu não dizia o que estava me incomodando, ela sempre percebia quando eu estava chateada e me tirava disso. Mas Bethan estava em Chicago e esta semana ela estava começando seus plantões exatamente quando eu estava saindo da escola, de modo que não estaria no Skype.

Havia pessoas para quem eu poderia ligar, até mesmo Barney, mas admitir que estava furiosa porque deixara alguém como Michael Lee me usar e depois me descartar como um lenço duro com catarro ressecado (aargh!) não era algo que eu poderia fazer.

O que eu poderia fazer era colocar Duckie muito alto e tentar dançar para sair de minha crise existencial. Geralmente funcionava.

If you think I'm going to give you another chance
Hang around waiting until you ask me to dance
Then, baby, you're dumb, dumb, so very dumb

Not going to waste time baking a cake for you
I'm not going to put on my best dress for you
'Cause baby you're dumb, dumb, so very dumb[1]

A canção entrou (ou saiu?) em uma cacofonia de guitarras berrando e numa batida de condução enquanto Molly, a cantora, gritava "dumb, dumb, so very dumb" por cima, e gritei junto enquanto pulava no sofá, e realmente foi tudo muito catártico até que a música terminou e eu percebi que alguém estava batendo na porta.

---

1. Se você pensa que vou lhe dar outra chance/Ficar esperando que você peça para eu dançar com você/Então, baby, você é estúpido, estúpido, tão estúpido/Não vou perder tempo fazendo um bolo para você/Não vou usar meu melhor vestido para você/Porque, baby, você é estúpido, estúpido, tão estúpido (N.E.)

Era, provavelmente, Gustav, meu vizinho. Tínhamos um acordo sobre música alta que deixava bem claro que, depois de meia hora de música alta, eu lhe dava um descanso, mas eu estivera ouvindo a mesma música de novo e de novo, por tantas vezes que perdi a noção do tempo. Pulei do sofá.

— Sinto muito — disse sem fôlego quando abri a porta. — Vou deixar você ouvir dance music por uma hora sem parar e então estaremos quites.

— OK, é bom saber. — Ah, Deus, não era Gustav, era o "zumbi andando" Michael Lee. Eu deveria ter batido a porta na cara dele, mas por que eu faria isso quando eu queria gritar com ele?

Nem tive tempo de deixar o primeiro "O que você acha que você está fazendo aqui?" sair da minha boca, porque registrei que sentia cheiro de batatas fritas e Michael Lee empurrava um pacote embrulhado para mim.

— Eu sinto muito — Michael Lee disse rapidamente. — Sinto muito que tudo tenha saído errado da minha boca na hora do almoço. E sinto muito se a aborreci, e sinto muito se dei a entender que poderia fazer melhor, porque não é nada disso, e eu pensei que poderia tornar as coisas mais fáceis pra você, ahn, comprando o jantar, caso você ainda não tenha comido. — Ele empurrou a sacola em minhas mãos com mais força, então tive que pegá-la. — E, em tudo, eu apenas sinto muito, OK? Só não sinto por tê-la derrubado de sua bicicleta, porque eu não a derrubei de sua bicicleta. Foi um acidente, eu juro.

Havia tanta informação no discurso que eu só podia captar os destaques. Michael Lee estava arrependido por uma enorme quantidade de coisas que feriram meus sentimentos. Ele falava como se todos os seus "sinto muito" fossem sinceros e como se realmente tivesse parado para se perguntar se eu tinha jantado e, em seguida, tivesse decidido trazer comida para mim. Comida quente.

Fazia muito tempo desde que alguém se importara o suficiente para querer saber se eu tinha mandado uma refeição quente para dentro de mim.

Eu podia sentir o cheiro gostoso das batatas flutuando para fora do saco, e seria muito fácil dar tudo como perdoado, mas eu nunca tornava nada agradável e fácil.

— Como você conseguiu descobrir onde eu moro? — perguntei enquanto mantinha minha posição. — E como você entrou no prédio?

— Bem, eu tive que fazer a coisa toda de pedir para Scarlett pedir para Barney com a desculpa esfarrapada de ainda estar lhe devendo pelos reparos da bicicleta, e eu estava prestes a tocar sua campainha, mas dois caras saíram enquanto eu estava parado na porta e, quando disse que estava aqui pra ver você, eles me deixaram entrar. — Michael franziu a testa. — Um deles, acho que o sotaque dele era alemão, me pediu pra lhe dizer que você violou o tratado de música alta e pra esperar retorno.

— Gustav, ele é, na verdade, austríaco — murmurei, temendo o momento inevitável, em alguma hora inconcebível numa manhã de domingo, quando ele começaria a escutar dance music. — Ele é como meu pai gay.

Permaneci ali e Michael permaneceu ali, nós dois muito estáticos, como se estivéssemos com medo de fazer movimentos bruscos, e era realmente estúpido, depois de tudo o que tinha acontecido, não dar um passo para o lado e dizer:

— Você quer entrar?

14

Eu nunca tinha visto nada como o interior do apartamento de Jeane Smith. Era como andar em um daqueles programas do tipo *Acumuladores*: para onde quer que eu olhasse, havia pilhas de lixo.

Não lixo de verdade, apenas uma grande confusão de besteiras, de porcarias. Eu até achava que Hannah fosse desorganizada, porque ela estava sempre começando projetos e se distraindo no meio, de modo que seu quarto estava cheio de colagens, tricôs e restos de material de costura abandonados, mas se você tomasse a bagunça de Hannah e multiplicasse por cem, ainda não chegaria perto da bagunça de Jeane Smith.

— É, desculpe pela zona — Jeane disse, enquanto esmagava um caminho sobre coisas de jardinagem, revistas, caixas velhas de pizza e Deus sabe o que mais onde eu supunha ser a sala, embora parecesse mais com um barraco depois de ter sido varrido por um tsunami.

Como Jeane serpenteava e traçava seu caminho até o sofá, ficou óbvio que era ali que ela passava a maior parte de seu tempo, até porque era ali que o lixo atingia massa crítica. De cada lado do sofá, havia pilhas sobre pilhas de revistas e jornais, como se Jeane descartasse o que quer que terminasse de ler e jogasse em cima da pilha mais próxima.

O sofá estava limpo apenas o suficiente para que ela pudesse se atirar sobre ele.

— Ah, me deixe abrir algum espaço — disse ela, e pegou revistas, envelopes, livros e algumas embalagens vazias de doces, e, simplesmente, jogou-as no chão. Foi uma das coisas mais chocantes que eu já vira, e não que eu tivesse uma vida muito organizada, mas eu simplesmente não atirava as coisas em qualquer lugar. Minha mãe teria caído morta ali mesmo, morta de raiva. Eu fiquei ali, boquiaberto, até que Jeane olhou assertivamente para o espaço ao seu lado e depois para mim. Comecei a trilhar com cuidado meu caminho por meio do caos.

Jeane começou a desembrulhar os pacotes fumegantes que eu trouxera.

— Não sabia do que você gostava, mas pensei que a maioria das pessoas come batatas fritas, no mínimo. Você não precisa comer tudo.

— Isso foi muito gentil. Diga-me o quanto lhe devo — disse ela. Não se adequava muito a ela parecer toda rígida e formal desse modo, pensei, enquanto finalmente chegava ao meu destino e empoleirava-me desconfortavelmente na extremidade do sofá. Parecia inevitável que tivesse algo gosmento preso às suas almofadas, que pudesse se transferir para meu jeans.

— Você não me deve nada — respondi firme. — É uma oferta de paz para compensá-la por ter me comportado como um idiota.

— Sim, mas não posso... Ah! Você trouxe purê de ervilhas? É o único vegetal de que gosto de verdade. E sachês de vinagre e ketchup? Você sabe como escolher refeições quentes — ela engasgou.

— Condimentos podem ser complicados — murmurei, porque sabia que teríamos que conversar, conversar muito, e todo aquele bate-papo sobre comida era apenas o aquecimento. — Algumas pessoas gostam de vinagre em batatas fritas, mas algumas pessoas são viciadas em ketchup.

— Veja, eu gosto igualmente dos dois. E não consigo decidir entre eles. Seria como *A escolha de Sofia* dos condimentos — Jeane balbuciou enquanto segurava no alto o garfo de plástico, do qual também me lembrei. — Bem, muito obrigada por isso e, então, você sabe, eu posso ter me comportado como uma idiota também. Na verdade, creio que estava me comportando como uma completa imbecil, mas isso é só questão de variação da milhagem.

Pensei naquilo por cinco segundos.

— Não, você está certa. Você estava sendo uma completa imbecil.

Tão logo disse isso, me perguntei se não haveria outra explosão de ira, mas Jeane apenas murmurou em concordância e sorriu com a boca cheia de batatas.

— Estou contente por termos esclarecido. Você quer ligar a TV ou ouvir música? Porque estou começando a ficar realmente incomodada com o barulho da mastigação.

Ela fez uma configuração realmente complicada, mas bem legal, com um computador conectado à sua TV para que eu pudesse achar algo entre seus arquivos. Eu não tinha ouvido falar de muitas daquelas bandas, por isso coloquei as músicas em reprodução aleatória. Pelo menos, dessa forma, eu não colocaria algo que só ela conhecia, para que ela pudesse zombar de mim sem piedade. Eu me perguntava por que me importaria caso Jeane Smith zombasse de mim sem piedade, mas, aparentemente, me importava. Sentei cuidadosamente no sofá e olhei sua mesa de café com dois notebooks ligados, um iPhone, um iPad e três controles remotos.

— É tão estranho! Eu estava no Twitter lamentando minha falta de opções para o jantar e você aparece... — Jeane disse de repente, e meu coração falhou de uma maneira ruim. — Você está no Twitter?

A coisa mais fácil seria dizer a verdade a Jeane. Dizer que sim, eu estava no Twitter, e que compartilhamos links de cães que fazem esportes radicais e que havia curtido vários posts sobre comida estranha, além de Jean-Paul Sartre. Seria tão fácil! — Eu realmente não entendo toda essa coisa de Twitter — foi o que meu cérebro disse para minha boca dizer.

Esperei que Jeane se lançasse em uma defesa apaixonada do Twitter e de todos aqueles que navegavam por ele, mas ela simplesmente me lançou um olhar afetado e, em seguida, deu uma mordida gigantesca e entusiasmada na salsicha. Tive que desviar o olhar.

E eu não tinha mentido. Eu ainda não entendia o Twitter, e se dissesse a Jeane que eu era, na verdade, @dimsumsaboroso, isso nos levaria a mais uma discussão e, pela primeira vez, não estávamos discutindo, e isso era meio que... muito bom. Além disso, se (e era realmente um grande se) essa coisa com Jeane continuasse por um tempinho, era muito útil ter uma maneira de definir seus humores, para que, então, eu soubesse quando deveria ficar longe. Se ela estivesse tuitando sobre alimentação, filhotes e curiosidades mundanas gerais sobre sua vida, então tudo no "Planeta Jeane" estaria bem. Mas se ela estivesse tuitando sobre política e feminismo, tuitando coisas maldosas que as pessoas disseram sobre ela ou entrando em discussões inúteis, especialmente discussões inúteis com celebridades menores, então eu sabia que deveria evitá-la.

Jeane parecia pensar que tínhamos terminado de falar sobre o Twitter, de qualquer maneira, porque estava procurando as batatas mais crocantes do pacote.

— Você está com fome? Você quer um pouco disso? É melhor falar agora, antes que eu devore tudo — disse em advertência. Balancei minha cabeça.

— Já jantei, obrigado.

— Então, sua mãe sabe que você está aqui? — Ela parecia se divertir, como se já conhecesse as opiniões de minha mãe sobre estar fora à noite durante a semana. Embora, para ser justo, eu só tivesse permissão para sair até as 10h30 durante a semana se todas as lições de casa estivessem feitas e eu permanecesse em contato telefônico.

— Mais ou menos — admiti. — Eu disse que tinha que ajudar um amigo de escola com um problema.

— Bom, eu vou à mesma escola que você, e, de fato, eu tinha um problema, já que planejava ir para a cama sem jantar — disse Jeane, enquanto afastava o meio pacote de batatas. — Mas nós não somos amigos, somos?

Fixei o olhar sobre ela. Ela estava vestindo uma blusa floral verde, um casaco amarelo, uma saia cinza preguada, que parecia parte de um uniforme de escola, e calças roxas.

— Não, nós não somos realmente amigos — eu disse.

— Então é meio que um caso de malabarismo isso de continuarmos nos pegando — continuou ela. — Quero dizer, o que significa isso?

— Jeane!

Ela tirou as pernas da mesa de café e se levantou.

— Se podemos fazer isso, então podemos falar sobre isso, e creio que precisamos falar sobre isso. — E pegou o que restava do seu jantar. — Mas primeiro vou colocar isso no refrigerador. Você quer algo para beber?

Eu não queria nada para beber, porque provavelmente contrairia uma diarreia ou a doença do legionário, mas a cozinha estava bastante limpa e arrumada, porque estava claro que Jeane não cozinhava. Em seu refrigerador havia sacos sobre sacos de Haribo, toneladas de cosméticos ("Eles funcionam melhor quando estão frios, e eu ficava pisando em meus batons favoritos") e um vidro de pepinos em conserva.

Jeane não tinha nada para beber que não fosse água da torneira, mas ela tinha copos descartáveis ("Eu não lavo louça") e arrastou-se até se sentar na bancada da cozinha, enquanto eu me encostava à pia, e ela estava certa, provavelmente deveríamos falar sobre isso, mas eu não tinha certeza do que queria dizer. Até mesmo Jeane ficava abrindo e fechando a boca para falar, em sequência.

— A questão, Michael — disse ela, finalmente —, a questão é que, na verdade, você é, realmente, um beijador muito bom.

— Não há necessidade de parecer tão surpresa — disse eu, e era difícil não sorrir. Balancei a cabeça em sua direção. — Você também não é nada ruim.

— Sim, eu realmente tenho loucas habilidades de beijo — ela concordou, e dessa vez foi absolutamente impossível não sorrir. Todos os meus outros amigos eram tão previsíveis! Tipo, eu sabia exatamente o que eles diriam antes mesmo que eles abrissem a boca, e, com ela, com Jeane Smith, cada minuto revelava outra surpresa.

— Então, nós continuamos com nossa coisa de apreciação de beijo mútua? — perguntou ela. — Um pequeno e discreto acordo do qual ninguém precisa saber?

Eu não tinha certeza de como me sentia sobre isso, mas, na maior parte, acho que estava aliviado. Ela beijava muito bem, mas sair com ela e ter que ouvi-la desrespeitar meus amigos, e então ter os meus amigos me perguntando por que estava saindo com ela, não era algo com que eu pudesse lidar. Ainda assim, certamente não podia dizer isso a Jeane.

— Mas se você quisesse ficar comigo na escola... Quero dizer, tudo bem se você não quiser isso, mas não é meio solitário... você cuidar de si mesma?

Ela balançou a cabeça e deu um sorriso radiante.

— Na verdade, não. Eu odeio a escola, mas prometi aos meus pais que, se me deixassem cuidar de mim mesma, eu faria minha Qualificação. — Ela cruzou os braços. — E eu não tenho insônia por causa das festas ruins para as quais não sou convidada, nem por todas as saidinhas que não dou, nem sinto falta de estar sentada por aí falando merda sobre o que houve na TV na noite anterior. Eu faço muito do meu trabalho com o Adorkable na escola e, tirando Barney, não tenho nada em comum com ninguém lá, então sou muito mais feliz ficando sozinha. Você realmente não precisa sentir pena de mim.

Ela estava querendo aparentar estar no controle de tudo, mas, quando você tem 17 anos, ir às festas, mesmo às ruins, é algo divertido tanto quanto falar besteira sobre o que passou na TV na noite anterior. Era o que qualquer um queria fazer, e não gastar todo o seu tempo trabalhando em um império de mídia voltado para os geeks.

— Bem, isso ainda parece meio solitário — eu disse, e Jeane encolheu os ombros.

— É meio, sim, mas, e isso pode ser uma surpresa pra você, eu não sou realmente uma pessoa do povo. — Jeane sorriu para mim, um sorriso lento e mau, o que me fez gostar um pouco mais dela, e também me deixou aliviado por ver que ela tinha senso de humor. — Eu sei que escondo isso muito bem.

— Bem, pelo menos você é uma pessoa — eu disse. — O que já conta pra alguma coisa.

— Sim, pelo menos eu sou uma parte correta. — Ela segurou a ponta de uma porção de seus cabelos cinzentos. — Então, por favor, não comece a me dar atenção enquanto estamos na escola. Eu prefiro que você não faça isso.

Outra onda de alívio ameaçou me passar uma rasteira, mas pensei que mais um protesto simbólico seria o padrão do mercado.

— Sim, mas...

Jeane levantou uma mão imperiosa.

— Honestamente, não vou pensar mal de você nem um pouco se você me ignorar na escola. Na verdade, vou pensar é bem de você.

— Então, essa coisa, o que quer que seja essa coisa, é apenas entre mim e você, e é simplesmente uma coisa de beijo?

— Bem, beijar, e nós, de fato, já nos tocamos bastante, mas podemos lidar com o resto conforme ele vier — Jeane disse. Ninguém em minha vida fora tão direto como ela estava sendo. Ela, realmente, tornava tudo muito mais fácil.

De qualquer forma, nós estabelecemos algumas regras básicas para os beijos e para alguns toques eventuais, e então não havia nenhuma boa razão para não caminhar para a vitória até Jeane. Pela primeira vez, sentada no balcão da cozinha como ela estava, nossos rostos estavam no mesmo nível, o que significava que eu não tinha que me inclinar e que ela não tinha que torcer o pescoço quando nos beijássemos.

15

Ao longo das duas semanas seguintes, me acostumei a beijar Michael Lee. Até mesmo deixei de surtar por beijar Michael Lee. Comecei a tratar o "beijar Michael Lee" como uma recompensa cármica especial. Em vez de encontrar um vestido fabuloso no fundo de uma cesta de camisetas de uma libra, em uma loja de caridade, ou de me alegrar com uma caixa de macaroons da Maison Blanc, me tratei com alguns beijos de Michael Lee no horário do almoço de segunda e de quarta-feira, depois da escola na quinta-feira e, atualmente, tínhamos um ponto de interrogação sobre as tardes de domingo.

Fossem quais fossem suas outras falhas, o garoto sabia como beijar. E tocar com força. E tocar suavemente. E apertar só um pouquinho. Toda vez que eu via seu rosto, com aqueles olhos amendoados espaçados já fechados, e seus lindos lábios franzidos no formato de um beijo perfeito (e as maçãs do rosto... alguém deveria escrever um poema sobre as maçãs do rosto dele — ah, isso mesmo, lembrei que alguém já o fizera) vindo em minha direção em busca de um beijo, tudo em que eu conseguia pensar era que isso não podia estar acontecendo comigo. Porque eu era eu, e nem mesmo minha mãe (bem, especialmente não a minha mãe) poderia fingir que eu era bonita, ou amável, ou que eu tinha uma personalidade atraente, ou que, de alguma forma, eu seria o tipo de garota que conseguiria o tipo de rapaz que se parecia com Michael Lee. Nós não nos correspondíamos, não éramos adequados e não andávamos juntos.

Os erros e os acertos disso era tudo sobre o que eu podia pensar em uma manhã de domingo, depois de duas semanas em nosso pequeno experimento de beijo, na qual eu devia devotar toda a minha atenção a tingir meu cabelo. Decidi que tinha chegado a hora de me livrar do cinza. Agora que minhas raízes douradas eram visíveis, parecia tudo de cabeça para baixo. Além disso, eu mantive os cabelos grisalhos por dois meses, o que era uma eternidade, e era hora de uma mudança.

Ben havia me avisado de que eu precisaria de um descolorante para tirar o cinza, e me forneceu o material do salão de cabeleireiro, uma vez que sua chefe tinha dito que não queria me ver em seu salão nunca mais. Ele também escreveu uma lista detalhada de instruções, com muito caps lock, como: "O DESCOLORANTE SÓ PODE PERMANECER POR TRINTA MINUTOS, JEANE, CASO CONTRÁRIO, SEU CABELO VAI CAIR. ESPECIALMENTE DEPOIS DO QUE ACONTECEU DA ÚLTIMA VEZ. AJUSTE O ALARME NO TELEFONE, AGORA! VOCÊ O AJUSTOU? VÁ E FAÇA". Ben só trabalhara em um salão por dez semanas, mas ele já tinha se tornado muito, muito ditatorial com cuidados com os cabelos.

Tentei seguir as instruções de Ben, mas ele queria que eu dividisse meu cabelo e usasse papel-alumínio, e, no fim, era mais fácil simplesmente jogar o descolorante no cabelo e moldar, em mim mesma, um turbante de papel-alumínio depois que eu ajustasse meu alarme do telefone. O descolorante picava meu couro cabeludo e fazia meus olhos lacrimejarem, por isso foi muito difícil assistir a um documentário sobre um acampamento para garotas. Então, conduzi oficinas sobre como fazer zines e sites, e como desenvolver a autoestima até o nível de uma estrela do rock. Foi o máximo, mas fiquei meio estranha quando apareci na tela com uma camiseta da Mulher-Maravilha e comecei a dizer tolices sobre ser... Eu nem mesmo sei que pérolas de sabedoria foram saindo da minha boca, porque tudo o que eu podia ouvir era a monotonia da minha própria voz. Mesmo estando realmente animada, e dava para dizer que eu estava muito animada porque eu ficava gesticulando com as mãos, parecia que eu estava prestes a entrar em coma por tédio.

Fui salva de ter que piorar ainda mais aquele testemunho por causa de uma pancada na porta. Eu tinha dez minutos restantes antes que pudesse tirar o descolorante, lavar meu cabelo com alguma gosma especial para, em seguida, aplicar o tonalizante, por isso precisava me livrar de quem quer que fosse. Mas como era domingo de manhã, provavelmente seriam os "Incomodadores de Deus" querendo saber se eu tinha aceitado Jesus Cristo como meu senhor e salvador pessoal, o que, realmente, não era o caso. A Sra. Hunter-Down, no piso térreo, sempre os deixava entrar.

— Sim? — disse, enquanto abria a porta, esperando que minha cara feia e meu capacete de papel-alumínio fizessem qualquer evangelista pensar duas vezes antes de me fazer uma interpelação agressiva, mas eu não precisei me preocupar, porque eram Gustav e Harry, do apartamento ao lado, e nenhum deles sabia o significado da palavra "não".

— Um novo look, Jeane — Harry falou, enquanto passou por mim. — Eu amei. Realmente destaca seus olhos azuis. É seu dia de sorte; trouxemos material de limpeza e não vamos sair daqui até que possamos ver seu tapete novamente.

— Não está tão desarrumado — protestei, o que era uma mentira deslavada, pois até mesmo a área da porta da frente estava cheia de cartas fechadas, panfletos e menus de entrega de comida.

— Nós também trouxemos legumes — Gustav disse, enquanto passava pela porta com um brilho de aço nos olhos. — Eu vou fazer você comê-los e beber um copo de leite. Você está em uma fase crucial de seu desenvolvimento e precisa de cálcio.

— Eu não vou crescer mais do que isso — lamentei, embora soubesse que seria inútil. Gustav era austríaco e personal trainer. Uma vez que ele colocava algo em sua mente, fosse me fazer comer brócolis refogado (argh, eca, eca, eca) ou persuadir seu amável e sorridente namorado australiano, Harry, de que precisavam me convencer a jogar fora a metade dos meus bens mundanos, era inútil resistir. — Pode colocar chocolate em pó no copo de leite, Gustav? Pode?

— Isso seria como deixá-la comer açúcar puro — Gustav disse com um tremor, os músculos ondulando em repulsa. — Vamos começar por aqui. — Empurrou três sacos de lixo para mim. — Reciclagem, lixo e coisas sem as quais, absolutamente, você não possa viver.

Eu sabia, por amarga experiência, que Gustav e eu tínhamos ideias muito diferentes sobre a definição de coisas sem as quais eu não poderia viver.

— Eu odeio vocês! — disse-lhes ferozmente. — Eu odeio quando vocês começam com a rotina de pais gays.

— Ah, no fundo você adora isso — disse Harry, correndo para mim como se fosse me levantar e me girar, o que ele fazia ocasionalmente, embora eu lhe dissesse que era algo humilhante e infantil, o que de fato era, mesmo que também fosse, no fundo, bem divertido. — Vamos colocar um pouco de Lady Gaga pra passar o tempo.

— Sim — Gustav acrescentou. — Vai ser divertido.

Não foi divertido. Gustav não reconheceria algo divertido mesmo que existissem placas indicadoras de diversão. E, de qualquer maneira, diversão não era a palavra certa para descrever Harry, que colocava todas as minhas revistas japonesas de estilo na reciclagem, achando que eu não estava vendo, enquanto Gustav fazia comentários sobre o mofo e o bolor, e o que eles causariam aos meus rosados pulmões adolescentes e perfeitamente formados e me supervisionava limpando o chuveiro.

Gustav se recusou a acreditar que minha tintura de cabelos estava em um momento crucial, e não me deixou tirar o descolorante dos cabelos até que o banheiro estivesse completamente limpo. Mesmo quando eu lhe expliquei, aos gritos, que ele estava me condenando à calvície, ele permaneceu imóvel, literalmente, enquanto me arrancava do chuveiro. Gustav se exercitava para ganhar a vida e eu, não, de modo que não havia nenhuma maneira de eu vencê-lo. Ele também me fez lembrar de vários outros momentos, quando eu lancei mão de desculpas semelhantes para me livrar de esfregar o rejunte. Eu era a garota do tipo alarme falso.

Finalmente, o banheiro foi considerado limpo até mesmo pelos padrões extremamente altos de Gustav, e ele me deu permissão para tirar o descolorante. Naquele momento, o cabelo estava duro como pedra, e foi preciso nós dois mais toda a garrafa de porcaria especial para que meu cabelo voltasse a parecer um pouco com um cabelo.

— Era para ser desta cor, certo? — Gustav consultava conforme secava meu cabelo com uma toalha. Ele provavelmente não era tão chegado em limpeza como alegava ser, porque estava mais do que feliz em deixar a maior parte da limpeza pesada com Harry, enquanto me ajudava. — Isso é muito, ahn... qual é a palavra?

— Eu estou querendo que fique em meio tom de loiro, nessa fase. — Suspirei. — Então vou colocar um pouco de tonalizante e torná-lo platinado.

— Sim, bem, é sempre bom ter metas — Gustav concordou e, quando tentei arrumar, ele manteve sua mão em meu ombro. — Não, fique aí. Vou passar esse tonalizante para você.

Normalmente eu não deixaria ninguém me dar ordens quanto ao que fazer do modo como Gustav fazia, mas ele tinha me tirado da limpeza, então aquilo era uma vitória. Especialmente agora que eu tinha certeza de que Harry não estava na sala tentando jogar fora meus livros e revistas tão preciosos, e pedaços de papel em que eu tinha escrito coisas importantes. Ele tinha se mudado para a cozinha, onde estava gritando "Bad Romance" a plenos pulmões e não havia nenhuma maneira de ele jogar fora meu estoque de Haribo. Não se ele gostasse de viver.

Embora eu fosse ter dor nas costas por me curvar para que minha cabeça e meus ombros permanecessem sob o chuveiro, era muito bom ter os dedos fortes e musculosos de Gustav trabalhando com o tonalizante, enquanto ele jogava conversa fora a respeito de seu treinamento para a maratona. De fato, Gustav voava para outros países a fim de participar de maratonas porque ele não era bom da cabeça.

— É preciso tirar o tonalizante agora — Gustav anunciou. — Esse loiro-platinado, você tem certeza sobre ele?

— Mais ou menos. Ben disse que pode ser necessário um pouco mais de tonalizante.

— Talvez muito mais tonalizante — Gustav disse, e não parecia muito confiante nas habilidades de meu cabelo para chegar ao mesmo tom de Madonna, Lady Gaga e Courtney Love antigamente, quando ela não estava tão completamente insana como agora. — Ainda assim, é bom ter metas.

— Por quê? Qual é a droga da cor do meu cabelo?

— Na Áustria, quando eu era garoto, se eu falasse com minha mãe desse modo tão ríspido, ela lavaria minha boca com sabão.

— Qual é a porcaria da cor do meu cabelo, Gustav? — perguntei, livrando-me de seu aperto, fazendo com que a água espirrasse por toda parte, principalmente sobre Gustav, que gemeu em protesto.

Graças aos meus esforços anteriores, com um pano úmido, o espelho estava brilhante, e não havia nada que pudesse disfarçar a cor do meu cabelo. Meu cabelo brilhante, fluorescente, néon, "aquilo-é-o-núcleo-de-um-reator-nuclear-não-é-só-a-cabeça-da-Jeane-e-seu-cabelo-laranja". Eu amo laranja tanto quanto amo o próximo, provavelmente ainda mais. Eu tenho um monte de coisas laranja. Meias laranja. Balas de goma laranja. Eu tinha, até mesmo, numa ocasião, comido uma laranja de verdade, mas na minha cabeça não, não, não... Um mundo cheio de nãos.

Eu possuía grande quantidade de coragem, mas não tinha a aparência e as características necessárias o bastante para carregar cores tão inflamadas. Gustav certamente concordava comigo.

— Você parece um daqueles bonecos troll — avaliou. — Eles eram muito grandes na Áustria.

— Isso é tudo culpa sua! Se você tivesse me deixado tirar o descolorante em vez de me obrigar a continuar fazendo limpeza, isso nunca teria acontecido.

— Ah, Deus, o que é isso em sua cabeça? — Harry perguntou da porta, e então começou a rir com tanta força que teve que se sentar no chão.

Até mesmo Gustav estava sorrindo disfarçadamente, e só havia uma coisa que eu podia fazer: pegar meu iPhone, tirar uma foto carrancuda de mim mesma e tuitar para meus seguidores no Twitter:

> adork_able Jeane Smith
> Emergência capilar! Já descolori e tonalizei, posso colocar mais tinta ou tenho que cortar o cabelo?

Eu praticamente estava fazendo amizade com a máquina zero quando Gustav começou a produzir um odor fétido de brócolis cozidos, mas o Twitter veio em meu socorro. O consenso geral foi de que eu precisava comprar alguma tintura de cabelo que fosse a mais próxima da minha cor natural e, em seguida, criar um santuário para os meus deuses pessoais favoritos e rezar por um resultado positivo.

Eu estava à beira de mandar que Harry fugisse antes que eu o chutasse dali quando recebi um SMS de Michael: "Que tal se reanimar? Ou você está ocupada trabalhando em seus planos de dominação total dork?".

Só dessa vez decidi deixar seu comentário cínico passar sem comentários. Não era importante. O importante era dar a ele informações sobre a catástrofe que se abatera sobre mim e lhe enviar um link para a tintura de cabelo que ele compraria no caminho até minha casa.

Tentei me livrar de Gustav e de Harry antes que Michael chegasse, mas foi impossível. Harry insistiu para que eu olhasse todas as pilhas de revistas que ele tinha feito e destinasse pelo menos metade delas para reciclagem; e Gustav queria me obrigar a comer coisas verdes que ele jurava se tratar de legumes, mas que tinham gosto de lodo da lagoa. Dessa forma, quando Michael bateu na porta, eles ainda estavam trabalhando em meu último e mais esfarrapado nervo, e classificando o resto dos sacos de lixo para jogar pelo vão do lixo.

— Eu estou no meio de alguma coisa — disse a Michael enquanto abria a porta para ele, e quando disse no meio de alguma coisa, eu queria dizer planejar o horrível assassinato dos meus dois pais gays.

Michael engoliu em seco.

— Se eu cheguei em um mau momento...

— Nós estamos saindo. — Gustav disparou de algum lugar atrás de mim, e então se atreveu a me empurrar para fora da porta. — Tão logo vejamos Jeane colocar pelo menos cinco sacos pretos na rampa de lixo.

Não foi tão humilhante como, por exemplo, da vez que dei uma de DJ em um clube, em Shoreditch, calculei mal a clientela e esvaziei a pista de dança três vezes por me apegar a músicas que foram consideradas muito melodiosas para dançar. Malditos descolados.

De qualquer forma, eu poderia não ter plateia alguma se carregasse sete (sete!) enormes sacos pretos até a rampa de lixo. Então tive que apresentar Michael a Gustav e a Harry. Eu não tinha planejado isso, mas Harry me abraçou pelos ombros e disse:

— Então, Jeane Genie, você vai nos apresentar seu amiguinho?

Eu não sabia como descrever Michael para eles. Gustav era ridiculamente superprotetor em relação a cavalheiros que telefonavam. Quando eu estava saindo com um garoto francês chamado Cedric (principalmente porque ele era francês e se chamava Cedric), Gustav se levantou à 1 hora da manhã e ordenou que Cedric saísse do prédio, embora ele estivesse cerca de seis meses atrasado na tentativa de impedir a perda de minha virgindade. E ele sujeitara Barney ao seu olhar perscrutador e à sua mandíbula travada em desaprovação, embora Barney tivesse um ataque de ansiedade só por tocar um dos meus peitos sob três camadas de roupas.

Agora ele estava olhando para Michael com gelados olhos azuis, como se tivesse visto seu nome recentemente no Registro de Criminosos Sexuais.

— Esse é Michael Lee — eu disse. — Ele veio trazer a tintura de cabelo para que eu possa salvar o dano que é totalmente sua culpa, Gustav. E Michael, estes são Gustav e Harry, que vivem no apartamento ao lado e são a maldição de minha existência. — O ataque é *sempre* a melhor forma de defesa.

Os três acenaram com a cabeça um para o outro, e então Harry falou lentamente:

— Michael, quais são suas intenções para com nossa Jeane? Espero que sejam honrosas.

— Hum, elas são muito honrosas — Michael murmurou, segurando um saco de papel no ar. — Eu realmente trouxe a tintura de cabelo.

Gustav fungou, duvidando.

— É uma noite de período de escola, então...

— São 5 horas da tarde, Gustav!

— ...não se demore muito — ele continuou. — Harry e eu vamos sair para jantar, mas estamos exaustos. Você está muito cansada, Jeane.

Comecei a contorcer o rosto, mas decidi deixar aquela passar.

— Obrigada por me dar ordens quanto à minha vida — sorri tolamente, mas o abraço que dei nos dois foi sincero. Não que eu apreciasse a arrumação forçada ou a ingestão de legumes, mas fiquei feliz por eles se preocuparem em ajeitar todos os meus afazeres domésticos.

Finalmente Gustav e Harry estavam no elevador e Michael estava em minha sala piscando, surpreso.

— Você tem chão — comentou baixinho. — Chão de verdade e um aparador. — Ele entrou na sala de estar. — É engraçado, mas o lugar parece muito maior agora que não está totalmente coberto de caixas de pizza e de porcarias.

Ele estava certo, mas um apartamento maior não era necessariamente uma coisa boa.

— Então, e a tintura de cabelo? — solicitei, e ele jogou o saco para mim. Eu deixei cair, peguei do chão e tirei uma caixa de tinta de cabelo loiro-acinzentado. Aquilo fez meu coração ficar apertado, mas garotas com cabelo laranja néon não podem escolher muito.

— Há um cozido nojento de legumes na cozinha, se você quiser alguma coisa — disse a Michael, mas ele balançou a cabeça e contraiu o rosto.

— Parece delicioso, mas acho que vou passar — disse ele, e eu não tinha certeza se ele iria ficar por ali ou se eu queria que ele ficasse, mas ele apontou para a toalha que estava enrolada em meu cabelo. — Vamos ver isso, então.

Com um ar de abuso, arranquei a toalha.

— Nossa! Uau! É muito mais brilhante do que eu pensei que estivesse.

— Muito brilhante.

— Você gosta de coisas que são muito brilhantes — Michael disse, olhando para o curto macacão azul de bolinhas brancas que eu estava usando com meias cor-de-rosa. — É quase da mesma cor daquelas meias que ficaram detonadas quando eu... quando... você sabe...

— Quando você acidentalmente me derrubou de minha bicicleta?

Ele balançou a cabeça.

— Sim, daquelas.

— Meias são uma coisa. Você pode jogar fora suas meias, mas eu não posso tirar meu cabelo, e não tenho o mínimo humor para ter cabelo laranja-brilhante todos os dias — expliquei. — De qualquer forma, se você ficar, pode me ajudar.

Michael não foi de nenhuma ajuda, afinal. Ele apenas se sentou na beirada da banheira e, de maneira prestativa, apontava quando eu deixava respingar tinta sobre os azulejos brancos que eu tinha acabado de limpar. No entanto, ele saiu para pegar café para mim enquanto esperávamos a tinta agir, por meia hora, e me ajudou a lavar todo o castanho-escuro do cabelo, embora tenha reclamado por se molhar. Ele também foi à cozinha pegar algumas Haribo para mim, porque meu nível de energia estava caindo, conforme eu condicionava profundamente os cabelos.

— Ah, Deus — disse ele quando voltou com o saco de balas. — Que inferno, Jeane! Você não pode tingi-lo três vezes em uma tarde. Ele vai cair.

Eu estava muito ocupada, secando meu cabelo com uma toalha, para ligar para a cor, mas agora eu estava seriamente preocupada. Eu estava a um passo de ter um colapso completo.

— Não diga isso! Não olhe para mim assim. — Seus olhos estavam tão arregalados de horror que eu pensei que eles poderiam escapar de suas órbitas. — É castanho, não é? Um chato, lamacento e monótono castanho. Cabelos castanhos! Eu não mereço ter cabelos castanhos.

— Ah, cale a boca e pare de ser tão dramática — Michael virou-se para mim. — Enfim, não é castanho. Você desejaria que fosse.

Protegi-me para tirar a toalha molhada, que eu havia dobrado como um xale sobre minha cabeça, enquanto Michael iniciava uma boa representação de Arauto do Apocalipse. Virei-me para encarar o espelho, fechei os olhos e descobri minha cabeça. Então, abri meus olhos e...

— Ah! Ah! Ah, bem, ele não parece tão ruim assim.

Michael gemeu como se estivesse com uma grande dor.

— Seu cabelo está da mesma cor de iogurte de pêssego.

— Ou iogurte de damasco. — Olhei com espanto para meu cabelo, que era um misto de sombreado pêssego, alaranjado suave e rosado cremoso, com o qual eu poderia facilmente trabalhar. — Agora isso está muito melhor. Essa é uma cor neutra.

— Em que mundo isso é uma cor neutra? — Michael questionou.

— No meu mundo, garoto chato — rebati de volta, mas meu coração não estava naquilo. Eu preferia muito mais olhar para meu novo cabelo no espelho. Parecia meio francês, e decidi que eu poderia experimentar prendê-lo e, eventualmente, investir em uma tiara. E talvez uma saia fofa com outra saia fofa sobre a primeira e, por que não, uma grande anágua de tule rendada sob as duas?

Eu amo as possibilidades infinitas que surgem ao se mudar a cor do cabelo. Agora que eu não tinha cabelos grisalhos, não queria me vestir mais como uma velhinha qualquer, mas como uma rainha do baile dos anos 1950 sob o efeito de drogas leves. Definitivamente, havia um post para o blog aqui: "Cabelo ou Estilo — o que vem primeiro?".

— Eu gostei. Eu realmente, realmente, gostei — disse com determinação. Michael ainda estava agindo como se olhar para mim o ferisse. — Você será poupado da humilhação de ser visto em público com uma garota de cabelos cor de pêssego.

— Bem, há esse aspecto — ele concordou, e então se pôs ao meu lado para que pudesse correr os dedos pelo meu cabelo úmido, e eu não sabia o que era essa atração estranha e inebriante, mas tudo o que ele tinha a fazer era me tocar, e comecei a me perguntar quanto tempo ainda seria necessário antes que déssemos a conversa por encerrada e pudéssemos chegar aos beijos. — Mas eu não me importo de estar com você em particular.

— Isso é legal — eu disse, e Michael estava olhando para minha boca, de maneira que eu estava consciente sobre como meus lábios se moviam enquanto falava, mas creio que ele queria me beijar também. — Vamos para o sofá?

Nós nunca havíamos nos beijado deitados antes, provavelmente porque geralmente estávamos na escola ou porque havia tanta coisa no sofá que deitar não era uma opção. Pela primeira vez, não estávamos nos puxando e nos esticando para nos beijar em pé, ou retorcendo nossos corpos em ângulos esquisitos para nos beijar sentados, mas estávamos deitados no sofá, as pernas entrelaçadas, e poderíamos nos concentrar apenas em beijar.

Era um beijo tão bom que merecia ser saboreado. Tinha o sabor de chá e de balas ardidas de cola, e cada vez que parávamos de nos beijar, porque precisávamos daquela coisa irritante chamada oxigênio, Michael Lee suspirava. Suspiros que pareciam tristes, e como eu não queria pensar por que ele poderia estar triste, eu o beijava novamente, e porque ele era Michael Lee, não surtou quando percebeu que sua mão estava em meu peito pela primeira vez, mas a manteve por lá.

Também não era apenas uma mão imóvel presa ao meu peito, ele o estava acariciando e pressionando e, finalmente, desabotoando meu macacão, que estava encharcado, irritada por ter ficado molhado ao longo de toda a tarde.

Mas o toque e a pressão e o desabotoar pareciam um pouco unilaterais, e qual era a vantagem de beijar Michael Lee no sofá se você não pudesse ver qual a razão de tanto alarido? Aquilo que deixava as outras garotas com falta de ar e fraqueza nos joelhos? Além disso, eu fiquei muito feliz por livrá-lo de sua camiseta American Eagle, pois sua fidelidade aos ícones americanos ofendia meus olhos e minha sensibilidade.

Até então eu achava que estava no controle de mim mesma e dos beijos, mas com toda aquela pele cor de caramelo se esfregando em mim, era impossível não me torcer e me contorcer e, talvez até mesmo dançar, até que a mão de Michael deslizou por debaixo do meu sutiã e eu pude sentir sua ereção encostando em mim.

— Acho que precisamos parar — sussurrei, e não creio que ele tenha me ouvido, porque estava mordendo minha orelha e se empurrando contra mim, mas, então, ele parou.

— Devemos parar — disse ele, e rolou para fora do sofá. E enquanto eu abotoava meu macacão, ele estava sentado no chão, com as costas contra o sofá, tentando arrumar seu penteado estúpido. — Desculpe. Não queria deixar as coisas irem tão longe.

Eu não tinha certeza sobre o que eram "as coisas irem tão longe". Tipo, ele estava sossegado com o beijo e com o toque, mas fora repelido pelo que vira, agora que tínhamos passado para a remoção parcial de roupas? Ou por que ele era o garoto e por isso tinha que tomar todas as decisões relacionadas com o beijo? Ou ele ia dar uma de Barney e surtar por tocar meus peitos?

— Você não era o único nesse sofá — disse eu, e ele me olhou surpreso com meu tom cortante. — Eu estava bem com isso e quando eu não estava mais bem com isso, decidi que era hora de parar. Por favor, não comece a ter dúvidas enquanto eu estou na mesma situação, isso faz eu me sentir uma merda.

— Eu não quis dizer isso desse jeito — disse ele rapidamente e, em seguida, virou-se para que eu pudesse vê-lo todo aflito e cheio de pesar. — Só não conhecemos tão bem um ao outro e não sabemos pra onde essa nossa coisa vai, e não quero que você pense que estou me aproveitando da situação.

Michael tinha razão: ele não me conhecia de fato.

— Você não está se aproveitando de mim porque eu não vou deixar que você faça isso — disse-lhe com firmeza. — Se você tentar algo com que eu não estou de acordo, então, acredite em mim, eu me certificarei de que você capte a mensagem.

— É, bem, eu não quis dizer que...

— E o mesmo vale pra você — continuei, apenas para deixarmos tudo às claras. — Se eu fizer um movimento com o qual não se sinta legal, você precisa me dizer.

Michael não disse nada por um longo tempo. Tempo suficiente para que eu começasse a enlouquecer um pouco, e então ele sorriu.

— Você não é como nenhuma outra garota que eu conheça.

— E aí, isso é uma coisa boa ou ruim? — perguntei calmamente, embora não tivesse certeza de que quisesse saber a resposta.

— Na maioria das vezes é mais uma coisa boa do que uma coisa ruim. E, às vezes, é muito, muito bom — disse com voz arrastada, e juro que ele tinha o olhar um pouco encantado, por isso eu não precisava continuar pirando.

— OK, então. — Recostei-me no sofá e observei Michael enquanto ele, distraidamente, pegava o panfleto que viera com o DVD que eu estava assistindo do acampamento para garotas.

— Não é essa a garota da Duckie? Polly...

— Molly — eu o corrigi, e tive que morder o lábio para me impedir de gritar que Duckie e Molly eram meus, todos meus, e nada a ver com ele. — O nome dela é Molly.

— Certo, sim. Eu ouvi algumas de suas canções na 6Music, então baixei o álbum. Você sabia que ela fazia parte do The Hormones?

Aquilo até que era uma graça, mas também era muito chato que ele estivesse tentando me atualizar sobre a carreira de alguém com quem eu estivera no nível de "Oi, como vai você?" pelos últimos três anos, e que, depois do verão passado — quando eu saí com ela todos os dias durante um mês e até fiz cupcakes com ela e a deixei dormir no mesmo sofá em que Michael e eu tínhamos farreado —, eu até podia chamá-la de amiga.

— Sim, eu sabia disso.

— Eles vão tocar no próximo sábado. Toda uma galerinha vai. Seria muito bom se você quisesse... — Michael se pegou num impasse quando percebeu que, ao me convidar para ir a um show com um monte de pessoas desajeitadas e ineptas da escola (que estavam apenas entrando na onda Duckie, embora a banda já estivesse rolando havia anos), tinha violado as regras do nosso pacto mútuo de privacidade. — Então, é, seria legal.

— Bem, de qualquer forma, eu vou — disse casualmente, porque era melhor que eu lhe dissesse, em vez de ele ser pego de surpresa e deixar escapar alguma coisa e sermos descobertos por metade da escola. Embora eu não lhe dissesse que estava na lista de convidados. Seria como se eu estivesse me gabando. — Vou filmar algumas entrevistas para o blog, antes do show, e vou me encontrar com algumas pessoas por lá. Alguns deles eu conheço do Twitter, então acho que eles não contam como pessoas reais.

— Jeane? Cai fora. — Michael se virou para beliscar meu dedo do pé. — Não fique toda armada e beligerante comigo, porque isso realmente não exerce mais nenhum efeito sobre de mim. Não agora que eu vi você levar uma boa chamada de seus dois pais gays.

Fiz uma careta por trás da cabeça dele.

— Não conte a ninguém sobre isso...

— Senão você vai fazer o quê? Me difamar no Twitter? Escrever um post maldoso sobre mim? Porque, daí, todo mundo vai conhecer nosso segredo. — Ele virou-se novamente. Dessa vez foi para que eu pudesse desfrutar de seu sorriso presunçoso, e não valia a pena discutir sobre aquilo. Não quando eu planejava mandá-lo para a cozinha para me trazer outro saco de Haribo nos próximos dez minutos.

Assim, embora fosse contra tudo o que eu acreditava, eu realmente deixei Michael Lee ter a última palavra.

16

Eu não vi Jeane muitas vezes durante a semana seguinte. Ela não pôde participar de nenhuma de nossas sessões habituais, na hora do almoço, e na tarde de quinta-feira, quando costumo lhe dar uma carona até a ruazinha de trás, a cinco minutos da escola, para poder enchê-la de beijos (bem, eu fiz isso nas duas últimas quintas-feiras), ela se esgueirou até mim no estacionamento de funcionários.

— Acho que terei que adiar — ela anunciou, alegremente. — Eu tenho que ir à cidade para pegar uma câmera de vídeo, e minha amiga Tabitha conseguiu uma nova remessa de roupas vintage sobre as quais eu tenho direito de olhar primeiro. — Ela balançou a cabeça. — Criar um novo visual é um trabalho muito duro, mas talvez nós possamos nos falar no fim de semana, mas não sábado. Enfim, a próxima semana é a folga do meio do semestre, e então poderemos ficar juntos, embora eu tenha que ir à cidade para todas as reuniões às quais não pude ir por causa da escola. — Ela finalmente fez uma pausa para permitir que um pouco de ar entrasse em seus pulmões e me fixar com um olhar feroz. — Você vai realmente ao show da Duckie? Foi só uma ideia, certo?

Errado. Eu comprei meu ingresso e ainda me cobraram duas libras extras de taxa de reserva.

— Sim, eu vou — rebati. — Você não tem um monopólio sobre todas as coisas legais.

Ela bufou.

— É, certo. Tanto faz. Vejo você por aí.

Eu a vi sair pedalando e, em seguida, parar para ajustar o capacete na cabeça. Jeane ainda estava por estrear seu cabelo cor de pêssego porque queria, primeiramente, montar seu novo visual. Enquanto isso, ela enrolava um pedaço enorme de um material com estampas coloridas em volta da cabeça e tinha entrado numa briga, na aula de Inglês, quando a pessoa sentada atrás dela não pôde ver o quadro e Jeane se recusou a remover seu alto capacete.

De certa forma, era preciso meio que admirar sua tenacidade em dar o seu melhor nas suas escolhas de moda problemáticas, mas, por outro lado... Bem, eu passara dois meses com Scarlett antes que percebesse que tinha cometido um erro terrível. Com Jeane, só foram necessárias duas semanas. Qualquer tolo poderia ver (se ele soubesse que estávamos "juntos") que estávamos destinados ao desastre. A um grande e terrível desastre. Eu não sabia quando isso ia acontecer, mas sabia que seria em breve.

A sensação de morte iminente ainda estava lá, na noite de sábado, quando eu me encontrei com a turma, no Nando's, para comer hambúrguer de frango com molho de pimenta antes do show. Eu temia ir ao show porque Jeane estaria lá, e talvez ficasse óbvio para todos que estávamos saindo sempre que ela encontrava uma janela em sua agenda lotada. Ou eu poderia ser arrastado para algum tipo de drama relacionado a Jeane. Ou talvez ela me esnobasse completamente, o que seria o melhor, mas a ideia de Jeane me lançando seu olhar mais fulminante (ela poderia destruir uma floresta inteira com uma varredura de seus cílios) tirava meu apetite pelo hambúrguer duplo de frango.

Na verdade, isso era mentira. O que estava tirando meu apetite era Heidi, que ficava roçando a perna contra a minha de uma forma muito determinada enquanto tentava me convencer a levar todos de volta para minha casa, após o show. Mamãe e papai estavam em Devon para deixar Melly e Alice na casa dos nossos avós, durante a folga do meio do semestre, e não deveriam voltar até a noite de domingo, mas, de qualquer forma, eu não convidaria para casa um bando de gente para que eles pudessem se embebedar, quebrar coisas e vomitar.

— Não vai rolar — disse a Heidi pela quinta vez, mas ela só esfregou minha perna com mais força e amuou.

— Você não é divertido, Michael — disse ela, e captei o olhar de canto de olho que ela deu para Scarlett, que encolheu os ombros e ergueu as sobrancelhas, e então imaginei que Heidi estivesse dando em cima de mim com a bênção de minha ex-namorada. Algumas vezes, parecia que acabávamos todos pendurados no mesmo grupinho e trocando de namorados e namoradas. Na verdade, a única cara nova no nosso grupo era Barney, mas ele não era tão diferente também.

Ele tinha cortado o cabelo, por isso eu podia ver seu rosto, que ficava concentrado em Scarlett na maior parte do tempo. Eles estavam muito ligados um no outro, mas, quando ele colocou sal nas batatas dele, coisa de que ela não gostava, ela se manteve bem sossegada. Tive que respeitar o cara por isso. Então percebemos que estivemos, os dois, em três dos shows nos últimos meses, e talvez tivesse mais em Barney do que apenas alguém que roubara minha namorada.

Foi natural entrar em sintonia com ele e Scarlett enquanto caminhávamos pela rua até o local do show, que era um antigo salão de festas.

— Meus avós começaram a namorar aqui — Barney confessou com um sorriso quando deixamos as garotas guardando suas coisas na chapelaria e fomos para o bar. Pairando sobre a pista de dança estava o maior lustre que eu já vira; o palco tinha sido montado na extremidade e, por todo o piso, escondidas em pequenos nichos, havia mesas e cadeiras.

Ant e Martin conseguiram segurar uma mesa quando fomos buscar as bebidas. As garotas ainda não tinham voltado — elas provavelmente tinham se dirigido ao banheiro para verificar o visual, que elas tinham verificado dez minutos antes, no banheiro do Nando's.

— Certo — disse Ant, levantando o copo plástico de cerveja. — Vamos beber essas e, então, começar uma roda punk?

Houve murmúrios gerais do acordo, mas Barney balançou a cabeça.

— Você não pode. Não em um show da Duckie. A roda punk é só pra garotas.

— Você está me zoando?

— Nada. Havia uma placa quando entramos. — Barney afastou as mãos em rendição. — Se você tentar entrar na roda punk, vai ser colocado para fora pelos seguranças. Na verdade, essa é a melhor hipótese.

— Qual é a pior hipótese? — perguntei.

— Você vai ser atacado por hordas de garotas fãs da Duckie e terá sorte se escapar com vida — disse Barney. — Enfim, é meio que legal que as garotas possam dançar e pular sem ter que se preocupar com alguns trogloditas tentando apalpá-las, certo?

Quando ele colocou dessa forma, fez todo o sentido, mas Martin apenas balançou a cabeça.

— Ah é, cara, você saiu com aquela aberração da natureza por muito tempo.

— Ela não é uma aberração da natureza — Barney rebateu, seu rosto avermelhando-se. — Ela é um pouco... bem... fora do padrão, mas ela é legal. A pessoa mais legal que eu já conheci.

Aquilo me fez apreciar Barney ainda mais. Não que Jeane precisasse de alguém para defendê-la: se ela estivesse ali e ouvisse do que Martin a chamara, ela provavelmente teria lhe dado um tapa. Quando Barney falou, Martin recuou:

— Desculpe, amigo. É só que, tipo, ela não é um pouco excessiva?

— Ah, é. Ela é extremamente excessiva — Barney concordou com um leve sorriso.

Já estávamos ali havia vinte minutos, e toda essa conversa sobre Jeane me fez, de repente, olhar nervoso para o salão, mas só vi as garotas vindo em nossa direção.

— Ai, meu Deus! — Heidi arquejou enquanto se atirava em meu colo. Nós tínhamos um par de cadeiras a menos, mas ela estava se sentando de uma forma muito solta. Ainda assim, eu não podia empurrá-la sem causar uma cena. — Nós acabamos de ver Jeane Smith. Você não vai acreditar no que ela está vestindo.

— E ela mudou o cabelo — acrescentou Mads. — Não é mais cinza. Parece aquele esmalte Barry M que você ia comprar, Scar.

Scar concordou que era semelhante e, em seguida, todos os quatro esticaram o pescoço, e eu segui seus olhares até a barraca de mercadorias onde Jeane estava postada com um pequeno bando de garotas ao seu redor.

Ela estava... sabe o quê? De fato, não há nenhuma palavra para descrever como ela estava. Seu cabelo estava penteado para cima e para trás e preso com uma tiara, e ela estava usando um vestido estilo princesa. Não era um vestido de festa rodado, mas um vestido estilo princesa gigantesco, de cor verde-azulada ou de uma dessas cores, tipo turquesa ou azul-claro, sobre as quais eu realmente não sou bom conhecedor, e feito de alguma coisa misteriosa, como tafetá ou seda furta-cor ou, bem, sacolas recicladas. Mas o que realmente parecia diferente em Jeane não era o cabelo ou a roupa exagerada e superglamourosa, mas o sorriso em seu rosto.

Jeane parecia feliz, como se tivesse ganhado na loteria e eles tivessem convertido o dinheiro em Haribo. Eu nunca a vira daquela forma. Ficava bem nela.

Tentei não ficar olhando Jeane sorrateiramente enquanto ela se movia pelo ambiente com uma câmera de vídeo e entrevistava pessoas. Quando não estava fazendo isso, ela estava lidando com todo o salão. Cada vez que ela dava um passo, parecia esbarrar em alguém que conhecia, e precisava parar e dar abraços e beijos e entrar em conversas animadas. Isso era um novo lado dela.

— Pra quem você fica olhando? — Heidi me perguntou, irritada.

Virei a cabeça para longe de Jeane tão rapidamente que quase quebrei o pescoço.

— Ninguém — murmurei.

Heidi fungou.

— Psiu, se você convida uma garota pra se sentar em seu colo, então é muito rude ignorá-la.

— Não me lembro de ele ter pedido pra você jogar sua bunda sobre ele — disse Martin, e então eles trocaram um olhar feroz, porque havia uma história, e todo o peso de Heidi estava centrado em minha coxa direita, que estava dormente, por isso nem sequer percebi que Jeane estava vindo, até que ela estava bem na minha frente.

— Scarlett — disse ela. Scarlett olhou para Jeane com cautela. — Scarlett, pode me emprestar o cérebro de Barney por um segundo?

— Bem, OK. Claro que sim.

Esqueci que, às vezes, Jeane poderia ser amável e atenciosa. Que, em vez de mandar uma mensagem de texto para Barney e convocá-lo, ela tinha vindo até uma mesa com pessoas das quais ela não gostava para verificar se estava tudo bem com Scarlett antes que ela empurrasse sua câmera de vídeo para Barney.

— Ela é emprestada — explicou ela, agachando-se para que pudesse apontar para a tela. — E é toda digital, e não como a minha, velha e desajeitada. Eu ampliei e agora não consigo diminuir o zoom. Que botão eu deveria pressionar?

— Eu imagino que você não trouxe o manual de instruções com você, certo?

Jeane revirou os olhos.

— Barney, por que você faz perguntas para as quais já conhece as respostas?

Barney resmungou e deu-lhe o dedinho, mas depois ele abaixou a cabeça e estudou a câmera. Jeane varreu a mesa com uma olhada rápida, e em seguida pegou seu telefone para, creio eu, tuitar aquela parte emocionante de sua noite. Então, senti meu telefone vibrar.

— Heidi, você poderia encontrar uma cadeira... Ou, olhe, pegue minha cadeira. — Ela foi forçada a sair do meu colo quando me levantei e recuperei meu telefone do meu bolso de trás para ler um SMS de Jeane.

Vc & Hilda/Heidi/qualquer que seja o nome dela estão juntos? Vc deveria ter dito

Sério? Sério? Essa coisa entre nós era estranha e esquisita, mas ainda era uma coisa, e isso significava que eu não fazia outras coisas com outras garotas.

NÃO! Respondi à mensagem. Queria q Heidi se tocasse disso.

Mas Jeane tinha guardado seu telefone para que pudesse se agachar ao lado de Barney.

— Eu não me importo com autofoco — ela lhe disse. — Basta explicar como fazer para aumentar o zoom.

— Mas, Jeane...

— Barney! Estou filmando vox pops e não recriando *A origem* quadro a quadro.

Eles ficaram amontoados por um tempo, as cabeças se tocando, não que Scarlett parecesse se importar. Ela estava conversando com Mads e Anjula sobre fazer uma viagem por terra para Brighton. Apenas Heidi permaneceu olhando para a cabeça curvada de Jeane.

— Por que você fica se batendo por aí com uma câmera de vídeo? — perguntou de maneira realmente agressiva quando Jeane, finalmente, se endireitou.

— Bem, estou perguntando a garotas e a pessoas que se identificam como garotas do que elas gostam mais sobre ser uma garota — Jeane disse, sem rodeios.

Heidi cruzou os braços.

— Por que você ia querer saber disso?

Eu não tinha ideia de por que ela estava sendo uma vadia. Jeane não tinha tempo para ninguém na escola e eles a tratavam um pouco como um espetáculo de circo, mas nunca com uma hostilidade aberta. Não até aquele instante, de qualquer maneira. Até mesmo Scarlett sentiu-se obrigada a murmurar em advertência.

— Ei, Heids, cai fora.

— É para uma instituição de caridade que trabalha com jovens garotas, para promover a autoestima e a experiência positiva com o corpo — explicou Jeane. Sua voz era tão monótona que era como ouvir um Dalek. — Os videoclipes serão parte de uma campanha viral.

— Pouco importa. Parece bem chato — Heidi arrastou as palavras, e me perguntei se ela suspeitava de que havia algo entre mim e Jeane, especialmente porque ela parecia pensar que tinha algum direito adquirido. Mas como poderia? Nós tínhamos sido tão discretos. — Seu novo visual está, tipo, literalmente fazendo meus olhos sangrarem.

Martin fez uma cara de sofredor.

— Que monte de reclamações é essa, Heidi? — perguntou ele.

Jeane não precisava de ninguém para lutar suas batalhas.

— Vou lhe enviar o link para os vídeos assim que estiverem on-line — ela disse a Heidi. — Eles podem ajudá-la com essa insegurança que faz com que você ataque outras garotas. — Ela ergueu a câmera. — Ou você pode fazer uns vídeos também. Pode descobrir como isso traz segurança.

Heidi furtivamente se encolheu em sua cadeira.

— Eu sou muito segura — disse ela de mau humor. — De qualquer forma, agora que você sabe como ligar essa coisa estúpida, poderia, tipo, ir embora? Nós estávamos tendo uma conversa particular.

A favor das garotas, Anjula, Mads e Scarlett olharam para ela.

— Nós não estávamos — disse Anjula. — Seu vestido é muito louco.

Jeane sacudiu as dobras de sua saia armada gigantesca e, antes que ela pudesse dizer qualquer coisa ou — Deus me livre — começar a se ligar aos meus amigos, um homem mal-arrumado, de terno e chapéu *porkpie* veio correndo e, de repente, começou a cantar...

— "Jeane, a vida imoral perdeu seu apelo, e estou cansado de... procurar por você em toda parte!" — ele terminou com um sotaque de Manchester carregado e, em seguida, levantou-a em um abraço entusiasmado. — Estamos todos no andar de cima, na varanda.

— Ei, Tom — disse Jeane, lutando para se libertar. — Tenho que acabar de fazer minhas entrevistas, mas subirei antes que Duckie entre.

— Ah, isso me lembrou de algo — disse Tom, batendo em seu nariz enquanto puxava um envelope de um bolso interno. — Passes para os camarins e bilhetes para o aftershow, e Molly quer saber se ainda está OK passar a noite em seu sofá.

Jeane fez uma careta.

— Desde que ela não comece a se queixar de minhas habilidades domésticas. Ela me chamou de vagabunda suja da última vez em que dormiu lá.

— Porque ela percebeu que estava usando uma caixa velha de pizza como travesseiro — disse Tom, e seu braço estava segurando os ombros de Jeane e ela foi sendo levada, e quando ela se virou e olhou por cima do ombro, poderia ter sido para qualquer um de nós.

— Essa Molly é a Molly que é vocalista da Duckie? — Mads perguntou. Todos se viraram para olhar para Barney, buscando esclarecimentos. — Jeane tem amizade com Duckie?

— Eu suponho que sim. Molly fez um acampamento de verão para garotas, e Jeane organizou algumas oficinas no acampamento. — Barney acenou com a mão desdenhosamente. — Não comecem a espalhar isso por aí ou Jeane vai chutar minha bunda. Ela tenta manter suas coisas de trabalho e suas coisas de escola completamente separadas.

Todos concordaram, exceto Heidi.

— Por que ainda estamos falando sobre aquela pequena ogra horrível? Ela fez você chorar, Scar, e ainda a chamou de retardada.

— Ah, nós resolvemos tudo aquilo — Scarlett disse. — E ela foi legal em relação a mim e Barney, então pare de atazaná-la.

No curto espaço de tempo em que ela vinha saindo com Barney, Scarlett tinha se transformado em uma garota totalmente nova. Uma garota que respondia, que se posicionava e que valia, pelo menos, dez vezes a garota que era quando saía comigo. Era como se eu estivesse prendendo-a no lugar ou coisa parecida.

— Ela é completamente má e ela tem cheiro de roupa de defunto.

— Mas, cá entre nós, você não está um pouco obcecada com ela? — Mads perguntou. — Eu sempre olho pra ver o que ela está usando a cada manhã e, me desculpe, mas eu meio que queria falar um pouco mais sobre seu novo visual.

— Eu também — disse Anjula, ligando seu telefone. — E agora eu meio que quero tuitar sobre ela ser BFF da Duckie.

— Ah, Deus, eu vou embora se tudo o que vocês vão fazer é falar sobre Jeane Smith pelo resto da noite — Heidi rosnou.

Eu tive que concordar com ela.

Eu estava até pensando em alegar uma dor de cabeça e ir para casa, mas, em seguida, a primeira banda entrou no palco, então, quando a segunda banda de apoio entrou, meu humor estava muito melhor, embora pudesse ter ficado ainda melhor se Heidi não se agarrasse em mim enquanto lutávamos na multidão para chegar mais perto do palco.

Jeane não tinha respondido ao meu SMS, mas ela estivera tuitando durante toda a noite, e exatamente quando ela disse aos seus seguidores:

> adork_able Jeane Smith
> Aí vem Duckie andando pelo palco. Não há muitas bandas que toquem como Duckie. Vamos lá, Molly, dê o seu melhor.

Heidi puxou meu braço.

— Michael, nós realmente precisamos conversar — ela gritou, enquanto Duckie começava sua primeira canção. — Tipo, agora!

— Olha, vamos nos falar depois do show.

— Não, agora — Heidi insistiu, e quando me virei carrancudo para ela, percebi que ela estava chorando, ou contorcendo o rosto, as sobrancelhas quase se tocando, e seu lábio inferior estava balançando como se estivesse prestes a chorar.

Eu não tive escolha a não ser deixar a pista de dança lotada para encontrar uma mesa vazia e ouvir enquanto Heidi me dizia:

— Eu pensei que tínhamos algo, então por que você foi grosseiro comigo por toda a noite?

Claro que neguei toda a história sobre ser grosseiro com ela, e então tive que fazer o "Nós somos bons amigos, não vamos estragar isso", que Heidi não estava gostando. Então eu disse que, na verdade, nunca superara Hannah, o que era verdade, e que eu ainda estava um pouco desconfiado depois do que tinha acontecido com Scarlett, o que não era nem um pouco verdade, mas, naquele instante, Heidi conseguiu espremer uma lágrima real, então eu disse que não tinha tempo para entrar em um relacionamento porque precisava me concentrar em meus estudos de Qualificação, o que era uma completa e absoluta besteira.

Heidi fez um drama. Nós saímos juntos, talvez, três vezes, fazia quase dois anos, de maneira que ela não tinha nenhum motivo real para chorar e ofegar e dizer que estava tendo um ataque de pânico, embora aquele fosse o ataque de pânico mais fraco que esse filho de médico já vira (e por que todas as garotas, de repente, começaram a ter ataques de pânico e a hiperventilar como se isso fosse a coisa mais legal?), mas ela embarcou nessa, de qualquer maneira. Eu tive que lhe buscar um pouco de água e caçar uma caixinha de lenços de papel. Se eu tivesse até mesmo o mais ínfimo interesse em Heidi, suas palhaçadas de hoje à noite teriam deixado o interesse mortinho de pedra.

O choro não havia borrado a maquiagem de Heidi, mas eu só consegui acalmá-la quando a música parou, a iluminação da plateia se acendeu e o show acabou. Tão logo os outros surgiram em meio à multidão, despenteados, suados e brilhantes, Heidi começou a chorar novamente. Era o tipo de choro falso que Alice fazia quando era frustrada em sua tentativa de ganhar chocolate, mas as outras garotas caíram na dela e houve um monte de abraços e de "Ah, Heidi".

Previsivelmente, Heidi saiu intempestivamente e, com olhares de reprovação para mim, Mads, Scarlett e Anjula saíram intempestivamente atrás dela.

— O que foi aquilo? — Ant perguntou.

— Eu odeio quando as garotas dão uma de controladoras — disse. — Qualquer um pensaria que estivemos juntos por cinco anos e tivemos um casal de filhos pela maneira como Heidi estava agindo, como uma louca desvairada.

— Ah, pobre Mikey. Deve ser realmente uma provação ter garotas se jogando em cima de você.

— Cai fora!

Ant pendurou um braço ao redor dos meus ombros.

— Vamos arranjar um drinque em algum lugar antes de cair fora?

Neguei com a cabeça. A noite tinha sido um desastre total, de modo que era melhor encerrar minhas perdas antes que tudo ficasse ainda pior.

— Nada, estou indo pra casa.

Estava indo para casa, e cheguei até o ponto de ônibus, quando meu telefone soou com uma mensagem de texto.

> Hey. Aftershow no Cavalo Branco. Me encontre do lado de fora da M & S na calçada oposta ou seja muito chato.

Não que Jeane fosse livre de drama, mas seus dramas eram completamente diferentes de outros dramas de garotas, só isso. Então eu fui até o local, virando à esquerda, depois, à direita, e lá estava Jeane, do lado de fora da Marks & Spencer, com um sorriso no rosto, como se estivesse feliz em me ver.

17

Havia algo diferente em Michael Lee, pensei quando ele caminhava em minha direção. Eu não conseguia saber o que era, mas então ele passou sob um poste de luz, e vi que ele não estava usando uma de suas terríveis camisetas falsamente envelhecidas, com o logotipo de uma cadeia de lojas que era muito a cara dos Estados Unidos. Ele estava vestindo uma camiseta de manga longa branca, com uma camiseta de manga curta verde por cima, jaqueta de couro e jeans preto e justo, e embora sua roupa fosse sem imaginação e sem graça, pelo menos ele não estava tão em desacordo com minha roupa.

A outra coisa que havia de diferente nele é que ele estava sorrindo para mim. Como se estivesse feliz em me ver. Muito bizarro.

Quando ele me alcançou, eu achei que ele não sabia se seria apropriado me abraçar ou me beijar, dada nossa situação única. Tirei-o do sufoco, estendendo-lhe minha mão.

— Jeane Smith, grata por ter vindo.

Ele sorriu.

— Michael Lee. Eu ouvi muito sobre você — disse enquanto apertava minha mão. — O seu tuíte sobre o show, por sinal, foi um salva-vidas.

— Mas você estava lá. Você estava experimentando Duckie em toda a sua glória física e totalmente facetada! — exclamei, enquanto atravessávamos a rua. — Não precisava ler sobre isso no Twitter. De qualquer forma, pensei que você não estivesse no Twitter. Você me segue, então?

O sorriso de Michael vacilou.

— Eu disse que não entendia o Twitter, mas precisava de distração hoje à noite, e de seus tuítes música a música, porque eu não consegui ver muito da Duckie — ele murmurou. — Teve uma coisa com Heidi...

O fato de Michael estar, possivelmente, seguindo-me no Twitter para controlar meus tuítes e descobrir se eu estava falando merda sobre ele (o que eu não estava) não parecia mais tão importante.

— Uma coisa com Heidi? Ah, é?

— Não aja desse modo — ele suspirou, dando-me um pequeno empurrão, e eu quase caí da calçada. — Tenho recebido isso dela por, tipo, pelo menos uma hora.

— Recebido o que dela? — perguntei e fiquei satisfeita, pela primeira vez, por minha voz não ter qualquer glamour, pois se tivesse, eu tinha certeza de que estaria parecendo muito alterada. Não que nós tivéssemos discutido o quanto seríamos exclusivos, ou não.

— OK, no penúltimo verão Heidi e eu nos beijamos em, tipo, talvez três festas diferentes, e daí tive um relacionamento sério com alguém, e daí fiquei inconsolável, e daí houve algumas outras garotas e daí fiquei com Scarlett. E agora Heidi decidiu que estamos destinados a ficar juntos, e quando não concordei com ela, ela ficou toda histérica comigo.

— Eu odeio quando os caras dizem que as garotas estão sendo histéricas só porque elas estão se atrevendo a ter sentimentos e emoções sobre as coisas — pontuei, mas Michael balançou a cabeça com veemência.

— Não, ela estava de fato histérica, ou fingiu estar. Eu mesmo tive que encontrar um pacote de lenços de papel, porque ela disse que estava hiperventilando e que precisava de algo em que arfar. — Michael me dirigiu um olhar perplexo. — Eu não lhe dei qualquer incentivo, por isso não sei por que ela achava que eu correspondia.

— Bem, objetivamente falando, suponho que você é um pegador. Você é bem bonito de se ver, e está envolvido com coisas que as pessoas e, entre elas, Heidi, parecem pensar que é importante, e, bem, você é popular.

— Você faz parecer como se todas essas coisas fossem terríveis — Michael rebateu. E explodiu. — Olhe, Heidi me fez sentir um merda, e agora você está me fazendo sentir um merda de novo. Estou cansado disso. Estou indo pra casa.

Então ele se foi, e eu fiquei boquiaberta no local, na calçada onde ele estivera parado. Não tinha a intenção de fazê-lo se sentir mal sobre si mesmo e, de qualquer maneira, ele era Michael Lee. Ele era dourado. Ele nunca tinha se sentido mal sobre si mesmo porque, não fosse a enorme quantidade de pressão dos pais, sua vida era perfeita. Ele era perfeito.

A ideia de que ele pudesse não ser tão perfeito como eu pensava que ele fosse se tornou, de repente, a coisa mais atraente a respeito dele, e, além disso, eu tentara fazer uma coisa legal, convidando-o para o aftershow, mas agora eu tinha ferrado com tudo.

Não havia escolha a não ser correr atrás dele. No entanto, eu estava longe de ser perfeita, e correr era mais um item na lista enorme de coisas nas quais eu era um lixo. Lá estava ele, caminhando pela rua com suas grandes passadas de longas pernas e cobrindo enormes distâncias, enquanto eu me arrastava atrás dele, mas parecia que nunca o alcançaria.

— Michael! — fui obrigada a gritar. — Por favor, não me faça correr atrás de você. É tão clichê, e eu tenho pé chato, e meu tornozelo não tem sido o mesmo desde que você acidentalmente me derrubou da minha bicicleta.

Aquilo chamou sua atenção. Eu senti que chamou. Ele se virou.

— Por favor, venha para o aftershow comigo — tentei persuadi-lo, e não porque estava com muito medo de ir sozinha para o clube: haveria milhares de pessoas que eu conhecia por lá. Mas nenhuma delas frequentava nossa escola e, pela primeira vez, pensei que seria legal fazermos alguma coisa juntos que não envolvesse beijar ou apalpar.

— Vai ter bebidas grátis e vou apresentá-lo para a banda, não de um jeito pretensioso tipo "Ei, eu estou com a banda", mas apenas, sabe, porque eu posso. Vamos lá...

— Bem...

— Mas eu não estou implorando — adicionei, apenas para que estivéssemos esclarecidos sobre aquele ponto. — Então pare de mau humor e traga seu traseiro pra cá.

— Você realmente sabe como conduzir uma discussão vitoriosa, não é? — Michael disse quando chegou ao meu lado.

— Eu aposto que você me queria no clube de debate da escola — eu disse quando ele se pôs a caminhar ao meu lado. Então ele ficou ao meu lado sem inquietação e sem ficar irritado, enquanto eu tinha uma longa conversa com Debbie, a garota da portaria, sobre um chapéu que ela estava tricotando, e quando subimos a escada instável para o bar, no andar de cima, percebi que quase todo mundo que eu conhecia em toda a minha vida estava na sala, e Michael não ficou bravo por eu ter que parar e conversar com as pessoas.

Barney levara meses até estar devidamente adestrado e conseguir ter uma conversa educada com um estranho sem me puxar para um canto e perguntar com voz chorosa quanto tempo mais eu ainda ficaria no local. Michael não era assim, de forma alguma. Ele podia falar com qualquer um, mesmo com Mad Glen, a quem eu normalmente evitava porque ela era, bem, totalmente maluca. O Word era um cara que tinha tomado algum ecstasy defeituoso na década de 1990 e que também tinha problemas de higiene pessoal, mas Michael, pacientemente, falou com ele sobre teorias de conspiração malucas, sobre o 11 de Setembro e pousos na Lua, depois passou, direto, a conversar sobre futebol com Tom, enquanto eu conversava com Tabitha sobre o vestido que eu estava usando e que ela tinha adquirido para mim, e porque eu ainda cheirava a naftalina, embora tivesse pulverizado uma lata inteira de eliminador de odores sobre ele.

Vou admitir que fiquei nervosa quando Molly e Jane, da Duckie, chegaram. Eu não creio que chegará o dia em que terei me acostumado a ser abraçada por uma mulher que eu tenho como ídolo desde que eu tinha 11 anos. Mas fiquei firme, apesar de tudo.

— Amei o novo visual — disse Molly, quando se sentou na cadeira vazia ao meu lado. — É um pouco afrancesado, como em *Grease*, e um pouco, bem, drag queen.

Eu balancei a cabeça alegremente. Não foi bem o que eu estava esperando, mas posso lidar com isso. Molly afofou seus cabelos loiro-mel.

— Sinto falta de tingir meu cabelo com cores malucas, mas não sinto falta das minhas toalhas e fronhas sendo manchadas de rosa. De qualquer forma, não ia ficar muito bem no trabalho. — Quando não estava colocando fogo no mundo, por meio da música, ou organizando acampamentos de verão, Molly trabalhava em um museu. — Eu vivo através de você.

— Mesmo quando eu estava passando pela minha fase de velhinha?

— É, aquilo foi algo estranho. — Molly olhou ao redor e em seguida seu olhar se fixou em Michael, sentado do meu outro lado, ainda conversando com Tom sobre futebol, e ficou por ali. — Aaah! Olá! Esse não é Barney...

Michael levantou o olhar, e seus olhos se arregalaram aos poucos antes que ele sorrisse.

— Não, eu não era Barney da última vez que verifiquei. Sou Michael.

— Eu sou Molly — ela me puxou pela manga — e essa é Jane. Jane, esse é Michael; seu status ainda precisa ser determinado.

— Ele é meu amigo — eu disse vagamente.

Jane sorriu maliciosamente e me cutucou.

— Ele é seu amigo especial, Jeane?

Michael e eu nos entreolhamos. Não tenho certeza do que eu transmiti com meu olhar, mas possivelmente era algo como "Me faça parecer como um brinquedo na frente de qualquer uma dessas mulheres e eu mato você". Minhas habilidades telepáticas nem sempre foram eficazes, mas ele sorriu de novo.

— Não são os amigos, todos, especiais?

— Bem, sim, mas alguns deles são mais especiais que outros — observou Jane. — Por isso, o quão especial é você?

— Ah, Molly, somos todos flocos de neve raros e únicos em nosso próprio caminho — eu disse rapidamente. — Pare de tentar nos embaraçar.

Jane pensou sobre aquilo. Ela era a pessoa mais linda que eu já tinha visto na vida real. Como uma bela sereia de Hollywood, nos anos de 1940, que ela representava perfeitamente com seus cabelos com ondas e olhos perfeitamente desenhados com delineador líquido, por isso parecia muito certo que ela estivesse em uma banda. Eu sabia que, durante o dia, ela era uma conselheira para jovens dependentes de álcool e de outras drogas, mas não gosto de pensar nesse lado de Jane. Quando eu pensava nisso, me vinha uma ideia distorcida de que ela só intimidava os jovens para que nunca mais caíssem na bebedeira ou devorassem quantidades enormes de tarjas pretas novamente, sob risco de morte. Ela era esse tipo de pessoa, um tipo extremamente impressionante de pessoa.

— OK — ela decidiu. — Como provavelmente teremos que reservar um quarto no "Jeane Hilton", vou parar com a brincadeira. Então, o que você achou do show?

Ela sabia o que eu tinha achado do show porque eu estava assistindo ao lado do palco, pulando loucamente e gritando. Basicamente, este era o verdadeiro teste de Michael. Ele tentaria blefar sobre o show, e Molly e Jane saberiam, porque as pessoas nas bandas têm um sexto sentido para esse tipo de coisa, e isso refletiria muito mal em mim. Normalmente eu não me importava com o que as pessoas pensavam sobre mim, mas aquelas eram Jane e Molly, minhas duas irmãs mais velhas e fodonas honorárias, então, na verdade, eu estava me importando muito.

Prendi a respiração, pois as duas olharam para Michael. Eu quase podia ouvir as engrenagens girando em seu cérebro.

— Bem, eu não consegui ver muito do show — admitiu, para minha surpresa. — Vocês estavam na metade do número de abertura, quando fui arrastado para um drama que durou todo o show e os dois bis. — Seus ombros caíram. — O que eu pude ouvir acima do choro e dos gritos pareceu legal, apesar de tudo. Muito bom. Quero dizer, eu amo os CDs, mas as bandas sempre são melhores ao vivo. — Michael coçou o queixo. — Tirando o Justin Bieber, porque ele sempre será uma droga, não é?

Foi exatamente a coisa certa a dizer, e nem Molly nem Jane pareceram se importar por Michael ter perdido a chance de assisti-las em todo o seu esplendor. Em vez disso, Jane chamou sua amiga Kitty, que era parecida com Justin Bieber, e então nós conversamos com ela e duas horas passaram rapidinho, entre beber, bater papo e, em certa altura, Michael até mesmo dançou hip-hop de raiz comigo. Não foi um tipo de dança que realmente pudesse ser definido como dança, mas pelo menos ele tentou. Barney, e qualquer outro garoto hétero que eu conhecia, preferiria sofrer um edema a ser visto dançando.

Precisamente às 2 horas, as luzes se acenderam e eu tive que arrancar, à força, as solas dos meus sapatos do chão pegajoso e pensar em ir para casa. Michael mal tinha me tocado durante toda a noite, mas assim que vestiu sua jaqueta de couro, ele pegou minha mão e ela se encaixou na sua como se pertencesse àquele lugar. Mais uma vez, muito bizarro, mas meio legal. Minhas mãos estavam frias, mas as dele estavam quentes, e eu havia esquecido minhas luvas, de modo que aquilo funcionou muito bem.

Ocorreu-me que Michael e eu nunca tínhamos saído no sábado à noite juntos, porque era isso que os casais normais faziam, e independentemente do fato de sermos um casal, certamente não éramos normais.

— Não encare isso da forma errada — eu disse, o que mostrou que eu estava, talvez, um pouco embriagada, porque normalmente eu não me preocuparia caso ele encarasse as coisas da forma errada. — Mas você não tem um toque de recolher? Quer dizer, a maioria das pessoas que vivem com os pais têm.

Michael ergueu as sobrancelhas, de propósito, por causa da sugestão de que ele ainda era completamente controlado pelos pais, mas eu conhecera sua mãe e ela era uma mulher que não aceitaria seu amado filho voltando para casa na hora em que quisesse.

— Não tanto nas noites de sábado. — Michael olhou para o relógio, era a única pessoa que eu conhecia que usava um. — Embora, caso eles não estivessem em Devon, acho que voltar para casa depois das duas seria realmente forçar a barra.

— Mesmo no início da folga do meio do semestre?

— Mas, Jeane, é meu ano crucial para a Qualificação — disse ele com uma voz estridente, o que realmente parecia sua mãe falando. "Você precisa de, pelo menos, oito horas de sono todas as noites, e não se esqueça de pôr o gato para fora."

— Então, ahn, você deseja dividir um táxi ou ir para minha casa um pouco? — perguntei hesitante, porque eu estivera tão ocupada ultimamente que não havíamos tido a chance de ficar juntos. E por ficar juntos eu realmente quero dizer nos beijando até que a respiração se tornasse um problema. Michael apertou minha mão um pouco mais forte. Apertei a dele de volta.

— Eu realmente preciso colocar o gato pra fora, mas você poderia voltar pra minha casa. Está limpa, pra começar...

Eu parei de apertar sua mão e fiz uma careta.

— Meu apartamento também está limpo. Passei horas nesta manhã arrumando a casa, e eu mesma aspirei e fiz a reciclagem, sem Gustav e Harry me rodeando e se impondo sobre mim.

— Sim, mas seu apartamento recebeu uma entrega do supermercado nas últimas doze horas e um pai que foi para Chinatown, ontem, e voltou pra casa com duas caixas de bolos?

— Bem, não — admiti. — Não, nada disso.

— Então, vamos pra minha. Pelo bolo e, você sabe, algo mais.

Parecia um plano. Um plano em que eu encheria a cara de bolo e, em seguida, ganharia muito de algo mais.

— Tudo bem — eu disse, puxando-o para a saída. — Vamos tentar encontrar um táxi.

18

Eu não podia acreditar que estava de mãos dadas com Jeane em público, na esquina de uma rua, próximo das 2h30 da manhã, e que ela estava indo para minha casa, que estava vazia de pais e de irmãs pequenas irritantes.

Enquanto Jeane perscrutava os dois lados da rua em busca de um táxi vazio, o poste de luz iluminou os ângulos de seu rosto, e ela ficou quase bonita. Bem, não bela, não, mas exótica. Como se ela fosse uma ave do paraíso ou uma flor rara que não pertencesse a uma rua cinza e úmida de Londres em uma noite cinza e úmida de Londres.

— Ei, tire uma foto, ela dura mais — disse quando me pegou olhando para ela, mas não parecia que ela se importasse.

Não havia táxis para serem encontrados, e quando estávamos prestes a caminhar até a rua principal, alguém chamou o nome de Jeane; nos viramos e vimos Molly e Jane e mais duas garotas correndo em nossa direção.

— Então, está tudo bem dormirmos no seu apartamento? — Molly perguntou quando nos alcançou, e Jeane passou de segurando minha mão para não mais segurando minha mão e se afastando de mim. — Você não se importa?

— Claro que não — Jeane disse, e não sei por que, de repente, me senti furioso. Comparado com vir para minha casa por bolinhos chineses e uma sessão de amassos, sair com Molly Montgomery seria sempre o melhor negócio. Sempre. — E antes que comece a reclamar, ele está mais que limpo. Meu pai está vindo para Londres para uma visita, por isso fiquei mergulhada em água quente e sabão até os cotovelos na maior parte do dia.

— Fico feliz em ouvir isso, pois da última vez em que fiquei lá juro que peguei sarna — disse Jane com um arrepio. Molly bateu nela.

— Sua grande mentirosa — ela suspirou. — Você era alérgica àquela loção para o corpo que cheirava a patinho de banheira.

— Eu continuo a dizer que era sarna — Jane insistiu. — Espero que você tenha se lembrado de limpar o sofá, tanto quanto o chão.

— Qualquer reclamação a mais e você pode dormir em sua van — disse Jeane. — E não precisamos mais procurar por um táxi — acrescentou para mim.

Eu balancei a cabeça. Não havia muito que eu pudesse fazer. Não era o fim do mundo que ela estivesse indo para casa com suas amigas legais e eu estivesse voltando para uma casa vazia, sozinho. Seus beijos eram muito bons, mas eu poderia viver sem eles.

A van da Duckie estava estacionada na rua ao lado. Jeane e eu subimos na traseira, e passei os próximos dez minutos com uma baqueta cutucando minha bunda e tendo que me agarrar ao arco da roda enquanto Jane fazia as curvas muito rapidamente. Embora Jeane tivesse me dito que ela era uma careta total, que não bebia ou usava drogas, Jane ainda dirigia como se estivesse sob a influência dessas coisas. Quando chegamos à Broadway, Jeane começou a dar as instruções até minha casa enquanto procurava algo em sua sacola.

Eu não estava prestando muita atenção porque... bem, porque estava de mau humor, apertado e desconfortável, e porque estava pensando no sanduíche de bacon que iria comer quando entrasse, e então Jeane pegou suas chaves e jogou-as para Molly.

— Você se lembra do endereço, não é?

— Sim — disse Molly. — Ele está salvo no meu telefone para que eu possa usar o Google Maps para nos levar pelo resto do caminho.

Jeane se inclinou para a frente.

— Basta nos deixar perto dessa caixa de correio — disse ela, enquanto, arranhando terrivelmente as engrenagens, Jane puxou para o meio-fio. — Deixem as chaves debaixo do meu tapete e eu chamo alguém para me deixar entrar.

Houve um rosnar coletivo de descrença.

— Não seja idiota — disse uma das outras garotas. — Qualquer um poderia pegá-las.

— Lembre-me de nunca lhe pedir para se juntar ao meu grupo "Vigilância da Vizinhança" — disse Molly. — Vamos nos encontrar para almoçar amanhã, antes de dirigirmos de volta para Brighton, e faremos uma entrega cerimonial das chaves.

Demorou mais cinco minutos para resolverem os detalhes do almoço e, finalmente, estávamos descendo da traseira da van.

— Sirvam-se de qualquer coisa na geladeira, mas se vocês acabarem com todas as minhas Haribos, vou matá-las! — Jeane gritou antes que batesse a porta, fechando a van. Ela se voltou para mim com um sorriso satisfeito. — Bem, pelo menos economizamos no táxi.

Eu estava mais do que contente por ela estar caminhando até minha casa do que eu pensava ser possível.

— Você poderia ter ficado com elas, se quisesse — disse, enquanto abria a porta da frente.

— Mas nós já tínhamos feito planos — disse Jeane, como se os planos tivessem sido esculpidos em tábuas de pedra. — E, além disso, cinco pessoas querendo usar meu banheiro ao mesmo tempo? Não, obrigada!

A casa estava fria e silenciosa, e eu não conseguia acreditar que, de repente, minha mãe não entraria voando pelas escadas e me repreenderia por quebrar meu toque de recolher das noites de sábado e me prenderia até que minha Qualificação tivesse acabado. Mas ela ainda estava em Devon, então preparei uma xícara de chá para Jeane e descobri que ela também sonhava com um sanduíche de bacon.

Ela sentou-se sobre a bancada, ainda vestindo o casaco dourado acolchoado, que parecia ter sido feito com um velho vestido de baile, e ficou observando enquanto eu cortava fatias de pão e as colocava na torradeira, e, na sequência, aquecia o óleo na frigideira.

— Quando eu tinha 6 anos, decidi me tornar vegetariana porque fiz a conexão de que os assados de domingo eram, na verdade, galinhas e cordeiros pequeninos e fofinhos, além de outras coisas — Jeane disse de repente. — Minha mãe era uma hippie tão maluca que teve que concordar com isso. Enfim, fui vegetariana por cinco dias inteiros, mas, no sábado de manhã, meu pai sempre fazia sanduíches de bacon, e quando ele e minha mãe me disseram que eu não poderia comer um porque o bacon era feito de carne e eu era vegetariana, fiquei tão louca que não falei com eles por duas semanas. — Ela deu aquela risada estranha, de quem ri e puxa o ar pela boca na sequência, e sacudiu a cabeça. — Minha mãe achava que eu tinha perdido minha voz, até que ela percebeu que eu ainda estava conversando com minha irmã Bethan.

— Deus, quando eu tinha 6 anos, eu estava mais interessado em Pokémon do que no meio ambiente — disse, enquanto virava cada fatia de bacon e saltava para trás, para não ser salpicado pela gordura que espirrava. — Nós estávamos vivendo em Hong Kong nessa época, e você podia conseguir coisas falsificadas de Pokémon tão baratas que minha mãe se recusava a comprá-las, porque estava convencida de que elas eram feitas de materiais tóxicos e que continham pedaços de metal e de vidro brotando delas. Parece que uma vez eu me deitei no meio da rua e tive um completo ataque, tudo porque ela não me comprou um Pikachu peludo.

Jeane esticou as pernas e sorriu.

— O que sua mãe fez?

— Ela passou por cima de mim e continuou a andar pela rua. — Eu ainda podia me lembrar da aderência do asfalto quente sob meus punhos, do cheiro de gengibre, pimenta e cebolinha vindo da loja de macarrão, e daquele momento de derrota quando, afinal, me levantei e corri atrás de minha mãe. — É muito difícil vencer minha mãe.

— Sério? Acho muito fácil vencer a minha — disse Jeane, sua voz tão azeda como suco de limão.

— E seu pai? — perguntei timidamente. — Você disse que irá vê-lo mais adiante nesta semana.

Jeane fez uma careta terrível, olhos fechados, boca e nariz desaparecendo em um franzir doloroso.

— Deus, meus pais são duas das coisas menos interessantes sobre mim. — Ela arrancou folhas de papel de cozinha quando eu desliguei a chapa. — Eu prefiro ouvir sobre Hong Kong. Quanto tempo você morou lá?

Já era tarde e estávamos cansados e com frio, por isso, embora minha mãe pudesse ter um ataque se soubesse que eu levara uma garota para o meu quarto, e fechara a porta, o que era ainda pior do que se eu tivesse levado comida quente e malcheirosa para meu quarto, nós fugimos para ele, no sótão. Jeane descalçou os sapatos e se enrolou em minha cama enquanto devorava seu sanduíche de bacon como se não tivesse feito uma única refeição decente nas últimas semanas. Na verdade, conhecendo sua preferência por viver de balas de goma e café, ela provavelmente não tinha feito mesmo. Então, ela tomou um gole do chá enquanto eu lhe contava sobre a vida em Hong Kong e nosso minúsculo apartamento na rua Pok Fu Lam, e como, enquanto meu pai estava trabalhando no Hospital Queen Mary e minha mãe no Consulado, fora cuidado por May, minha babá chinesa, que colocava canja de galinha no meu copo com canudinho e me levava ao parque descendo a rua. Contei-lhe sobre os fins de semana, quando íamos para o Porto de Vitória para olhar os barcos, e como havia tantos arranha-céus que olhar para cima deixava qualquer um tonto. Que as chuvas inglesas nem sequer podiam se comparar com as tempestades negras de primavera em Hong Kong, e que a umidade, que vinha ao final da estação, fazia parecer como se estivéssemos sendo lentamente cozidos.

Contei-lhe sobre o mercado das flores e o mercado de aves, e sobre o mercado que só vendia peixinhos dourados, e como, numa espécie de tratamento especial, meus pais me levavam para Tai Yuen Street, que não tinha nada além de lojas e barracas de brinquedos que vendiam todo tipo de brinquedos de cores vivas, que piscavam, zumbiam e emitiam "beeps", e falei de nossos feriados em Lamma Island, e pensei que Jeane tinha dormido, já que seus olhos estavam fechados e seus membros, envoltos em seda furta-cor e tafetá azul-claro, com meias cor-de-rosa brilhantes, estavam relaxados, mas quando parei de falar, seus olhos se abriram.

— Não pare — disse ela.

— Mas não há mais nada para dizer — protestei com uma risada.

— Parece incrível — Jeane suspirou, e não era um de seus suspiros cansados da vida, tipo "Deus-você-poderia-realmente-fazer-alguma--coisa?". Aquele suspiro foi cheio de admiração. — Definitivamente, vou adicionar à minha lista de lugares que tenho que visitar.

Eu queria saber quais outros países estavam em sua lista de "devem ser visitados", mas antes que eu pudesse perguntar a ela, um bocejo enorme, que me custou um longo, longo, longo momento, me impediu, e tão logo parei, Jeane começou a bocejar.

— Vou deixar que você cerre os olhos um pouco, então, posso? — Comecei a sair da cama, mas Jeane pegou minha mão.

— Cerrar os olhos? Você tem o quê, tipo, cinquenta? — perguntou ironicamente. — Onde você vai dormir?

— Eu posso dormir no quarto reserva. — Eu me afastei de Jeane, mas ela não me deixou prosseguir. — O quê?

— Você pode dormir aqui, se quiser — disse ela lentamente.

Minha garganta de repente se fechou.

— Com você? — resmunguei. Jeane sorriu.

— É, a menos que isso faça sua cabeça explodir.

Parecia que minha cabeça estava explodindo um pouco, porque a visão de Jeane se espreguiçando em minha cama como uma sereia na praia era bastante alucinante, mas o pensamento de Jeane em minha cama, comigo, eventualmente fazendo as coisas que duas pessoas que partilham uma cama fazem, estava dando curto-circuito nas partes do meu cérebro que lidam com a lógica e a razão.

— Só pra dormir ou, ahn, não dormir? — Busquei esclarecer, porque Jeane esperava que eu fosse todo aberto sobre sexo e sobre estabelecer limites pessoais e...

— Ah, Michael, pelo amor de Deus, nós dois somos adultos responsáveis.

— Você não é adulta, tem apenas 17.

— Aos olhos da lei, eu tenho sido legalmente capaz de ter relações sexuais já faz quinze meses — Jeane me informou. — Mesmo que eu não esteja legalmente apta a votar, comprar bebidas alcoólicas e não possa entrar para o Parlamento até que eu tenha 21, embora eu tenha mais noção do que a maioria dos nossos representantes eleitos. De qualquer forma, não estou falando de uma maratona sem pausa de sexo, estou falando de partilharmos a cama e, talvez, levar as coisas um pouco adiante, para que nós aproveitemos como sempre aproveitamos um ao outro. — Eu não tinha pensado que Jeane sabia como corar, mas seu rosto estava vermelho como o batom que mesmo um bocado de um sanduíche de bacon e uma caneca de chá não tiraram.

O que ela disse fez todo o sentido. Afinal de contas, nossas sessões de amassos pós-escolares geralmente terminavam comigo indo para casa para aliviar uma parte da pressão com alguns sites para adultos que eu sempre limpava do histórico do navegador dois minutos depois de que a ação fora feita. Sim, foi Jeane quem me levou a esse estado, mas a ideia de que Jeane também poderia me ajudar a sair desse estado não tinha passado pela minha cabeça.

— Você tem certeza de que é o que você quer?

— Bem, eu tinha certeza, mas sua absoluta falta de entusiasmo é uma matadora de vontade — disse ela. Jeane caiu para trás na cama, bufando de um jeito rabugento. — Vamos apenas dormir, podemos fazer isso? É tarde, e não vai demorar muito até que precisemos nos levantar e ir ao encontro de Molly e das outras, OK?

— Se tivesse um recorde mundial de chateação, acho que eu o teria vencido mais de uma vez, porque você está sempre irritada comigo por causa de alguma coisa, não é?

— Nem sempre — Jeane admitiu. — Ultimamente tem havido períodos enormes em que você não me incomoda em nada. Creio que isso se chama progresso. Agora que já esclarecemos tudo, podemos cerrar os olhos, ou qualquer que seja a expressão completamente fora de moda que você usou? Quarenta piscadelas. Dormir, vamos fazer isso.

Nada jamais era simples com Jeane. Ela insistiu em ver toda a minha coleção de camisetas até encontrar uma que se dignasse a usar, e levou séculos para escovar os dentes, e então eu a fiz ir e tirar a maquiagem porque eu não queria acordar com glitter, rímel e batom em toda a minha fronha, e eu não acredito que minha mãe ficaria muito feliz também.

Assim que ela arranjou um copo de água e ajustou o aparelho de rádio em um volume baixo, e se jogou do lado esquerdo da cama, porque "Eu sou canhota, então é claro que eu preciso dormir do lado esquerdo", eu tive, finalmente, permissão para apagar a luz.

Eu não via, nem sequer remotamente, como fazer qualquer coisa que pudesse levar a algum prazer, até que Jeane rolou.

— Não há muito sentido em dividir a cama se não vamos nos aconchegar — ela anunciou, embora eu nunca, nem em um milhão de anos, pensei que ela pudesse ser alguém que se aconchegasse. — Você provavelmente não dá muito valor para abraços. Tipo, se suas irmãzinhas quisessem abraçar você, você provavelmente se contorceria e reclamaria, mas eu vivo sozinha e não consigo receber muita coisa na linha de abraços, e você tem braços muito bons, Michael.

Ah, Deus, agora, se fosse possível, eu diria que me senti menos sexy do que jamais me sentira, como se Jeane tivesse feito meu pau desaparecer e me transformado em um gigantesco urso de pelúcia. E agora eu sentia pena dela também porque ela tinha "Síndrome de Deficiência do Afago" e, geralmente, sentir pena de alguém não me fazia querer lançar mão de minhas melhores jogadas. Mas eu tinha bons braços (eu fazia cinquenta flexões toda manhã), e eu poderia lhe dar um abraço.

— Venha aqui, então — eu disse de um jeito rude, para provar que ela não tinha me castrado totalmente.

Jeane veio de bom grado. Ela se acomodou em meus braços com um suspiro feliz, e sua cabeça se adaptou perfeitamente embaixo do meu queixo. Ela se contorceu para se sentir mais confortável, e pude sentir o cheiro de seu perfume, que sempre me lembrava de bolos que acabaram de assar, e suas pernas eram macias e suaves enquanto ela se movia contra mim e, dessa forma, eu endureci.

19

Assim que Michael finalmente se deitou na cama e apagou a luz, depois de desperdiçar um monte de tempo fazendo Deus sabe o quê no banheiro e, em seguida, perambular pelas escadas para me arranjar um copo de água que eu não queria e se recusar a me deixar dormir com uma velha camiseta escolar esfarrapada dele — aparentemente, ela tinha um valor sentimental, por isso tive que escolher outra coisa —, enfim, depois de tudo isso, me custou cinco segundos para decidir que sua cama era meu terceiro lugar favorito no mundo.

A cama de Michael era firme, grande e calorosa, e sua roupa de cama era limpa e fria, o que a minha nunca fora, mesmo quando eu me esforçava para mudar isso. E ele estava na cama ao meu lado, todo grande, firme e quente também, então eu queria ser envolvida por ele em vez de ser envolvida pelo seu edredom.

Não é fácil pedir a alguém para abraçar você. Faz você se sentir vulnerável e carente, quando você passa a maior parte de sua vida fingindo para o mundo, e para si mesma, que você não é nenhuma dessas duas coisas, mas assim que eu consegui botar para fora o pedido, Michael não zombou de mim ou ficou irritado, ele apenas me abraçou.

Eu acho que ele é ainda melhor em aconchegar do que é em beijar, e nós nos encaixamos de um modo como nunca o fizéramos até então. Enrolei-me em torno dele e, naquele momento, eu só queria estar mais perto ainda, mesmo que isso significasse entrar dentro dele como se ele fosse um saco de dormir, o que na verdade não funciona realmente como uma analogia e me faz parecer uma espécie de serial killer doente que gosta de usar a pele de suas vítimas.

Assim que eu me aconcheguei mais perto, ficou óbvio que Michael fora de zero à ereção intensa no espaço de um segundo. Não porque eu fosse "ah-tão-sexy" com meu rosto limpo da maquiagem e meu cabelo cor de pêssego, que estava todo emaranhado e cheio de laquê. Não fui eu. Eu não tinha nada a ver com a ereção de Michael. Ele era um garoto de 18 anos partilhando a cama com uma garota. Teria sido estranho se ele não tivesse uma ereção. Seu corpo todo endureceu.

— Desculpe — ele murmurou enquanto tentava colocar alguma distância entre nós.

— Não seria melhor se nós cuidássemos disso?

— Não — Michael disse secamente, e então me empurrou para longe e rolou de costas. Mesmo na penumbra, pude ver seu maxilar cerrado. — Desculpe.

— Está tudo bem. — Talvez eu devesse estar tendo um piti ou insistindo que seria melhor se eu dormisse no quarto reserva, mas a verdade... a verdade é que agora eu estava de bom humor. A sensação daquela coisa me pressionando era a mesma sensação que eu tinha quando estava me preparando para sair, em uma mistura deliciosa e arrepiante de ansiedade e de entusiasmo. Era a mesma sensação que eu tinha no momento em que uma das minhas bandas favoritas entrava no palco ou quando eu estava em um clube e uma música que eu gostava começava a tocar. Era uma sensação que me fazia coçar por dentro, e era uma sensação que me fazia me mover lentamente em direção ao outro lado da cama, de modo a me apertar contra ele.

— Jeane — disse ele em advertência. — Apenas não, OK?

— Ah, você está quase dormindo, então?

— O que você acha?

— Bem, acho que nenhum de nós está prestes a dormir agora, e também acho que eu posso, tipo, ajudá-lo.

Ele não disse nada, e pensei que o tivesse chocado, porque costumo fazer isso. Não apenas com Michael, mas com praticamente qualquer pessoa que não saiba lidar com honestidade ou admitir que tenha vontades, necessidades, desejos e todas essas outras coisas divertidas.

— É algum novo golpe para mexer com minha cabeça? — Michael perguntou com voz rouca. Ele tinha os mais terríveis problemas de confiança.

— Diria que mais pra mexer com outra coisa — falei e, antes que ele pudesse exigir uma explicação, decidi que demonstrar era um milhão de vezes melhor do que dizer, e me esgueirei para ainda mais perto dele a fim de que pudesse beijá-lo.

Foi como beijar uma prancha de madeira. Ou foi assim por cerca de cinco segundos, e então Michael gemeu e se virou para me beijar de volta com muito mais ardor do que o habitual. Minha mão correu sob o edredom e eu mal havia conseguido enfiá-la dentro da cueca dele antes que Michael gemesse, como se o outro gemido fosse apenas o aquecimento, então foi *game over*. E siga adiante, porque não há absolutamente nada para ver aqui.

Eu dei o meu melhor para não "argh!" enquanto removia minha mão pegajosa cuidadosamente e segurava-a no ar para que nada caísse sobre a capa do edredom.

— Sinto muito por isso — resmungou Michael. — Hum, já faz um tempo. Bem, não um tempo, mas um tempo desde que alguém... você sabe. Quer dizer, o que eu estou tentando dizer é...

— Eu entendi — disse rapidamente, mas estava falando para mim mesma, porque Michael já tinha se levantado da cama e estava a meio caminho para fora do quarto. Então ele colocou a cabeça pela porta.

— Lenços. Mesinha de cabeceira — disparou para mim, e depois desapareceu.

Claro que ele tinha uma caixa de lenços perto da cama. Ele era um garoto, afinal de contas. Apesar de que alguns garotos que eu conhecia só tivessem papel higiênico. Limpei minha mão, olhei sob o edredom para me certificar de que não havia nenhuma mancha úmida e, quando Michael voltou com uma expressão abatida e um novo par de calças de pijama, eu estava abrigada sob a colcha novamente e tentando parecer completamente imperturbável e "não julgadora".

— Me desculpe — disse novamente quando voltou para a cama.

— Honestamente, está tudo bem. Isso acontece — respondi, porque isso acontecia, embora nunca tivesse acontecido comigo antes. — Pare de se culpar.

— Não estou me culpando. Na verdade, estou... — Michael suspirou. — E você só conseguiu, tipo, cerca de um minuto de beijo afinal?

Aquilo não havia durado nem um minuto. Foi mais como vinte segundos, mas pareceu rude recordá-lo.

— Você pode me compensar em outro momento. — Aninhei-me como se estivesse pronta para dormir, embora, depois de toda a excitação e o desenvolvimento e a queda total, eu estivesse bem acordada, e provavelmente ficaria assim para sempre.

— Que tal se eu a compensasse agora? — Michael sugeriu, e eu diria que ele era totalmente algo na linha do piegas, mas ele já estava me beijando.

Às vezes, quando ele me beijava, me fazia sentir como uma garota, e esse foi um desses momentos. Eu o beijava de volta, além de suspirar e acariciar sua nuca, onde a pele era tão macia que me fazia querer chorar um pouco, o que não fazia sentido, mas era tarde e eu estava tão cansada que já nem era mais cansaço, já tinha virado tristeza.

— Até onde você quer ir? — Michael me perguntou enquanto beijava meu pescoço.

— Por todo o caminho até a "Terra da Alegria" — respondi, pegando sua mão e colocando-a exatamente onde ela era necessária.

Eu realmente não tive que fazer muito depois disso, apenas "hum" em aprovação a cada vez que Michael acertava o ponto certo, e logo eu não tinha que "hum" mais, porque seus dedos estavam exatamente no ponto certo.

— Eu meio que demoro um pouco — sussurrei, quando ele me perguntou pela quinta vez se estava fazendo a coisa certa. — Basta ter paciência, estou quase lá.

Ele não falou mais nada depois disso, só ficava me beijando, até que eu não pudesse mais beijá-lo de volta, porque estava torcendo minha cabeça para trás e ofegando e cuspindo e balbuciando um monte de bobagem, a essência geral daquilo, e se Michael parasse o que estava fazendo, eu o mataria. Mesmo quando eu estava na "Terra da Alegria" eu ainda era beligerante.

E a outra coisa era que, após a primeira vez, eu sempre conseguia ir de novo, e Michael estava duro e ele continuou se esfregando em meus quadris sem nem mesmo perceber. Ou talvez ele soubesse, mas não estava tão à vontade quando falou sobre isso. Além disso, era óbvio que ele conhecia o caminho das atrações principais e respondeu bem à instrução, de modo que parecia uma pena deixar esse conjunto único de circunstâncias ir para o lixo.

Eu simplesmente não podia deixar escapar. Em vez disso, beijamo-nos um pouco e eu ainda estava no clima. Michael também ainda estava se esfregando e rangendo os dentes, e quando eu estava prestes a perguntar se ele queria ser tirado daquela situação, ele colocou suas mãos em meus quadris para me fazer parar de me mover.

— Poderíamos... tipo, poderíamos fazer o que acabamos de fazer, mas juntos, ou você "pensaqueseriaapressarascoisassetransássemos"? — Foi assim que ele disse isso, um amontoado enorme de palavras, todas encadeadas, com a voz ofegante e estridente. Eu não esperava que fosse ele a perguntar primeiro. — Foi ruim ter pedido? Estou pressionando você?

— Como se você pudesse — zombei dele, tirando qualquer veneno deixado por minhas palavras. — E não, eu não acho que seria apressar as coisas. Depois do que acabamos de fazer, sexo real é só ir um pouco adiante.

Era um passo muito importante em um relacionamento, mas não éramos exatamente namorado e namorada, e não ia fazer muita diferença se fizéssemos sexo. Não era como se significasse que estávamos nos comprometendo a qualquer coisa mais do que, bem, mais do que só fazer sexo um com o outro. Michael concordou comigo.

— Legal — disse ele, enquanto se inclinou e abriu a gaveta do criado-mudo. — Camisinhas.

Olhei por cima do ombro e vi mais quadradinhos do que quando fora com Ben a uma clínica de saúde sexual, porque ele tivera uma erupção em suas coisinhas, por vestir calças jeans muito apertadas sem cueca, e a enfermeira pensou que fôssemos sexualmente ativos e nos deu uma sacola recheada de Jontex. Como Ben disse, ela, obviamente, tinha o pior *gaydar* do mundo. Talvez Michael tivesse visto a mesma mulher. Ele pegou duas camisinhas e as entregou para mim. Empurrei-as de volta para ele.

— Você faz isso — ordenei.

— Você é uma surtada tão controladora que eu pensei que você fosse querer fazer isso.

— Eu só coloquei uma vez, em uma banana, em Educação Sexual — admiti relutante. — As outras vezes o cara que estava comigo fez isso, mas obrigada por me fazer sentir tão especial em um momento como este.

Michael sorriu e parecia certo que, ainda que ambos estivéssemos nus e juntos na cama, ainda estivéssemos discutindo. Nós discutíamos; esse era o nosso negócio.

— Felizmente, eu já as coloquei em outras coisas além de bananas — disse ele maliciosamente, e eu tive que tirar com um beijo o sorriso presunçoso de seu rosto porque ele não parecia nada fofo daquele jeito.

Houve mais beijos, muito mais beijos, uma breve pausa enquanto Michael cuidava do negócio e, então... Michael estava em cima de mim e, em seguida, com um pouco de ajuste e alguns sussurros tensos, o que nunca é muito sexy, ele estava dentro de mim e eu estava tipo "uau!", porque não importava quantas vezes eu fizesse aquilo (e eu não tinha feito aquilo muitas vezes), o momento que começava a fazê-lo, realmente fazê-lo, era sempre um choque. E sempre parece estranho e você quer surtar porque quando você pensa sobre isso, sexo é estranho. Mesmo o conceito de sexo é estranho. E todas essas coisas passam correndo pela sua cabeça e é um pouco estranho, e desconfortável, e, algumas vezes, isso nunca para de ser estranho e desconfortável, mas, dessa vez, enquanto eu fazia uma careta, entrava em pânico e me perguntava se alguém que, ocasionalmente, fazia compras no departamento das crianças era maduro o suficiente para fazer sexo, e se isso mudaria tudo entre mim e Michael, e se seria uma boa mudança ou uma mudança ruim, e, depois que tivéssemos feito sexo, talvez eu não o visse mais, o que bagunçaria com minha cabeça, Michael parou o que estava fazendo para que ele pudesse beijar muito delicadamente minha testa enrugada.

— Ei, Jeane — murmurou ele. — Você está ficando estranha comigo?

— Eu não estou ficando estranha, eu tenho sido estranha toda a minha vida — disse, e Michael sorriu e me beijou novamente, e pude sentir cada molécula e átomo e neurônio que constituíam meu ser deixando de ter um chilique e se acalmando novamente, e eu podia me mover novamente e envolver meus braços e minhas pernas em torno de Michael e beijá-lo de volta. E, na verdade, o sexo não era sempre estranho. Às vezes, ele podia ser muito impressionante.

Essa primeira vez com Michael não foi tão impressionante, embora ele tivesse sido perfeito, mas foi ótima.

— Mas você chegou lá, certo? — ele disse, depois que gozou, porque o sexo, assim como a vida, é geralmente mais fácil para os caras. — Porque nós podemos fazer de novo se você me der alguns minutos, ou eu posso, você sabe, de alguma forma, tipo, ajudá-la...

Algumas vezes, ele era a perfeita definição de dicionário de um bom garoto, e talvez, se nós continuássemos a fazer sexo e ainda não fosse tão impressionante, eu aceitasse sua oferta, mas, agora, eu estava despreocupada e relaxada, e realmente não precisava de mais nada, além de escavar mais fundo debaixo das cobertas e destruir o falso moicano de Michael com os dedos, que estava tão duro por causa do produto de cabelo que mesmo dois orgasmos não foram suficientes para diminuí-lo.

— Olhe, eu não cheguei lá, mas se eu tivesse algum problema com isso você seria o primeiro a saber — disse, enquanto despenteava seus cabelos. Embora eu estivesse tocando apenas o couro cabeludo, eu podia sentir seu corpo inteiro ficando mais rígido. — Essa foi nossa primeira vez, e as primeiras vezes podem ser um pouco estranhas, então não tenha um piti por isso.

Beijei sua testa franzida, o que era uma boa indicação de quão doce eu estava. Normalmente, eu teria lhe dito para parar de choramingar e, se ele não o fizesse, eu teria desencanado totalmente.

— Mas eu achei que foi bom — queixou-se Michael. Seus olhos se arregalaram. — Eu não fui bom?

— Você tem habilidades loucas — respondi-lhe, o que era a verdade. Michael tinha tomado tempo e esforço, e tinha feito algo com os dedos que, em outras circunstâncias, teria me feito gritar e prometer comprar-lhe um pônei. — Agora cale a boca. Este deve ser um momento para reflexão.

20

Eu nunca a vira tão quieta ou tão parada. Tão quieta e parada que nem parecia ser Jeane, mas outra garota com cabelos cor de pêssego. Foi porque eu tinha sido uma porcaria de transa. Eu fui todo "Pronto, já acabou, obrigado, minha senhora", e a única razão pela qual ela não estava me chutando para fora da cama era porque era a minha cama, e a cama dela estava ocupada por membros da Duckie.

Eu não consigo entender o porquê, já que dei a maior atenção àquelas partes a que havia sido instruído por duas das outras garotas com quem dormi. Eu também não tive ansiedade de desempenho, embora eu tivesse medo de que, assim que Jeane estivesse nua, eu não me encantasse por ela. Ela era um tipo de gordinha, mas um pouco sem peito, e isso não deveria ser sexy, mas era. Talvez fosse porque as roupas de Jeane fossem tão horríveis que olhar para ela nua era a melhor opção.

Ou pode ter sido porque Jeane estava confortável com seu próprio corpo. Nem uma vez ela se queixou de suas coxas ou de sua barriga ou de quão gorda ela supunha que fosse, como qualquer outra garota que eu conhecera, mesmo as muito magras, porque queriam que você dissesse "Ah, gorda? Eu acho que você quis dizer é que está realmente em forma". Esse não era o estilo de Jeane e, de qualquer forma, a pele dela era macia e suave, e eu gostava do fato de ela ter músculos em seus braços e pernas. Às vezes, quando estou com uma garota, mesmo que só abraçado, elas parecem tão frágeis e franzinas que tenho medo de quebrá-las. Jeane não. Uma arma de destruição em massa não poderia quebrar Jeane.

Mas ela não tinha chegado ao fim e eu sabia que ela ia me colocar no inferno por isso. Eu sabia e estava aterrorizado com isso, e ela estava acariciando meus cabelos e beijando meu rosto, e eu sabia que, na hora em que eu relaxasse, ela provavelmente faria alguma coisa maldosa comigo.

— Por favor, Michael, pare de se angustiar sobre meu não orgasmo — disse ela com um tom irritado na voz. — Eu estava perto e, daí, não estava mais. Isso acontece. Não é, assim, uma ciência exata. Tipo, às vezes, quando eu mesma estou fazendo, minha percepção de tempo rola toda errada.

— Isso acontece? — Consegui cuspir aquilo porque minha mente tinha acabado de entrar em parafuso por causa da referência casual de Jeane à masturbação. Quer dizer, sei que algumas garotas fazem isso, mas geralmente elas não falam sobre isso.

— Claro que sim. E, sério, você estava ótimo. Muito, muito melhor do que eu esperava que fosse. — Acho que eu estava me acostumando com Jeane agora, porque não me ofendi automaticamente quando ela me insultou. — Se você me disser que Scarlett lhe deu dicas sobre aquela coisa que você fez com a mão, meu mundo pode acabar. — Jeane parecia que ia chorar. — Teria que assar alguns cookies para ela...

— Está tudo bem. Seu mundo ainda existe. Não dormi com Scarlett e, por favor, não me diga que Barney lhe ensinou aquilo que você faz com a língua.

— Já que Barney saltaria quase meio metro no ar se eu apenas tentasse lhe dar um beijo de língua, não, é claro. — As mãos de Jeane se acalmaram. — Eu me pergunto, será que Scarlett e Barney farão sexo algum dia, tipo, um com o outro? Quem daria o primeiro passo? Tenho certeza de que eles nem sequer se beijaram ainda. Passarão décadas antes que possam reunir a coragem para se apalparem sob as roupas. Então, de qualquer maneira, se não foi Scarlett, quem lhe ensinou seus movimentos? — Jeane perguntou, enquanto eu ainda estava me recuperando do pensamento de sua masturbação e, em seguida, sobre Barney e Scarlett tendo relações sexuais. Jeane estava certa. Eles provavelmente estariam recebendo telegramas da Rainha por chegarem aos 100 anos antes que transassem. Mas agora Jeane se voltava para minha vida sexual, e eu sabia que ela não ia esquecer o assunto até que eu lhe contasse tudo. Eu suspirei.

— Bem, minha primeira namorada de sexo...

— Uma namorada de sexo? O que é isso, Michael? — ela gargalhou. — Namorada de sexo!

Não havia nada a fazer, exceto beliscar a bunda dela para fazê-la calar a boca, embora ela tenha mordido minha orelha com força, em retaliação.

— OK, a primeira garota com quem tive relações sexuais, quando eu tinha 15, foi a irmã mais velha do Ant, então eu não saía com ela exatamente, mas ela me pegava em minha casa ou me tirava das festas pra ficar comigo e latir ordens pra cima de mim quando eu não estava agindo de acordo com suas especificações exatas. — Recordei-me dos dois meses tensos, mas emocionantes, nos quais fui escravo do sexo de Daria Constantine. — Na verdade, você e ela têm muito em comum.

— Ela parece excelente — Jeane disse. — Quem foi sua próxima namorada?

— Bem, eu fiquei tão marcado por minhas experiências com Daria que não fiz sexo com minha próxima namorada — menti, porque essa não fora a razão pela qual Hannah e eu não tínhamos dormido juntos. O que nós tínhamos tinha sido tão perfeito, tão intenso, que o sexo poderia ter sido uma pedra no caminho. Apenas beijá-la era suficiente, e eu não queria dizer isso a Jeane, porque ela não entenderia e zombaria de mim. Houve momentos em que eu precisei relaxar, mas não quando isso significava fazê-lo com Hannah. — E, então, saí num programa de férias de quinze dias para garotos, em Magaluf, e fiquei com Carly, de Leeds.

Jeane assentiu.

— E na noite seguinte você ficou com Lauren, de Manchester, e na noite seguinte, foi Heather, de Basingstoke, e...

— Você quer ouvir ou vai ficar me interrompendo com um monte de besteiras que não estão nem perto da verdade?

Ela abriu a boca, fechou-a novamente e, por fim, se recostou com a cabeça aninhada no espaço entre minha cabeça e meu ombro.

— Desculpe, eu estou me calando agora.

— Sim, por todo um minuto.

— Cinco minutos, no máximo! — Jeane me corrigiu. — Então, certo, Carly, de Leeds?

— Bem, nós nos encontramos na primeira noite e gostei dela e ela gostou de mim, por isso decidimos que poderíamos muito bem ficar juntos, em vez de sair toda noite e transar de forma aleatória, hum, aleatória porque sempre bebíamos demais. E antes que você pergunte, sim, ainda mantemos contato e nós dois juramos que nunca mais teremos relações sexuais numa praia.

— Por quê?

— Uma palavra: areia. O que aconteceu com o calar a boca?

Jeane imitou fechar o zíper dos lábios, mas me cutucou para que eu continuasse.

— E então houve Megan, que foi minha namorada antes de Scarlett. Saímos por cerca de oito meses e, bem, nós fizemos muito. Tipo, o tempo todo.

— Ah, seus pais são o tipo de pais que são legais sobre lhe dar seu próprio espaço e ter respeito pela sua sexualidade florescente? — Jeane perguntou. — Porque tenho que dizer que sua mãe realmente não me parece ser esse tipo de mãe.

— Bem, ela não é mesmo, e menos ainda quando pegou a Megan e eu fazendo aquilo.

— Ela não pegou, pegou? — Jeane ofegou, enquanto se esforçava para se levantar sobre um cotovelo e quase quebrava uma de minhas costelas no processo. — O que ela fez?

— Fez um discurso excruciante sobre sexo e sobre respeitar mulheres, e toda semana ela devolve minha roupa lavada com preservativos enfiados nos bolsos de todos os meus jeans — disse a Jeane, que se engasgou com a história. — Mas, falando sério, eu ia até a casa de Megan depois da escola todos os dias e trilhávamos nosso caminho ao longo da coleção de pornografia e dos DVDs de sexo de seus pais. Você conhece, tipo, *O guia de posições sexuais dos amantes*. Um deles era até em 3D.

— Você só pode estar inventando isso — Jeane disse irritada.

— Não estou — insisti tão irritado quanto ela. — Espere. Apenas espere. Você vai ver.

— Isso é uma ameaça ou uma promessa?

— Um pouco dos dois — respondi-lhe, e estava começando a ficar muito cansado. Sinceramente, eu não estava começando a... Eu estava cansado. Já estava quase amanhecendo e eu estivera acordado por vinte e quatro horas, duas das quais foram gastas num jogo realmente difícil de futebol, e houve a cena com Heidi, e eu tinha gozado duas vezes e estava pronto para dormir. Mas quando olhei para Jeane, vi que ela estava bem desperta e mal piscava.

— Você não está cansada?

Ela balançou a cabeça.

— Que nada, eu peguei meu segundo fôlego e, além disso, treinei para não precisar dormir muito. Mas eu sei que você não é tão evoluído como eu, então, se quiser dormir, tudo bem.

— Estou bem — disse entre dentes enquanto reprimia um bocejo. — Então, e sobre você? Onde você aprendeu seus movimentos?

Jeane começou a falar, e era como se sua voz de uma só nota fosse o equivalente fonético de uma pílula para dormir, e minhas pálpebras começaram a cair, e eu, a divagar, mas quanto mais Jeane avançava, mais animada ela ficava. Ela se contorcia e se inquietava, e me cutucava com o cotovelo, e eu voltava à consciência.

Então, pelo que pude pescar, seus encontros sexuais anteriores foram com:

1. DAVID, que blogava sobre livros e era um cristão comprometido. Jeane tinha apenas 15 anos e ele tinha 16 e lutava com sua fé, se esforçando para que não chegassem até o fim, mas foram até cerca de três quartos do caminho por alguns meses. Então eles começaram a ter muitas discussões sobre como a religião organizada era apenas uma conspiração do mal para manter as mulheres submissas, "e no final, eu disse a ele que ele tinha que escolher entre mim e Jesus, e ele superescolheu Jesus".
2. JENS era o editor de alguma revista de estilo sueca que Jeane conheceu em uma conferência para "Livres Pensadores, Radicais e Futuros Grandes Líderes". "Arrogante, eu sei, mas foi por uma semana, com todas as despesas pagas, em Estocolmo." Então, Jens, que tinha 27 e deveria ter feito melhor que se aproveitar de uma garota onze anos mais nova que ele, passou a maior parte da semana saindo com Jeane, comprando meias laranja e brilhantes, vendo arte moderna e jantando hambúrgueres de alce e, no final da semana, quando a conferência se deslocou em um navio de cruzeiro para uma turnê pelo arquipélago da Suécia, Jens, muito gentilmente, tirou a virgindade da Jeane. "Eu pensei que seria legal", ela disse. "Ele se chamava Jens e eu, Jeane, e ele era realmente bonito. Homens suecos são verdadeiras raposas. Eles todos se parecem com o Eric do *True Blood* e, às vezes, eu sou muito superficial. E sim, ele era mais velho que eu, mas percebi que eu acabaria tendo relações sexuais mais cedo ou mais tarde, então eu poderia muito bem ter com alguém que fosse estupidamente bonito e soubesse o que estava fazendo. Foram, tipo, vinte e quatro horas de treinamento sexual." Eu estava bem acordado nesse momento, e pude ver Jeane sacudir a cabeça tristemente. "Mas eu não saí da cabine do Jens e não consegui ver o arquipélago."

3. Ben, estudante de moda e cabeleireiro em tempo parcial, que Jeane tinha pegado em uma feira de artesanato porque ele estava vestindo uma camiseta Little Monsters. Eles saíram juntos por dois meses, até que Ben decidiu que preferia rapazes, e eles se separaram em boas condições. Ou Jeane disse que eles tinham, mas como ele era o responsável por seu cabelo ter ficado de cor cinza metálico, eu não estava tão certo de ter acreditado nela.
4. Cedric, francês, ensinou Jeane sobre Anaïs Nin, bom café e eBay França, antes de voltar a Marselha para terminar sua licenciatura em Pretensão Avançada.
5. Judy, que disputava circuito de patinação, e então, eu: "Judy? JUDY?"

Ao ouvir Jeane me dizer que um de seus últimos rolos se chamava Judy, foi como ter água gelada em minha cara. Eu saí do túnel do cansaço para ficar plenamente acordado, com os olhos arregalados, sem nenhuma esperança de dormir.

— Você é bissexual? — perguntei, porque isso era algo que ela podia ter pensado em mencionar. — Você sai com garotas? Qual é a questão com Judy?

Jeane parecia perturbada, como se não fizesse a menor ideia de por que eu estava agindo como se ela começasse a falar em línguas.

— Cara — disse ela. — Cara, sua voz está ficando tão alta que está ferindo meus ouvidos.

— Você geralmente sai com garotas e garotos, então? — perguntei, como se minha voz estridente não estivesse lá.

— Bem, veja, é como se eu realmente gostasse de Haribo, mas, ocasionalmente, eu me preocupasse e pensasse "Humm, talvez eu pudesse experimentar algumas Maltesers, só pra variar". Então, eu como as Maltesers e elas são boas, mas realmente não chegam lá, e eu não poderia comê-las todos os dias, como faço com as Haribo — Jeane terminou com um sorriso satisfeito, como se comparar orientação sexual a doces fizesse todo o sentido, e, de um modo estranho, realmente fez.

— Então, veio Judy, mas acabou que ela era uma jogadora total e, quando eu parei de vê-la, comecei a sair com Barney e nunca fizemos nada exceto nos beijar, e essas foram todas as pessoas com quem tive experiências sexuais divertidas e não tão divertidas.

Excetuando o sueco, que parecia um total pedófilo nauseante, não era uma lista tão ruim, e percebi que não havia necessidade de me sentir inseguro que ela preferisse homens mais velhos ou garotas. Jeane não estaria ali se não quisesse, e embora o sexo fosse um desenvolvimento novo e excitante, não era como se fôssemos ficar juntos para sempre. Éramos apenas um capítulo na história sexual um do outro.

Jeane recostou-se em meus braços e ainda respirou alto, como se não tivesse se treinado o bastante para ficar totalmente sem dormir. Minha mão tocou a curvatura de seu pescoço, e quando comecei a massagear o nó gigante que encontrei lá, os membros de Jeane se afrouxaram e a metade de seu corpo que estava deitada sobre o meu pareceu ficar mais pesada.

— Isso dói — ela murmurou. Parei. — Não lhe disse pra parar.

Eu amassei, massageei e acariciei até que o nó se desfez e Jeane estava respirando de maneira uniforme e profunda, e pensei que ela estivesse dormindo.

Ela não estava. Assim que eu estava prestes a apagar a lâmpada da cabeceira, ela se enrolou apertada junto de mim e levantou a cabeça.

— Michael, você vai... quando meu pai aparecer na sexta-feira pra me levar pra jantar fora e me fazer passar um tempo difícil pensando a respeito de minhas escolhas... seria muito melhor se... — Seus olhos estavam quase se cruzando com o esforço para conseguir articular as palavras, e então ela caiu de volta sobre meu peito. — Não, não importa. Esqueça.

Por um momento, passou pela minha cabeça que essa coisa toda, o sexo, tinha sido um jeito esperto de me enredar para que ela pudesse me apresentar a seu pai. Daí, não importaria que ela vivesse de balas de goma e de café preto e atrasasse todas as suas lições de casa e não dormisse o suficiente, porque ela estaria fazendo algo certo se estivesse saindo com alguém como eu. Sem ser arrogante nem nada, mas sou praticamente um namorado perfeito de livro. Melhor amigo de livros. Filho perfeito de livros. Eu sou o que as pessoas esperam que eu seja.

Então, novamente, Jeane era a única pessoa em minha vida que não esperava que eu fosse perfeito em nada. E ela sempre fora honesta comigo, brutalmente honesta, e ela tinha muitas falhas, mas ter segundas intenções sorrateiras não era uma delas. Se ela quisesse algo de mim, então ela chegaria e me pediria, a não ser que a coisa que ela quisesse fosse muito difícil de colocar em palavras. Eu entendi aquilo porque estava começando a entendê-la.

— Você quer que eu vá com você e encontre seu pai, então? — perguntei delicadamente. — Pra dar segurança e tudo o mais?

Pensei que ela estivesse dormindo, mas ela beijou meu bíceps, que era o pedaço de mim que estava mais próximo de sua boca.

— Vai ser uma tortura e nós vamos ter que ir ao Garfunkel's. Ele está surtando, obcecado com o bufê de saladas.

— Está tudo bem. Eu gosto de salada. Além disso, você já se encontrou com meus pais. Encontrar o seu seria vingança.

— Você não tem que ir... Quero dizer, eu não espero que você vá, não é como se estivéssemos namorando e fosse hora de conhecer meu pai.

— Sim, eu sei, mas se você quiser que eu vá, então eu vou.

Houve outra pausa. Jeane beijou meu bíceps mais três vezes e, em seguida, realmente aninhou seu rosto em meu braço.

— Sim, eu quero que você vá.

Eu nem mesmo tinha percebido que estava tenso, até que ela disse isso. Relaxei.

— OK. Legal.

— Legal — disse ela. — Agora você pode calar a boca pra que eu possa dormir um pouco?

21

Foi só naquele instante, quando baixamos nossos "eus" ruins, que fui forçada a admitir que sentia uma ENORME paixão por Michael Lee. Meio que aconteceu cerca de dez minutos depois que ele acordou, na manhã seguinte. Eu já tinha acordado havia horas, ou minutos, se vamos ser técnicos sobre isso, e estava sentada à sua mesa enquanto carregava as fotos que eu fizera na noite anterior, no meu Flickr, quando ele se sentou, se esticou e então me olhou como se não estivesse certo do motivo de eu estar em seu quarto. Foi interessante observar a recordação dos eventos da noite anterior passando por seu rosto, e quando a lembrança chegou ao fim, pareceu que foi somente a força de vontade que o impediu de puxar as cobertas sobre a cabeça.

— Ah. Oi. Certo. Então, como você está? — murmurou.

Fiquei tentada a descrever uma sensação de queimação com uma terrível coceira em minhas partes privadas apenas para descontraí-lo, mas aquilo teria sido maldade. E também seria mentira. E ele tinha sido totalmente adorável na noite anterior e até tinha se oferecido para vir e se sentar ao meu lado e participar de toda a salada que ele pudesse comer quando meu pai passasse pela cidade, por isso eu apenas sorri para ele.

— Eu estou bem, melhor do que bem — respondi-lhe, e, se fosse possível, ele pareceu ainda mais em pânico, como se estivesse tendo um caso grave de arrependimento e que nunca quisera que nada daquilo tivesse acontecido. Havia apenas uma maneira de descobrir.

— Veja, Michael, podemos simplesmente não fazer essa coisa embaraçosa da manhã seguinte? Nós dois somos melhores do que isso, mas se você acha que foi um erro terrível e que realmente alguém colocou uma droga do estupro em sua cerveja, na noite passada, então apenas diga e vamos fingir que isso nunca aconteceu e podemos voltar ao ponto em que estávamos, ou podemos apenas fingir que o outro não existe, OK?

— Como você pode estar tão... tão assim no início da manhã? — resmungou.

— O que posso dizer? É um dom.

Michael coçou a cabeça e, em seguida, tocou cautelosamente os tufos de cabelo, que estavam em grave desordem.

— Para seu registro, não me arrependo de ontem à noite. Bem, tirando um pouco quando você não alcançou sua felicidade e eu, sim.

Eu não esperava sentir-me tão aliviada.

— Ah, eu me lembro de me sentir bastante feliz.

Então Michael sorriu. Era um sorriso lento, sexy, e com ele sentado em uma cama desfeita, com cabelos desgrenhados e os músculos ondulando de forma agradável, ele parecia ser um modelo em um anúncio de loção pós-barba de uma revista masculina, e eu, finalmente, consegui entender qual a razão de todo o alarido. Não era a beleza. Não era o seu incrível "junte-os-pontos". Era porque ele era ridiculamente atraente, e eu fiquei muito feliz por não ser o tipo de garota que sorria tolamente ou que corava ou dava risadinhas, porque estaria fazendo uma combinação nauseante de todas essas três coisas.

— Temos quanto tempo até nos encontrarmos com Molly? — perguntou ele, enquanto se recostava nos travesseiros e cruzava os braços. Verifiquei o horário em meu telefone.

— Cerca de duas horas, e, quando estivermos prontos pra sair, ela vai me ligar e dizer que acabou de se levantar e perguntar se podemos adiar por uma hora.

— Três horas, então? Bem, eu poderia me levantar e fazer um pouco de café pra nós, ou você poderia voltar pra cama e nós poderíamos fazer algo a respeito da felicidade que você não teve... — O sorriso lento e sexy se tornou incisivamente lascivo. — O que você prefere?

Se eu estivesse usando óculos, eu os teria empurrado sobre o nariz, mas me aprumei para um olhar decoroso.

— Café, por favor — respondi, porque sabia que isso iria fazê-lo parar com a lascívia. Ele parou. E amuou-se, mas eu estava rindo enquanto me desgrudava dos meus diversos equipamentos Mac e saltava sobre a cama para poder atacá-lo.

Isso deu o tom do resto da semana. Nós não ficávamos naquilo o tempo todo. Tive que trabalhar em minha apresentação para a conferência de Nova York, escrever algo para o *The Guardian* e mais um monte de reuniões em Shoreditch; e os pais de Michael ficavam por perto, e ele ficou aborrecidamente preso a lições de casa e a trabalhos administrativos maçantes para que sua mãe e seu pai pudessem trabalhar, mas, apesar de tudo, nos organizamos para conseguir fazer AQUILO juntos. Fazer aquilo. Parece tão estranho poder classificar as coisas que fizemos um com o outro e como elas nos fizeram sentir com uma palavra de apenas três sílabas. AQUILO.

Enfim, fizemos o incrível e transcendental "aquilo" todas as vezes que pudemos, o que não foi tão frequente como nós queríamos porque Michael não podia ficar o tempo todo. Ele teve uma vaga ideia de contar para sua mãe e seu pai sobre nós, mas antes que eu pudesse listar as 357 razões pelas quais isso seria uma má ideia, Michael decidiu que não o faria.

— Ela seria obrigada a mencioná-la quando um de meus amigos estivesse perto de mim, e ainda estamos mantendo isso na base do "só sabe quem estritamente precisa saber", certo?

Balancei a cabeça.

— Certo, e as pessoas que vão pra nossa escola não precisam saber sobre nós.

Mas havia outra pessoa que logo saberia sobre nós, quer ele gostasse ou não, e era meu pai. Mas como meu pai estava na casa dos 60 e, sobretudo, vivia muito longe e só usava a internet para se conectar com mulheres pelo menos vinte anos mais jovens do que ele, que tinham uma queda por velhos alcoólatras sedutores de menininhas, isso não importava.

E mesmo que a semana se revelasse como uma das melhores semanas em minha memória recente, a ameaça da visita de meu pai se mantinha pesada no ar, como o cheiro de cachorro molhado.

Roy, meu pai, deveria chegar por volta das 16h30 de sexta-feira. Nós nos encontraríamos com Michael às 19 horas, no temido Garfunkel's. Seriam duas horas e meia gastas na companhia de um homem com quem eu não tinha nada em comum além de um fragmento microscópico de DNA. Às vezes, me perguntava se éramos geneticamente relacionados, mas como Pat não era absolutamente o tipo de mulher que brincava fora de casa (em uma conversa sobre fatos da vida ela me dissera que achava a jardinagem muito mais gratificante do que o sexo), e Roy e eu tínhamos dedos médios tortos idênticos na mão esquerda, tive que aceitar o trato cruel que o destino tinha me dado.

Por volta das 15h45, o apartamento estava brilhando. Bem, estava muito arrumado pelos meus padrões, mas provavelmente não pelos padrões de Roy — ele podia gostar da bebida, mas não era um desses bêbados desleixados, o que teria tornado minha vida muito mais fácil. Ele era capaz de levar meia hora para arrumar a mesa. Nos domingos de Páscoa, costumava, até mesmo, utilizar uma régua.

De qualquer forma, enchi a geladeira com alimentos nutritivos, um monte de verde e sem nenhuma Haribo — mesmo das verdes. Não que eu fosse comer qualquer uma daquelas coisas. Eu também me desmontei um pouco. Eu não ia me livrar do meu cabelo cor de pêssego, não por nenhum homem ou representante paternal, mas atenuei o esplendor technicolor de minhas roupas. Normalmente usava o que queria, mas Roy era meu pai e era quem pagava as taxas de serviço do apartamento e das contas de serviços públicos, além de colocar algum dinheiro em minha conta para a manutenção da casa;

em troca, eu ia para a escola, fazia minha lição de casa como uma boa garota e, quando ele vinha até a cidade para uma visita, eu tentava dar a impressão de que poderia viver uma vida de sucesso independente, livre do jugo dos pais. Isso segurava meus grandes voos e era a razão pela qual eu estava usando um suéter e um cardigã de lamê prateados que eu encontrara em uma loja de caridade, uma saia rodada vermelha até o joelho e sapatos que não se pareciam como se uma senhora de idade os tivesse usado antes.

Mesmo assim, quando abri a porta da frente e Roy me viu, sua cara caiu. Como se ele tivesse uma ideia de mim em sua cabeça que fosse mais bonita e sorridente, e muito menos eu do que realmente sou. Como de costume, eu o decepcionei antes mesmo de abrir minha boca.

— Ah, oi, Roy — disse, e sua cara caiu um pouco mais. Meu pai se parece com o equivalente humano de um desses cães realmente bochechudos, então ele sempre parecia bastante sombrio, mas quando estou com ele isso se torna mais pronunciado, especialmente porque me recuso a chamá-lo de pai. Quero dizer, ele realmente não é meu pai. Ele se afastou desse papel há muito tempo e eu não vivo com ele, não falo muito com ele, ele não se atreveria a me dar um toque de recolher, muito menos me ajudaria com meu dever de casa, então por que eu deveria chamá-lo de pai?

De qualquer forma, deixo Roy me envolver cautelosamente num abraço desajeitado e beijar minha testa, e então o convido a entrar no apartamento. Seguindo-o, logo atrás, vem sua última mulher. Para ser justa, era a mesma mulher com quem ele aparecera três meses atrás, assim, isso era obviamente grave. Eu não conseguia me lembrar do nome dela, mas, em seguida, Roy disse:

— Você não vai dar um beijo em sua tia Sandra?

Ele sempre falava comigo com uma voz paternal, como se eu ainda tivesse 7 anos, ou de uma maneira cínica e arrogante, como se eu fosse um verdadeira adulta e devesse agir como uma. Eu não me movi para dar um beijo em Sandra, que estava sorrindo nervosamente para mim; preferi um aceno desanimado. E os levei para a sala.

Ambos olharam ao redor, e eu sabia que eles não estavam observando os vários metros do chão não entulhado com pilhas de revistas que eu realmente tinha aspirado. Sandra estava olhando para o ponto exato no aparador onde eu configurei a "poeiracam", e quando eu gentilmente lhes ofereci uma xícara de chá e fui até a cozinha, ela passou o dedo ao longo da lareira e mostrou para Roy a evidência encardida que descobriu.

Foi torturante, mas familiar. Mostrei o apartamento para Roy, para que ele soubesse que eu não tinha acolhido uma família de viciados em metanfetaminas ou de imigrantes ilegais. Mostrei-lhe algumas lições, embora ele e Sandra tenham desprezado muito minha paisagem marítima.

— Você deveria ter pintado a praia de Margate — Sandra disse, franzindo os lábios. — Você tem uma vista linda lá. — Então eu dei a meu pai uma pilha de envelopes entediantes, como os da British Gas, e ele quis uma explicação de por quanto tempo eu mantinha o aquecimento central ligado, todos os dias.

Quando deram 18h30 e eu disse a Sandra pela quinta vez que eu não queria me mudar e, sim, realmente, que era isso que eu ia usar para o jantar, os empurrei para fora do apartamento. Nós tivemos que pegar o transporte público porque Roy ia querer uma bebida, não, mais do que uma só bebida, e então ele usou o tempo para me questionar sobre Michael.

— Quantos anos ele tem? Onde você o conheceu? Em que ele está fazendo sua Qualificação? Ele vai para a universidade? O que os pais dele fazem pra viver? Ah, então eles têm bastante dinheiro?

— O que Michael faz no tempo livre? — Roy perguntou quando saímos na estação Leicester Square do metrô. De todos os seus anos de Garfunkel's, Roy decidira que aquele na Irving Street tinha os banheiros mais limpos, o pessoal mais amigável e o bufê de saladas mais bem abastecido. Provavelmente, havia uma planilha envolvida. — Ele tem os mesmos hobbies que você?

Essa era a maneira de Roy falar "Este garoto, que pode ou não estar tentando engravidar você, tem o mesmo tipo esquisito de se vestir e os mesmos passatempos estranhos que você?".

— Ele é apenas um amigo — continuei repetindo tristemente. — Um amigo que, por algum estranho acidente de nascimento, apenas aconteceu de ser um garoto.

Ocorreu-me, quando finalmente chegamos ao Garfunkel's, que Roy havia feito muito mais perguntas sobre Michael e seus gostos, desgostos e trajetória quanto à carreira futura do que ele qualquer dia perguntara sobre mim.

O objeto de curiosidade de Roy pairava na entrada do restaurante. Seu rosto se iluminou quando nos viu, porque era uma noite gelada de novembro e Michael sempre aparecia, para qualquer ocasião, ao menos dez minutos mais cedo, e estávamos cinco minutos atrasados. Queria que meu rosto se iluminasse também, porque, honestamente, estava muito feliz em ver alguém que não fosse Roy ou Sandra. Eu me conformei, no entanto, em dar socos no braço dele gentilmente.

— Michael, este é um dos meus cuidadores secundários, Roy, e esta é Sandra, a amiga especial de Roy — disse, para apresentá-los. — Roy, Sandra, este é Michael, que não é, repito, não é, um amigo especial. Apenas um amigo comum.

Apertei a mão de Michael enquanto ele segurava a porta aberta para entrarmos, para mostrar que ele não era apenas um amigo comum e que eu, na verdade, estava disfarçando por causa da aparência e para salvá-lo de um mundo de problemas. Ele chamou minha atenção e fez uma careta, mas eu não tinha certeza se ele ficara aborrecido comigo ou se ele já percebera que estava embarcando numa das noites mais tediosas da sua vida, com salada à vontade.

Houve muito barulho antes que pudéssemos nos sentar, uma vez que a primeira mesa ficava muito perto dos banheiros e, depois, porque Sandra não podia se sentar de costas para o salão, já que isso a fazia se sentir tonta, e ela também precisava ser capaz de ver através de uma janela, porque tinha "um toque claustrofóbico", mas, finalmente, estávamos todos sentados. Michael e eu estávamos de costas para o restaurante porque não sofríamos de claustrofobia, e Sandra e Roy estavam sentados de frente para um gim, uma tônica e um uísque.

Ambos continuavam olhando para Michael, e eu esperava que Roy não dissesse algo realmente sem tato como "Você tem certeza de que não quer ir a um restaurante chinês?". Na real. Uma vez Bethan estava saindo com um cara negro e Roy lhe perguntou onde ele havia nascido, e não ficou feliz quando Martin respondeu "Chalk Farm".

Felizmente isso não aconteceu nesta noite, e Michael não estava usando seus jeans rebaixados que mostravam suas boxers para o mundo. Ele estava vestindo jeans azul-escuro, que permanecia em seus quadris, com uma camisa xadrez azul e branca, e seu moletom com capuz cinza. Não era a roupa mais emocionante do mundo, mas era amigável para um encontro com meu pai e sua namorada e, a não ser por isso, era Michael.

Ele respondeu educadamente a todas as perguntas de Roy, dando as respostas que nós já tínhamos combinado, mas Roy apenas começara a perguntar a Michael qual era sua previsão de notas na Qualificação quando Sandra puxou a manga de Roy.

— Acho que devemos ir para o bufê de saladas agora — disse ela com urgência, a cabeça girando naquela direção. — Eles acabaram de reabastecer.

Não devia ser possível que duas pessoas de idade pudessem se mover tão rapidamente. Em um minuto, eles estavam ali sentados, e no minuto seguinte, estavam do outro lado do restaurante. Descansei minha cabeça no ombro de Michael pelo mais breve dos momentos.

— Ah, pobre Jeane, isso está péssimo, não é?

— Está totalmente péssimo — respondi. — E tenho certeza de que terei que comer um pouco de salada.

Michael sorriu, embora não tivesse nada pelo que sorrir.

— Se você comer toda a salada, lhe darei um tratamento especial mais tarde.

— Eu pensei que você tivesse que ir pra casa — reclamei, porque, embora estivéssemos na folga de meio de semestre, Michael não estava ficando até mais tarde. Era estúpido. Ele tinha 18 anos. Legalmente, ele era autorizado a ficar fora sem o consentimento de seus pais, ou poderia simplesmente mentir e dizer que estava na casa de um amigo, mas ele estava muito docinho.

— Eles ainda vão fazer, pelo menos, mais duas recargas de salada, e nós ficaremos aqui por horas, e então não haverá tempo pra você me dar um tratamento especial.

Eu não imaginava por que Michael ainda estava sorrindo.

— Eu não falei sobre aquilo — disse com puritanismo, como se eu tivesse que mendigar, implorar e adular a fim de ser capaz de passar um tempo com ele. — Vim pra cá mais cedo pra que pudesse ir a Chinatown pegar algumas coisas pro meu pai e visitar minha padaria chinesa favorita.

— Ah! Você conseguiu alguns bolinhos com creme vermelho pegajoso?

— Eu posso ter conseguido.

— Você sabe, se eu tivesse namorados adequados e você fosse meu namorado adequado, então você seria, tipo, o deus dos namorados adequados! — Consegui cuspir aquilo, porque ele merecia meu respeito. — Lamento tê-lo arrastado pra isso.

Michael assentiu.

— Se eu soubesse que se esperava que eu trouxesse minha carteira de motorista e meus últimos três boletins, eu provavelmente não teria concordado com isso, mas, ei, comida! — Ele franziu a testa. — É à vontade? Devo me oferecer pra pagar minha parte?

— Não! Não estamos aqui por nossa livre e espontânea vontade, e se Roy espera que paguemos, então vou pagar seu jantar. É o mínimo que posso fazer. — Olhei para o bufê de saladas, onde Roy e Sandra estavam imersos em uma conversa sobre suas vasilhas cheias. — Você sabe, não é tarde demais. Você ainda pode dar no pé, e eu crio uma história sobre como você estava doente ou que você teve uma emergência e teve que levar seu coelho de estimação ao veterinário.

Foi a vez de Michael me dar um soco no braço.

— Fraca. Muito fraca.

— Bem, estou estressada e fiquei acordada a noite toda limpando e lavando. Eu não dormi nem um pouco e não posso pensar rapidamente quando não dormi, afinal.

Tudo o que saiu da minha boca foi um gemido gigantesco, mas Michael ainda estava ali, sentado ao meu lado, seu joelho roçando contra o meu. Todo grande, sólido e calmo, então tive que piscar e chacoalhar minha cabeça, porque tudo aquilo me fazia querer saber exatamente por que ele estava sentado ali, ao meu lado.

22

Roy, o pai de Jeane, era o homem com o olhar mais triste que eu já vira. Não quero dizer triste tipo depressivo, embora ele estivesse usando um casaco de lã realmente trágico e a camisa combinando com a gravata. Quero dizer triste como se parecesse que alguma coisa terrível tivesse acontecido com ele em alguma fase da sua vida e que nunca tivesse superado aquilo.

Sua amiga, Sandra, também parecia ter sofrido algum grande infortúnio. Ela se contorcia, movia-se e sorria, se desculpando a cada vez que falava. Realmente, nenhum dos dois era tão ruim, mesmo que continuassem a me bombardear com perguntas, mas creio que era porque eles não sabiam outro jeito de manter a conversa.

Jeane não estava tão arrogante como de costume. Ela nem sequer explodiu quando lhe foi dito para ir e colocar mais salada em seu prato em vez de apenas croutons de bacon e pedaços de abacaxi. Também fez um esforço para não se parecer muito com uma monstruosidade. Sim, ela estava usando um suéter e um cardigã prata reluzente, mas, pelo menos, eles combinavam e, provavelmente, a maioria das garotas não teria usado uma saia vermelha com meias amarelas e sapatos tipo escocês preto e branco com cadarços (ela insistiu que era algo chamado sapato de montaria), mas Jeane não era a maioria das garotas.

A segunda rodada de bebidas chegou, e enquanto esperávamos pelos nossos pratos principais, Sandra começou a falar comigo sobre seu ex-marido e como tudo o que ele lhe deixara fora uma montanha de dívidas e uma úlcera péptica. Enquanto Sandra falava, eu observava Jeane e Roy.

Ele dizia alguma coisa. Jeane respondia com uma resposta tão curta que era quase, mas não completamente, rude. Ela também olhava para sua salada com suspeita, como se esta pudesse, de repente, saltar e atacá-la. As luzes se refletindo em seu cardigã prata davam a seu rosto uma tonalidade fantasmagórica. E havia Roy, com sua gravata e seus cabelos indo de lado a lado da cabeça, sobre a calva, e seu rosto triste, triste, e tudo em que eu conseguia pensar era em como eles podiam ser parentes de sangue. Como puderam viver na mesma casa por dezesseis anos? Como é possível que estejam sentados à mesma mesa no Garfunkel's?

Só então Jeane tirou os olhos de sua saladeira e captou meu olhar. Eu nunca tinha visto seu olhar tão perdido antes. Ela parecia tão triste quanto Roy, e por um momento me senti tentado a agarrá-la e levá-la para um lugar onde ela pudesse brilhar, ser tagarela e comer grandes quantidades de Haribo.

— Isso é um inferno — ela murmurou para mim. — Podemos fugir?

Eu estava definitivamente pensando naquilo, mas, então, nossos pratos principais chegaram. Houve um momento de emoção quando pareceu que tinham se esquecido do purê de Sandra, mas tudo foi resolvido de modo que nós quatro pudemos comer em um silêncio tenso. Assim que o garçom apareceu para trocar nossos pratos vazios, Jeane ficou de pé.

— Preciso fazer xixi — gritou, pegando sua bolsa e galopando para o banheiro das mulheres. Eu sabia, com certeza, assim como eu sabia exatamente quantos gols Robin van Persie marcara para o Arsenal em sua carreira, que ela estava indo canalizar sua angústia em um frenesi de tuítes. Agarrei meu cardápio de sobremesas como se ele fosse um cinto de segurança e sorri palidamente para Roy e Sandra.

— Eu não entendo isso — disse ele. — Ela quase não tocou na omelete.

— Bem, talvez ela estivesse satisfeita depois da salada — disse, embora Jeane só tivesse comido os croutons de bacon. Roy balançou a cabeça.

— Ela adorava vir ao Garfunkel's quando era pequena. Eu nunca vi uma criança tão animada com a ideia de um sundae de chocolate.

Jeane ainda era garota. Alguns de seus momentos mais felizes eram assistindo à televisão ruim e chupando um saco de balas, mas eu não acreditava que Roy tivesse visto aquela garota por um longo tempo. Ainda assim, ele pediu sundae de chocolate para ela, e quando ela finalmente voltou para a mesa, deu-lhe um leve sorriso e lhe agradeceu, embora, normalmente, se alguém tentasse pedir algo por ela, ela teria cuspido uma palestra inflamada sobre o complexo e conflituoso relacionamento que as garotas mantinham com seus corpos e com os alimentos, e, possivelmente, algo sobre o regime patriarcal.

Pensei que odiasse pelo menos metade das partes que compunham Jeane, mas eu odiava mais essa parte de cara triste e calada dela. Quando ela se sentou, não pude evitar, e, disfarçadamente, peguei sua mão e a apertei de modo reconfortante, e o pior foi que ela permitiu.

— Então, Jeane, nós estávamos pensando, Roy e eu, se você gostaria de passar o Natal com a gente? — Sandra arriscou timidamente, enquanto Jeane comia seu sundae de chocolate com todo o entusiasmo de uma garota trabalhando na linha de produção. — Há uma família adorável se mudando para o nosso complexo de apartamentos. Eles são muito agradáveis e têm duas filhas de sua idade com quem você pode se divertir.

Jeane não disse nada a princípio, porque estava se esforçando para escavar um pedaço de brownie de chocolate do fundo de seu copo de sundae.

— Sei que você acha que Costa Brava não é o lugar mais excitante do mundo, mas vai ser bom passarmos o Natal juntos — Roy disse enquanto esfregava as mãos nervosamente. — Eu tenho uma velha

TV portátil no quarto de hóspedes para que você possa assistir a seus programas.

— Isso parece bom, realmente bom — Jeane disse com uma voz que era mais plana do que a Holanda, e eu a conhecia agora, e sabia que, quanto mais irritada Jeane estivesse, mais plana sua voz se tornava, como se ela não se atrevesse a deixar qualquer emoção irromper, porque, então, ela poderia começar a gritar ou fazer qualquer outra coisa que ela normalmente achava que não era nada legal. Na verdade, ela não tinha me dito aquilo, mas eu já tinha muita experiência de campo. — Normalmente eu adoraria ir, mas Bethan estará de volta a Londres, para o Natal.

— Bem, seria adorável ver vocês duas — Roy disse corajosamente. — Pode ser um pouco espremido, mas você e Beth poderiam compartilhar o quarto reserva e...

— Sim, é que, tipo, nós já fizemos nossos planos porque Bethan só poderá ter alguns dias de folga do trabalho, e eu já reservei nosso jantar de Natal em Shoreditch House. Foi muito caro — acrescentou com um olhar significativamente carrancudo. — Mas foi muito gentil de sua parte oferecer. Talvez eu pudesse ir para uma visita muito rápida no Ano-Novo.

Era óbvio que Jeane não tinha intenção de fazer tal coisa, mas todos nós balançamos a cabeça e, em seguida, Jeane tirou o telefone e começou a digitar furiosamente. Um segundo depois meu celular vibrou e, ao abrigo da mesa, li sua mensagem:

Deus, quanto tempo ainda vai durar essa tortura?

Não muito mais, pela aparência das coisas. Roy sinalizou para o garçom e pediu a conta, e, em seguida, puxou um envelope amarelo-claro do bolso interno de seu anorak.

— É uma pena sobre o Natal.

Jeane suspirou.

— Honestamente, Roy, depois de seis horas excelentes, você ia querer me matar, você sabe que ia.

— Por que você não pode se esforçar mais para ser normal? Seria muito mais fácil para todos — Roy disse, balançando a cabeça, e Jeane ainda não perdera a paciência, embora estivesse segurando a colher extralonga de sundae com tanta força que eu estava surpreso por ela não entortar. — Agora, você tem uma coisa que tira cópias de fotografias e as coloca em seu computador?

— Você quer dizer um scanner, certo?

— É uma copiadora doméstica, Roy? — Sandra se intrometeu, e realmente ouvi Jeane cerrando os dentes.

— Eu tenho um — ela respondeu adequadamente pela primeira vez naquela noite. — O que você quer digitalizar?

— Eu tenho que procurar em algumas caixas que eu tinha armazenadas... agora que Sandra me deu a honra de se mudar para meu apartamento... — Vários momentos muito prolixos depois, Roy finalmente entregou o envelope, que continha fotos de família. — Tenho certeza de que sua mãe gostaria de cópias. E você poderia transformá-las em fotos, depois que as tiver copiado?

— Sim, com certeza, ou eu poderia simplesmente enviá-las por e-mail para você ou colocá-las no Flickr — Jeane sugeriu para a face em branco de Roy. — Olhe, eu vou enviá-las por e-mail e imprimir cópias em papel fotográfico, e depois vou colocá-las no correio junto às originais.

— Elas podem extraviar, querida.

— É por isso que vou enviá-las por entrega especial, Sandra — Jeane disse com voz ainda mais plana e maçante. Era oficial. Ela chegara ao fim de sua paciência, pelo que se colocara em pé, então, segurando a manga de minha camiseta para que eu pudesse me colocar de pé, igualmente. — Muito obrigada pelo jantar. Foi ótimo nos reencontrarmos, mas Michael e eu temos que ir agora.

Creio que Jeane livrou Roy e Sandra de sua tristeza também porque eles não fingiram que queriam perder tempo com o café ou ver

Jeane de novo, antes de voltarem para a Espanha. Roy nem sequer se levantou ou fez qualquer tentativa de dar um beijo de adeus ou um abraço em Jeane. Ele apenas acenou com a cabeça para ela e disse:

— Avise-nos se você mudar de ideia sobre o Natal. Tem que ser na próxima semana, ou perto disso, porque podemos viajar, caso você não vá.

Jeane não comentou, mas seu maxilar estava trabalhando furiosamente enquanto ela fazia uma saudação falsa, e, em seguida, marchava para fora do restaurante. Ela já estava a meio caminho da rua quando consegui alcançá-la.

— Você está bem? — perguntei inutilmente, porque era óbvio que "Jeane" e "estar bem" não eram compatíveis ali.

— Estou bem. Por que não estaria bem? Meu pai veio para a cidade e me levou para uma refeição gratuita. Fim. Não tenho absolutamente nada a reclamar.

— Isso é estranho, porque você meio que parece como se fosse se queixar.

— Olhe, Michael, eu sei que temos essa coisa toda de brigar e de irritar um ao outro, mas realmente não estou com vontade agora — disse Jeane. — "As famílias felizes são todas iguais; as famílias infelizes são infelizes cada uma à sua própria maneira", e eu venho da família mais infeliz de todos os tempos.

Eu sabia, desde a época em que o clube de leitura de mamãe abordou *Guerra e Paz*, que quando alguém começa a citar Tolstói, essa pessoa não está bem. E a coisa toda era que eu não sabia como deixá-la bem.

— Vamos lá, apenas vamos embora — Jeane disse.

— Nós poderíamos ver um filme, se você quiser, ou pode haver uma banda tocando, ou...

— Apenas vamos embora.

Pegamos o metrô em silêncio. Esperamos pelo ônibus sem falar nada. Eu podia sentir a infelicidade de Jeane como se fosse uma pessoa entre nós dois, nos envolvendo em sua tristeza. Jeane fitava a tabela de horários do ônibus, movendo os lábios em silêncio, de braços cruzados, e, de repente, senti raiva.

Eu abrira mão de uma noite para conhecer seu pai, e ela nem agradecera. Eu me deixei ser interrogado e comi coisas de que não gostava e tinha estado lá, por ela, e agora ela estava me dando o tratamento do silêncio. Eu não teria feito metade daquela merda por uma namorada de verdade.

O ônibus chegou. Foi uma viagem de dez minutos de ônibus de volta à nossa nave, e eu sabia que até o final da viagem eu tinha que terminar com ela. Para o bem da minha sanidade e, mais importante, da minha reputação, porque, da forma como as coisas estavam indo, Jeane ia me contagiar com a doença dork. Tipo, eu nem tinha achado sua roupa desta noite horrível, embora Jeane estivesse usando um cardigã e um suéter feito de material de prata e uma saia vermelha, quer dizer, quanto mais tempo eu passava com ela, mais me tornava imune à bagunça ardente que ela era. Nem mesmo era uma bagunça ardente, o que implicaria algum tipo de ardor, era apenas uma bagunça.

Eu observava, ressentido, enquanto Jeane marchava pelo corredor do ônibus e, então, quando ela estava prestes a se sentar, ela virou e sorriu para mim. Era um sorriso fraco e torto, e qualquer que fosse o inferno que eu tinha vivido naquela noite, fora pior para Jeane, mas ela ainda era uma egocêntrica colossal e podia ter agradecido. Em vez disso, surpresa, surpresa, ela pegou o telefone e seus dedos começaram a voar sobre a tela.

Sentei-me no banco em frente ao dela, e pensei em como romper com ela. Provavelmente teria que ser via mensagem de texto, já que essa era a única maneira pela qual eu tinha certeza de obter sua atenção, e, quando pensei nisso, estava puxando meu exausto smartphone velhinho e verificando a linha do tempo de Jeane, no Twitter.

adork_able Jeane Smith
Eu vi o inferno e ele se parece muito com o bufê de salada do Garfunkel's.

adork_able Jeane Smith
Você nunca pode voltar para casa. Claro.

adork_able Jeane Smith
Eles só detonam você: sua mãe e seu pai. Eles podem não querer, mas eles fazem isso...

adork_able Jeane Smith
Eles preenchem vc com as falhas que eles tinham. E põem alguns extras, só para você. Meio superidentificada com Philip Larkin esta noite.

adork_able Jeane Smith
Eu amo bolinhos chineses cheios de pasta de feijão-vermelho e pessoas que me compram bolinhos chineses cheios de pasta de feijão-vermelho.

Eu podia sentir minha raiva começando a diminuir, se tornando mais confusa e indistinta e, então, de repente, Jeane se inclinou para a frente e beijou minha nuca suavemente (e incrivelmente). Eu quase pulei um metro do meu assento enquanto tentava, desesperadamente, proteger meu telefone dela quando ela fez de novo. Beijou minha nuca novamente.

— Esse jantar teria sido cerca de bilhões de vezes mais excruciante se você não estivesse lá — ela sussurrou. — Eu vou fazer algo fantástico para recompensá-lo. Não sei o quê, mas vai fazê-lo delirar.

Às vezes, era impossível ficar bravo com Jeane.

— Meus pais foram para Devon hoje, passar o fim de semana lá antes de voltarem com minhas irmãzinhas — informei.

— Eles foram? Que interessante! — Eu podia sentir seu hálito quente em minha nuca. — Você está sugerindo o que eu acho que você está sugerindo, Michael Lee?

— Bem, eu não tenho futebol amanhã, então eu poderia voltar para o seu apartamento, mas minha casa tem um refrigerador totalmente abastecido, e eu sei que não vou acabar com Haribos congeladas presas às minhas meias quando andar pela sala.

Jeane descansou os braços no encosto do meu assento.

— Isso só aconteceu uma vez, mas você meio que me convenceu com o refrigerador totalmente abastecido. Podemos passar em casa primeiro, para que eu possa pegar algumas coisas?

— Sim, com certeza. — Sua mão acariciou delicadamente o meu rosto e me fez sentir calafrios, o tipo bom de calafrios. — Você sabe que nós não devemos nos tocar em público. As pessoas podem ver. — Pensei que a ouvi dando risadinhas, embora Jeane geralmente não desse risadinhas. — Não há ninguém no ônibus que possa nos reconhecer e, mesmo que fizessem isso, nós poderíamos simplesmente negar tudo.

Ela estava certa. Não era importante. O que era importante era que quando você come uma refeição, até mesmo uma farta refeição, mas de que você não gosta, continua tão faminto quanto se você não tivesse comido nada.

— Provavelmente tem algo a ver com o cérebro e seus receptores de prazer. Você deveria perguntar a Barney, ele adora saber dessas coisas.

— Você está com fome também? Porque eu acho que minha mãe fez torta de carne com legumes, antes que saísse.

Jeane pressionou seu rosto contra o meu.

— Eu estou supermorrendo de fome.

23

Geralmente, quando tenho um ataque de tristeza, ele pode levar dias, até mesmo semanas, antes que desapareça, e é por isso que tento evitar situações que possam me fazer ficar amuada. Mas, de alguma forma, Michael sempre conseguia fazer minha tristeza passar.

Tipo, ele parecia saber instintivamente que eu não podia lidar com isso de estar sozinha depois de uma visita paterna e, depois de ir ao meu apartamento para pegar um pijama, escova de dente e uma centena de outras coisas sem as quais não poderia ficar por um período de vinte e quatro horas, eu estava sentada em sua cama, comendo torta de carne com legumes e assistindo a uma reprise de *Inbetweeners*. Mesmo tendo toda a casa só para nós, eu preferia muito mais o quarto de Michael.

Ele era todo cheio de ângulos estranhos, porque ficava entre as traves do telhado, e era muito arrumado. Muito organizado. Muito ordenado. Não era porque sua mãe reclamasse e o obrigasse a mantê-lo daquela maneira. Eu já tinha visto, com meus próprios olhos, Michael me passar algumas toalhas de visita (toalhas de visita, quero dizer, que raios é isso?) e organizadamente dobrá-las antes de colocá-las sobre a cama.

Em deferência ao meu estado emocionalmente frágil, ele não tentou me beijar, quando, normalmente, teríamos detonado a perfeita planura, como de um espelho d'água, de seu edredom em cinco segundos. Ele estava muito feliz por comer sua torta de carne e legumes e fingir que estava fascinado pela minha análise criteriosa do *Inbetweeners* e de como a série se encaixava no cânone dos dorks na TV. Ele até concordou, sem reclamar demais, em me deixar usar seu scanner, porque eu queria aquelas fotografias tratadas imediatamente.

Michael me rondou por algum tempo para ter certeza de que minhas mãos estavam limpas antes de irem a qualquer lugar próximo de seu teclado imaculado, mas assim que ele se certificou de que elas estavam impecáveis e de que eu não estava tentando olhar seu histórico de navegação para ver o que ele via de pornô, me deixou ali, sossegada, e começou a jogar *L.A. Noire*.

Pensei em não olhar para as fotografias se eu colocasse a face para baixo, no scanner, e desfocasse meu olhar para que todas aparecessem na tela do computador como se fossem da cor de pele borrada. Eu tinha quase terminado quando Michael cutucou as costas da cadeira com o pé.

— O mínimo que você pode fazer é me mostrar algumas fotos suas de quando era criança.

— Sonhe, sonhador, isso nunca vai acontecer — disse, enquanto clicava para sair.

— Não há como uma roupa de criança, que seus pais a tenham feito vestir, ser pior do que o que você opta por usar agora — insistiu Michael, e quando me virei para lhe dar meu olhar mais fulminante, percebi que ele tinha avançado sorrateiramente para trás de mim. — Vamos lá, Jeane, tem que ter pelo menos uma foto sua usando fralda, ou nua, sobre um tapete falso de pele de carneiro. É a lei.

— Nós não éramos uma família que ficava tirando fotos — respondi-lhe, o que era a verdade. Ou era a verdade pela época em que me juntei a eles. — Além disso, essas fotos foram tiradas antes que tivessem pensado em mim.

— Tem certeza de que não está dizendo isso só porque quando você era uma criança pequena amava se vestir com roupas de princesa? — Michael disse, enquanto apoiava o queixo em meu ombro, o que era muito chato.

— Você realmente acha que eu era esse tipo de garota? Para sua informação, eu tinha meu próprio traje de super-herói, feito em casa, para a personagem que eu inventei, chamada Garota Incrível — admiti. Em uma caixa de papelão, em algum lugar nas profundezas do meu apartamento, estavam as tirinhas mal desenhadas que eu fizera para a Garota Incrível e o Bad Dog, seu fiel companheiro canino. Pat e Roy eram veementemente contra a televisão, por isso tive que criar minha própria diversão.

Minha viagem pela terra da memória, e pela campanha bem-sucedida da Garota Incrível e do Bad Dog para livrar o mundo dos vegetais, chegou ao fim de repente, quando Michael cutucou minhas costelas.

— Você me deve! Seu pai realmente esperava que eu lhe dissesse como pretendia reembolsar meu crédito-educação que nem sequer existe ainda. — Michael parecia estar irritado com propriedade, agora.

— Deus, não há nada pra ver. — Destaquei todas as imagens que digitalizei e, com apenas mais alguns cliques, tinha uma apresentação de slides. — Esses são Roy e Pat com Bethan no útero, Bethan, Bethan, Bethan, Pat, Roy e Bethan e...

— Ali! — Michael disse triunfante, apontando para o próximo slide. — Jeane ainda bebê. Eu sabia que teria evidências fotográficas. — Ele pressionou seu rosto contra o meu. — Nossa, que bochecha você tinha.

Eu o empurrei.

— Esse bebê não sou eu — eu disse logo. — É Andrew e, bem, eu o chamo de meu irmão mais velho, mas ele morreu muito antes de eu nascer, por isso sempre parece estranho chamá-lo de meu irmão.

Michael abriu a boca, mas não disse nada, enquanto eu lhe mostrava o resto das fotos, que consistiam em Bethan e Andrew em uma série de trajes dos anos 1980 repugnantes, tão repugnantes que nem mesmo eu poderia encontrar alguma qualidade redentora neles. Depois, havia as imagens que explicavam por que essas fotos tinham ficado guardadas tantos anos em um envelope, sem serem vistas:

Andrew ficando mais pálido e mais frágil, exibindo um sorriso amarelo para a câmera, e depois seu 11º aniversário, seu último, em uma cama de hospital, cercado por balões de hélio e equipamentos hospitalares de aparência ameaçadora. Creio que ele morreu uma ou duas semanas mais tarde, mas eu estava um pouco confusa sobre os detalhes.

— Merda, Jeane, sinto muito. Eu não teria começado a fazer piadas, se soubesse — disse Michael pesadamente, e eu podia senti-lo olhando para mim, realmente me encarando. — Você está bem... Quero dizer, tendo que ver por essas fotos?

— Bem, é... — Dei de ombros. — Claro que é triste que ele tenha morrido. É, tipo, horrível, mas eu não estava lá. Foi algo que aconteceu com minha família do qual, creio, os três nunca se recuperaram. Talvez Bethan sim, mas, de novo, eu não acho que ela estaria trabalhando oitenta horas por semana como residente de pediatria se seu irmão mais velho não tivesse morrido de uma forma rara de leucemia quando ela tinha 7 anos.

— Seu pai, ele parece tão triste. Ele sempre foi assim?

Praticamente ninguém faria esse tipo de pergunta porque era estranho e profundamente pessoal, mas Michael não parecia perceber isso. E percebi que nunca falei sobre isso, sobre o Andrew, com ninguém. Ocasionalmente, Bethan me contava uma história sobre Andrew, mas se eu começasse a lhe fazer perguntas como "Vocês brigavam um com o outro?", "Ele tinha medo do escuro?", "Pat e Roy eram diferentes naquele tempo, tipo, vocês eram todos felizes antes que ele ficasse doente?", nós nunca íamos muito longe porque Bethan começava a chorar. Mesmo tendo ocorrido há mais de vinte anos, ela choraria intensamente, com soluços doloridos, como se tivesse acontecido ontem.

Por isso eu nunca falara sobre Andrew antes, porque sempre sentira que sua morte não tinha nada a ver comigo. Embora, na verdade, pensando melhor sobre aquilo, eu não estaria aqui se não fosse por ele.

— Sim — respondi finalmente. — Ele sempre foi assim. Pat, minha mãe, ela é assim também, mas mais arrogante.

Michael sentou-se ao pé de sua cama e eu girei a cadeira, de modo que ficamos frente a frente.

— Não pode ter sido muito divertido crescer em uma casa onde todo mundo estava triste o tempo todo — Michael comentou casualmente e, talvez, se ele jogasse perguntas para mim e me desse a entender que meus pais tinham me fodido, ao estilo Philip Larkin, eu ficasse na defensiva, bufasse e babasse, e talvez até saísse dali, mas ele não o fez, e eu não o fiz.

— Não que eles andassem por ali, chorando e falando sobre como eram tristes — expliquei. — Foi mais como se eles não estivessem lá. Tipo, eles eram meio que ausentes. O que era bom pra mim. Eu sou muito *self-made*.

— Bem, eu suspeitava que você tinha sido criada por lobos — Michael disse com um sorriso hesitante. — Lobos com um gosto por doces.

— Não me interprete mal, há muitas e muitas pessoas que tiveram infâncias piores que a minha, mas... — hesitei porque alguma coisa estava difícil de dizer, mesmo tendo pensado muito sobre aquilo ou tentado muito não pensar em nada daquilo.

Michael pegou minha mão e traçou círculos em minha palma.

— Mas o quê? — Em seguida, ele levantou a mão para que pudesse beijar o local onde seus dedos estiveram, e eu me perguntei se Scarlett tinha minhocas na cabeça, porque quando se comparava quem era o melhor namorado, Barney ou Michael, então Michael vencia em cada situação e em todas as categorias. A não ser quando os comparava jogando *Guitar Hero* (sério, Barney era um demônio naquela coisa) ou quando era para fazer meu computador ficar mais rápido. — Você pode me dizer as coisas, Jeane. Não vou contar a ninguém.

Eu assenti. Ele tinha razão e não era um cara que me trairia a confiança, pelo menos, não creio que o fizesse.

— A coisa é que, na verdade, eles deveriam ter se divorciado depois que Andrew morreu. Parece que isso acontece muito quando um casal perde um filho. Tal fato não os aproxima; afasta-os. Pesquisas têm sido feitas e tudo o mais. — Eu não me incomodei em explicar que passava horas lendo sobre o assunto. — Mas, de qualquer forma, Pat e Roy não escolheram essa opção. Eles decidiram que ter outro filho levaria a dor embora, como quando seu cão morre e você arruma um novo cachorrinho um mês depois. Só que eles não ganharam nenhum bebê bonito e sorridente que os preenchesse com um renovado sentido de propósito na vida, eles ganharam a mim, e então eles ficaram presos um ao outro por mais de dezoito anos...

— Bem, sim, mas não foram dezoito anos, não é? — Michael apontou. — Porque você tem apenas 17 agora e você disse que começou a viver aqui com sua irmã quando você tinha 15 anos, daí que seus pais devem ter se separado por volta desse tempo.

— Eu estava chegando nessa parte — disse, e estava orgulhosa dessa parte porque ela provava que eu tinha mais bom senso do que os dois adultos que deveriam me edificar e que estavam fazendo um trabalho muito pobre a esse respeito. — Era domingo, Bethan estava trabalhando à noite, por isso ela dormia durante todo o dia, Pat estava trabalhando em sua tese sobre "abraçar árvores" e Roy estava bebendo em seu barracão, no fundo do jardim, e quando o jantar de domingo ficou finalmente pronto, macarrão à bolonhesa vegetariano, porque Pat acredita que carne vermelha dá câncer de intestino, na verdade, ela acha que todas as coisas causam todos os tipos de câncer que existem, percebi que era a primeira vez, num fim de semana, que todos nós estávamos na mesma sala ao mesmo tempo. Deus, eu estou divagando como uma coisa desconexa, não estou?

— Está tudo bem — disse Michael. — Já me acostumei com seus discursos paralelos. Assim, OK, vocês iam todos comer um bolonhesa vegetariano, e aí, o que aconteceu?

— Nada demais, só que eu disse que não havia nenhuma razão para ficarem juntos por minha causa, uma vez que meu bem-estar mental, provavelmente, seria maior se eles se separassem.

Michael pareceu horrorizado, especialmente quando eu ri, mas não era um riso cruel, era mais uma risadinha enquanto eu me recordava do momento em que lhes contei sobre o plano audacioso que tinha traçado para me tornar legalmente emancipada deles.

— Claro que me disseram para não ser ridícula, e que estava tudo bem, mas obviamente não estava, e, após três meses de uma dura campanha, eles aceitaram minha maneira de pensar.

— Porque, no final, é mais fácil ceder a você do que continuar a dizer não...

— Algo parecido com isso — concordei, porque esse sempre fora meu *modus operandi*. Se a razão não funcionava, eu normalmente descobria que a repetição e o volume faziam a mágica. — De qualquer forma, eles se divorciaram, venderam a casa, compraram o apartamento para eu e Bethan morarmos, Pat foi para o Peru trabalhar em seu doutorado e Roy caiu fora, para a Espanha, para abrir um bar. Então, na época em que Bethan conseguiu uma bolsa para estudar em Chicago, já era tarde demais para mudar as coisas.

Michael ainda parecia horrorizado, como se realmente sentisse pena de mim, quando não havia nenhuma razão.

— Pobre ga...

Apertei minha mão sobre sua boca.

— Pobre coisa nenhuma.

Michael arrancou minha mão com uma facilidade irritante.

— Desculpe, mas parece ter sido uma infância de merda.

— Tanto faz. Duvido que eu fosse tão impressionante como sou hoje se não tivesse aprendido desde cedo que eu era a única pessoa em quem poderia confiar. Embora, talvez, eu apenas estivesse nascendo como dork e ficasse orgulhosa disso. Quem sabe? Todo mundo tem algum trauma de infância, não é?

Michael balançou a cabeça.

— Eu sou muito livre de trauma. — Franziu os lábios enquanto pensava bastante sobre qualquer trauma que ele pudesse ter vivenciado.

— Bem, tirando o fato de ser filho único até os 10 anos, até que Melly surgiu inesperadamente. Isso foi um choque depois de ser o centro das atenções por tanto tempo. — Seu rosto se iluminou. — Suponho que a coisa mais estranha sobre nossa família é que, biologicamente, Melly e Alice são irmãs gêmeas.

— Como elas podem ser gêmeas, se Melly tem 7 e Alice tem, o quê, 5 anos?

— Eu não sei todos os detalhes, mas mamãe e papai tiveram problemas depois que eles me tiveram, e então eles fizeram fertilização *in vitro*, congelaram alguns dos embriões sobressalentes, tiveram Melly, descongelaram o resto dos embriões e, em seguida, tiveram Alice.

— Ainda não entendo como isso as torna gêmeas — argumentei, e se Michael estava tentando me distrair do meu próprio sentimento de "a desgraça sou eu", então, por Deus, estava funcionando.

— Não, nem fez sentido para Melly, quando mamãe e papai contaram a ela, deram tanta explicação sobre esperma e óvulos que apenas a confundiram ainda mais, e, depois disso, Alice queria saber por que ela estivera presa em um freezer por dois anos. — Michael sufocou uma risada. — Eu peguei as duas em pé, sobre uma cadeira, fuçando no freezer para ver se havia mais algum bebê pequeno em tubos de ensaio se escondendo atrás das tirinhas de peixe empanado.

Eu não pude evitar e ri, embora tenha me forçado a parar tão logo foi humanamente possível.

— Creio que, se isso é o mais próximo do que você viveu de um trauma de infância, então, ao menos, foi um tipo agradável de trauma. Bem, isso e o fato de que sua mãe e seu pai são do tipo prático com toda a coisa de pais. — Arrepiei. — Agora, isso seria algo com que eu não poderia mesmo lidar. Prefiro muito mais a negligência benigna de Pat e Roy.

— Acho que estamos prestes a ter outra discussão — Michael anunciou, sentando-se ereto. Temi o que ele diria a seguir. Normalmente eu amava uma boa discussão acalorada, mas já fora espremida demais para qualquer outra disputa.

— Por quê? — perguntei desconfiada.

— Porque, na verdade, minha mãe, com seu estilo superprotetor, está extremamente bem agora. — Ele parecia tão surpreso que pudesse realmente ter sido agraciado no quesito "mãe" que comecei a rir novamente. — O que há de tão engraçado?

— Você — respondi, saindo da cadeira do computador para que eu pudesse empurrá-lo, de modo que ele ficasse deitado de costas e eu pudesse prender seus braços acima da cabeça. — Tudo é demonstrado em seu rosto. Eu sempre sei exatamente em que você está pensando.

— Não, você não sabe — Michael disse irritado quando fez um esforço simbólico para se libertar. Ele nem sequer estava tentando. — Eu tenho alguns mistérios.

— Não, você não tem. Você realmente não tem. — Eu engasguei um pouco, porque agora Michael estava tentando se libertar da minha prisão insignificante. — Você tem zero mistério. Além disso, o mistério é superestimado.

Claro, Michael podia ter algumas poucas questões traumáticas, cortesia de sua mãe maníaca por controle e de sua necessidade insana de ser apreciado por todos, mas ele era muito mais como um livro aberto. Nem mesmo um livro com um monte de longas palavras.

— Você é uma vadia, algumas vezes — Michael grunhiu, enquanto nos virou, de modo que ele ficou em cima e eu estava me contorcendo por baixo. — Você não sabe tudo. Tipo, você nem sabe o que estou pensando agora.

Mas eu sabia. Ele estava me segurando para baixo com seu corpo e fui me contorcendo para me livrar e, de repente, estava muito óbvio o que ele estava pensando exatamente. Eu não precisei dizer nada, apenas sorri, consciente. E, sim, eu sabia exatamente quais seriam as próximas palavras a sair de sua boca.

— Bem, tirando isso, eu aposto que você não sabe em que estou pensando.

— O quanto você gostaria de me matar neste momento em particular e como você nunca havia se enrolado com uma garota enrolada como eu e "blá-blá-blá" — disse com uma voz monótona.

Ele me beijou e, em seguida, seus beijos afugentaram a última de minhas tristezas, e ele foi totalmente confiável, firme como pedra e namorável durante a horrível noite. Em vez de implicar com Michael, eu deveria pensar em maneiras de retribuir sua gentileza.

Então Michael parou de me manter por baixo e me abraçou, e seus beijos se tornaram doces e, depois, mais ferozes, e tudo o que eu podia fazer era beijá-lo tão ferozmente quanto ele me beijava, e lhe retribuir por tudo, até que, quando Michael tirou sua boca da minha para que pudesse tomar um pouco de ar, tive minha melhor ideia de todos os tempos.

— Venha para Nova York comigo! — Eu ofegava. — Meu trato!

— O quê? — Ele tentou me beijar de novo, mas eu o afastei. — Vamos lá, me dê outro beijo.

— Sem beijos agora. Estou falando sério. Estou falando em uma conferência em Nova York, daqui a duas semanas, e você tem que vir comigo.

Michael balançou a cabeça.

— Eu não sou assim como você. Nova York dentro de duas semanas? Você ficou completamente maluca?

— Nunca estive mais saudável. Venha para Nova York! Vai ser divertido!

Eu estava rindo. Michael estava rindo muito, mesmo enquanto balançava a cabeça. — Não!

— Sim!

— Não!

— Sim! Você sabe que, secretamente, você quer.

— Não! Nunca! Nem em um milhão de anos. Agora cale a boca e me beije ou vá pra casa.

Beijei-o, mas não havíamos terminado a conversa. Eu sabia que, dentro de vinte e quatro horas, Michael estaria pensando como eu. Isso sempre acontecia.

24

— **Michael, você está indo** pra Nova York. Ponto final. Eu troquei meu assento na classe executiva na Virgin Atlantic por duas econômicas premium. Será que meu sacrifício não significa nada? Significa? Que tipo de bruto insensível é você?

Pensei que Jeane estava sendo a egoísta melodramática de sempre quando alegou que ela aborreceu seus pais até que se divorciassem, mas depois de cinco dias sendo aborrecido, importunado e incomodado, estava começando a acreditar nela.

Eu disse a Jeane que não havia nenhum modo, nem mesmo que o Arrebatamento fosse iminente, de meus pais me deixarem ir para Nova York com ela, no fim de semana. Nem podia pensar em faltar à escola na sexta-feira — seria o mesmo que perguntar se poderia ir para a Lua. Eu tinha até mesmo que pedir permissão para meus pais antes de pegar alguma coisa na geladeira!

É claro que, quando disse isso a Jeane, depois de dar um jeito para que eu não parecesse um completo imbecil, ela me olhou horrorizada.

— Pelo amor de Deus, por que você não pode simplesmente mentir pra eles como um adolescente normal? Eu vou lhe dizer o que dizer. Não é ciência aeroespacial, Michael.

Eu sempre quis saber como Jeane fazia funcionar seu império dork, já que sua vida era tão caótica e desorganizada, até que ela me enviou um plano de ação por itens.

Seu checklist para Nova York

1. Diga a seus pais que você vai visitar uma universidade durante o fim de semana. Você deve ter um amigo mais velho que conseguiu entrar em algum curso de graduação. Finja que você ficará com ele. Verifiquei seu calendário, você não tem quase nada na sexta-feira — apenas Ciências da Computação e Matemática. Muito chato.
2. Também preciso registrá-lo na conferência. Para ser honesta, a maioria dos outros oradores deverá ser mortalmente maçante. Mas eu não serei mortalmente maçante, prometo. Vou fazer coisas interessantes com PowerPoint e vídeo.
3. Você não pode levar líquidos em grande quantidade em sua bagagem de mão, por isso vai ter que colocar sua gosma de cabelo em sua mala. Melhor ainda, veja se você pode viver sem ela por um fim de semana. Não tenho certeza se aquela coisa estranha tipo crista de galo, geralmente vista em lésbicas de meia-idade, não acabará sendo cortada em Nova York. Só estou dizendo...
4. Eu preciso dos dados de seu passaporte para o bilhete. E também o tipo de refeição que vai querer. Eu pensei que poderia misturar as coisas e ir pela opção kosher.
5. Você precisa fazer login neste site e preencher o formulário de autorização de visto para os Estados Unidos, AGORA. Tem que ser feito pelo menos três dias antes de entrar nos Estados Unidos, caso contrário, você será colocado no primeiro avião de volta para Londres ou poderá ser preso, possivelmente com a ajuda de alguns cães raivosos, e detido em algum lugar tipo "prisão para estrangeiros ilegais" (o que seria uma grande chatice).

6. Você também precisa contatar sua companhia de telefone celular e mandá-los desligar seu correio de voz. Além disso, desligue o *roaming* internacional em seu telefone, pois ele vai lhe custar uma fortuna. Não se preocupe, vou lembrá-lo em intervalos de meia hora até que você o faça.
7. Tenho certeza de que há outras coisas que você precisa fazer, assim, volto a falar com você.

Agora, faltando oito dias para Jeane voar para Nova York, ela redobrou seus esforços. De qualquer forma, seus esforços eram ininterruptos, e, assim, redobrá-los significava que não havia um momento sequer em que ela calasse a boca sobre a droga de Nova York.

— Você não gostaria que eu fosse porque eu realmente quisesse ir e não porque você ficou me importunando pra ir? — perguntei a Jeane.

Estávamos no armário de artigos de papelaria, escondidos na parte de trás do porão da escola. Não sei onde Jeane tinha conseguido a chave, e também nunca soube que a escola tinha tantos esconderijos para onde pudéssemos fugir para um beijo e um afago. Era sempre um beijo e um afago (e talvez alguns botões desabotoados) nas instalações da escola, mas, hoje, Jeane me atraíra para o armário sob falsos pretextos.

Tivemos apenas dez minutos de beijo antes que ela me empurrasse e começasse com sua ladainha sobre Nova York. Naquele instante, ela subiu em um armário quebrado e me lançou um olhar severo.

— Eu não me importo com o que fará você ir para Nova York, contanto que você vá. Por que você está sendo um saco sobre isso? É tão chato!

— Se eu sou tão chato, então você não vai me querer ao seu lado ao longo de três dias.

— Eu não disse que você era chato, eu disse que a situação era chata, e, tecnicamente, seriam quatro dias, mas tudo bem. Basta dizer a seus pais que você voltará bem cedo, depois de visitar seu velho amigo de futebol na universidade em que ele faz o ensino superior, na manhã de segunda-feira, e que você vai direto pra escola. — Ela levantou o queixo desafiadoramente. Ela nunca levantava o queixo de outra forma. — Realmente, o que poderia ser mais simples do que isso?

— Cirurgia aberta de coração seria mais simples. Você já conheceu minha mãe?

Jeane resmungou algo baixinho e amuou. Algumas garotas quebram seu coração quando fazem beicinho, mas Jeane apenas parecia mal-humorada e carrancuda.

— Nós dois sabemos que você vai concordar, mais cedo ou mais tarde, e seria muito mais conveniente pra mim se fosse mais cedo.

Dei um passo em direção à porta.

— Só mais uma palavra sobre Nova York e estou fora daqui.

— Mas, secretamente, você adoraria ir pra Nova York comigo, não adoraria? Apenas admita.

Dessa vez eu dei três passos em direção à porta.

— Já tive o suficiente disso.

— OK! OK! Prometo que não vou falar sobre "você-sabe-o-quê" por dez minutos inteiros.

— Você não pode passar dez segundos sem falar sobre isso.

Voltei-me e a vi fazendo beicinho novamente.

— Eu posso, se você estiver me beijando.

E quando ela colocava as coisas dessa forma, e ainda havia uma boa meia hora antes das aulas da tarde e eu já engolira meu almoço, beijar Jeane era muito mais divertido do que sair intempestivamente num acesso de raiva.

Sentada em um armário de arquivos, Jeane estava mais alta do que eu pela primeira vez, o que exigiu uma adaptação interessante, porque eu tinha que me esticar para alcançar sua boca e ela envolveu suas pernas, adornadas com meias listradas em vermelho e azul, ao redor do meu tórax para me puxar para mais perto. Eu não me importei com o fato de que um dos puxadores de gaveta estava furando meu estômago.

— Você é tão garoto! — Jeane sussurrou, e eu deveria ter me ofendido e me afastado, porque, Cristo!, nenhum cara quer ser chamado de garoto, mas ela parecia, não sei, melancólica, e como ela estava completamente para baixo com toda aquela coisa, deixei passar só daquela vez.

Jeane estremeceu quando beijei sua boca. Então a beijei na bochecha, fazendo uma pausa para beliscar sua orelha antes de começar a beijar seu pescoço. Ela sempre cheirava tão bem, uma mistura de figos, baunilha e loção de bebê, especialmente neste local, onde sua pulsação saltava e onde ela tinha mais cócegas, por isso aquilo sempre a fazia se contorcer e rir.

— Você é tão bonitinha quando está assim! — disse-lhe, e ela cravou os joelhos em minhas costelas.

— Cai fora. Eu não sou nada bonitinha. Ser bonitinha não é meu objetivo.

— Dane-se. Você é bonitinha. Lide com isso.

— Ah, cale a boca e me beije.

Eu tinha me calado e começado a beijá-la quando pensei ter ouvido alguma coisa do lado de fora, mas eu tinha acabado de conseguir desabotoar o terceiro botão do vestido de Jeane, de modo que eu não estava prestando muita atenção, especialmente porque ela estava se contorcendo para ficar ainda mais perto de mim.

Mas eu, definitivamente, estava prestando atenção quando a maçaneta da porta sacudiu e eu ouvi Barney dizer:

— Algumas vezes, ela se esconde aqui. Ela tem um esconderijo secreto de Haribo em uma caixa de papel. Ah! A porta está destrancada.

Jeane e eu ainda estávamos nos afastando um do outro quando Barney, seguido de perto por Scarlett, invadiu o armário e disse:

— O que vocês...? — Na verdade, os dois disseram isso em perfeita harmonia, o que teria sido engraçado se Jeane ainda não tivesse suas pernas enredadas em volta de mim, com seu vestido desabotoado, e se meu moletom e meu suéter não estivessem pendurados em um ventilador quebrado.

Foi o silêncio mais terrível que eu já presenciei. Foi como se ele durasse séculos, mas levou só um minuto até que Jeane abotoasse o vestido, cruzasse os braços e dissesse:

— Bem, isso é estranho.

Barney olhou para mim, e então olhou para Jeane, e então olhou para mim novamente.

— O que está acontecendo? Quero dizer, por quê? Tipo, vocês dois? Isso é muito esquisito.

— Não é assim tão esquisito — rebati, quando recuperei meu suéter e puxei-o sobre minha cabeça, porque Scarlett tinha desviado os olhos, e eu não tinha certeza se era porque ela me vira quase fazendo sexo com Jeane ou se ela ainda estava tão perturbada com meu corpo como estivera quando estávamos namorando. — Nós vamos pra mesma escola, vivemos na mesma área e temos meio que a mesma idade. Temos muita coisa em comum.

— Nós não temos nada em comum — Jeane elevou o tom e esmagou o que sobrara do meu ego, apesar de seus melhores esforços para destruí-lo. — Michael pensa que sou mandona e uma esquisitoide malvestida, e eu penso que ele é apenas um rostinho bonito sem muita substância. O que estamos fazendo não significa nada, e se qualquer um de vocês contar a alguém sobre isso... — ela fez uma pausa. — Você sabe como eu a fiz chorar duas vezes nas aulas de Inglês, Scar?

Scarlett assentiu. Ela ainda não tinha recuperado o poder da fala, e meu ego, agora, estava oficialmente morto, sem esperança de cura. Jeane era uma vadia.

— Bem, eu posso fazer você chorar daquele jeito todos os dias pelo resto de sua vida escolar — Jeane continuou. — Eu não quero, mas eu vou, se eu ouvir qualquer conversa que me ligue a Michael. Não quero nem mesmo ouvir alguém nos mencionar na mesma frase. Entendeu?

— Como se alguém pudesse acreditar — Scarlett engasgou. — Eu vi com meus próprios olhos e meu cérebro... Não posso lidar com isso.

Nenhum de nós poderia lidar com aquilo. Barney estava fitando Jeane porque ela fora maldosa com Scarlett, Scarlett estava fitando Jeane porque ela tinha acabado de ser ameaçada, e eu estava fitando Jeane porque ela tinha zero respeito por mim. E já mencionei o fato de que ela era uma vadia?

Jeane não estava olhando para ninguém. Ela balançava as pernas e parecia estar imersa em pensamentos. De repente, ela olhou para cima, gritou, e então pulou de seu poleiro.

— Barnster, você é um gênio! — exclamou quando caiu de joelhos e começou a vasculhar entre as caixas empoeiradas. — Eu tinha me esquecido totalmente de que havia alguma Haribo escondida aqui. Perdi o almoço e estou faminta. — Ela tirou um saco de doces. — Embora eu não saiba o que estava pensando quando comprei Milky Mix. Não foi o melhor momento da Haribo.

Isso era clássico de Jeane. Criar uma diversão. Sair pela tangente. Ser excêntrica. Dessa forma, todos se esqueciam de por que estavam com raiva dela. Scarlett foi fuçar no saco de Milky Mix que Jeane ofereceu.

Eu comecei a rir. Jeane me deixava louco, e havia um monte de vezes que eu não gostava muito dela, mas ela era a porção da minha vida que nunca planejei, e eu sabia que iria para Nova York com ela, não porque ela havia me atazanado, mas porque seria divertido. Jeane era muito boa em me divertir.

— Não sei por que você está rindo — Barney resmungou, porque ele ainda estava com raiva de Jeane. — Nada disso é engraçado.

Gostaria de saber se Barney ainda sentia alguma coisa por Jeane, mas ele provavelmente não sentia, porque agarrou a mão de Scarlett e começou a caminhar até a porta.

— Se você fizer Scar se sentir, mesmo que seja apenas um pouco, triste, haverá problemas — alertou-a de uma forma que não fazia muito o tipo do Barney.

— Está tudo bem, Barns, posso cuidar de mim mesma — Scarlett lhe disse, o que não era verdade. — Enfim, não vou dizer nada. Não porque eu esteja com medo, mas porque não quero pensar sobre o que acabei de ver nunca mais.

E com isso eles foram embora, deixando apenas Jeane e eu. Ela estava mastigando sua Haribo obstinadamente, o que não era nenhum substituto para um almoço, e ergueu a mão para indicar que queria falar tão logo tivesse acabado de mastigar.

— Eu não acho que você é apenas um rostinho bonito — disse ela finalmente. — Eu sei que há mais em você do que isso, mas eu não podia dizer isso a Barney e a Scarlett. Tornaria tudo mais complicado. É melhor que eles pensem que isso tem a ver apenas com nossos hormônios.

— Ah, então eu tenho alguma substância, não é? — perguntei, porque isso era o mais próximo que Jeane chegaria de um pedido de desculpas, e eu estava determinado a arrastar aquele momento pelo tempo que fosse possível.

— Eu disse exatamente isso, não foi? — Ela esticou o polegar e o indicador com uma pequena distância entre eles. — Creio que esse tanto, calculo.

— Pelo menos eu tenho estilo — respondi, provocando. — E pelo jeito, Píppi Meialonga ligou, ela quer o DNA dela de volta.

Jeane colocou a mão em seu coração e fez uma careta.

— Ai. Primeiro, não me pareço com a porcaria da Píppi Meialonga e, olá!, o cara que compra todas as suas roupas em lojas que anunciam perfumes fedorentos e que não usa roupas de tamanhos de pessoas reais está sacaneando meu senso de vestimentas? Eu não penso assim.

— Lamento que minhas roupas lhe causem tanta dor. Provavelmente, será melhor continuarmos fingindo que não nos conhecemos em Nova York. Desse modo, caso esbarremos em alguém que você conheça, não lhe causarei nenhum constrangimento.

— Ah, eu apenas lhe direi que você é meu primo com necessidades especiais ou algo assim — Jeane afirmou, e esperei enquanto ela rebobinou o que eu disse, reproduziu novamente e, depois, ficou toda boba e com olhar amalucado.

Jeane Smith. Sem palavras. Deus, eu era bom.

Ela apontou para si mesma, então para mim, com um dedo trêmulo.

— Sim, Jeane. Você e eu iremos para Nova York juntos — disse lentamente e em voz alta, como se ela não fosse muito esperta e o inglês não fosse sua primeira língua. Sua expressão facial, fixa em algum lugar entre exultante e carrancuda, era uma das coisas mais engraçadas que eu já tinha visto, e comecei a rir novamente.

Eu ri até que ela pisou em meu pé.

25

Eu pensei um pouco se ele ia se arrepender no último momento, ou confessar tudo a seus pais, mas, às 14 horas da sexta-feira, Michael estava sentado ao meu lado no voo da Virgin, indo de Heathrow ao JFK, e, tão logo terminou o aviso de segurança e começaram a taxiar pela pista, ele se voltou para mim com um sorriso que fez meu coração falhar uma batida, embora, normalmente, meu coração não fizesse coisas estúpidas como essa.

— Ah, meu Deus! Eu estou indo pra Nova York! — disse ele. — Isso não parecia real, mas agora estamos prestes a decolar e estou ficando realmente animado.

— Aleluia — eu disse. — Porque na maior parte do tempo você esteve estressado sobre a coisa toda.

— Sim, bem, você estava me deixando estressado. Mesmo depois que eu disse que viria você ainda continuou a me enviar checklists. — Michael puxou um pedaço de papel amassado do bolso de seu jeans. — Eu poderia ter definido, sozinho, de quantos pares de meias precisaria, você sabe disso.

Ele tinha razão, mas eu estava acostumada com meu grupo de amigos que era tão excêntrico quanto um saco de amêndoas fatiadas.

— Não posso fazer nada. Eu microgerenciei para que, caso algo dê errado, eu saiba que não foi culpa minha.

— Você chama isso de microgestão, eu chamo de ser muito, muito mandona.

— No final, saem elas por elas, tanto faz, meu amigo. — Eu esperava que ele não fosse agir assim em Nova York, pegando no meu pé o tempo todo, mas depois Michael cutucou meu braço e me deu outro de seus sorrisos bonitos.

— Enfim, estou tentando dizer obrigado por tudo isso. Tipo, por me convidar pra vir com você, e teremos que encontrar uma loja de doces pra que eu possa recompensá-la. É o mínimo que posso fazer.

— Você não tem que fazer isso — respondi rapidamente, embora já estivesse acrescentando mentalmente o Dylan's Candy Bar no itinerário detalhado que tinha predefinido. — A viagem foi meu agradecimento por me ajudar a lidar com toda a porcaria da minha família.

— Bem, de qualquer forma...

— Sim, de qualquer forma...

Houve uma guinada quando saímos do chão, e não importava quantas vezes eu já tivesse voado, não conseguia abrir os olhos até que estivesse certa de que estávamos voando corretamente e de que não estávamos, de repente, mergulhando para a morte. Eu estava tão tensa que nem percebi — até que houve um "ping" e abri meu cinto de segurança — que Michael estivera segurando minha mão o tempo todo.

Então, voamos sobre o Atlântico por cerca de sete horas. Michael assistiu a três filmes, e eu comi Haribo e trabalhei em minha apresentação. Quando chegasse a hora de fazer meu discurso, pareceria estar simplesmente conversando, quando, na realidade, eu ensaiara tantas vezes que falaria tudo perfeitamente e nem sequer precisaria olhar minhas notas. Eu falaria alguns "ahans" e "ahs", porque ninguém gosta de uma esperta culta de 17 anos de idade, e, provavelmente, no início, fracassaria um pouco, ao longo de minhas frases, por causa do nervosismo, mas depois disso planejei ser engraçada, perspicaz e "a voz da minha geração", o que não era difícil, pois minha geração era lamentavelmente inarticulada.

Finalmente, desembarcamos e começamos a caminhar por quilômetros e quilômetros de corredores até que entramos na fila para checar nossos passaportes. Foi então que Michael começou a ficar muito impaciente com a ideia de escanearem suas impressões digitais e fazerem uma foto sua.

— Mas por quê?

— Para se certificar de que você não é um membro da Al-Qaeda ou de quaisquer listas de exclusão aérea — sibilei.

— Claro que não sou — ele sussurrou de volta. — Será que eles mantêm nossos dados?

— Bem, é claro que eles mantêm. — Eu não fazia ideia se eles faziam isso ou não, mas, então, Michael estremeceu e compreendi. — Prometo que não vão telefonar para seus pais para lhes dizer que você entrou nos Estados Unidos.

— Eu sei disso — Michael respondeu melindrado, e então suspirou. — Em certo nível, eu sei disso, mas em outro nível, como eu nunca menti para eles sobre esse tipo de coisa antes, fico esperando a vingança desabar sobre mim.

— Você não está levando drogas, ou consumindo álcool em excesso, ou cometendo atos de violência, então não haverá nenhuma vingança — disse-lhe quando chegamos ao final da fila e um funcionário da alfândega fez um gesto para uma cabine. Eu puxei Michael comigo. — Tudo vai dar certo. Agora cale a boca e me deixe conduzir a conversa.

Passou mais uma hora antes que pegássemos nossa bagagem, passássemos pelo "nada a declarar" e estivéssemos no banco de trás de um táxi amarelo nova-iorquino. Não havia absolutamente nenhuma maneira de que nos conduzisse até nosso hotel e não acabasse desviando pelo Bronx.

Naquele momento, eram quase 18 horas, e a noite caiu enquanto viajávamos pela expansão urbana do Queens. Então, olhamos pela janela, do outro lado do rio, e vimos a Ilha de Manhattan, iluminada e brilhante, como uma miragem futurista no horizonte.

— Uau! — Michael ofegou. — Nova York! Parece mágica.

Não era algo tão mágico ter que esperar no tráfego da hora do rush, mas, finalmente, nosso táxi foi costurando pelas ruas estreitas do moderno Meatpacking District e parou na frente do Gansevoort Hotel. Antes mesmo que eu pagasse ao motorista, um dos porteiros estava tirando nossa bagagem do porta-malas, e fomos levados para o hotel, que era todo de vidro e de aço tubular, e luxuoso de uma forma insinuante e modernista, o que era emocionante, mas também realmente assustador, especialmente porque Michael estava com uma jaqueta de couro, capuz e calça jeans, e eu estava usando um par de calções de golfe sobre meias de lã rosa e um anorak de pele falsa com estampa de leopardo.

A recepcionista, que parecia produzida para posar para a *GQ*, não piscou os olhos, mas acertou nossa entrada em uma suíte júnior, me entregou uma pilha de porcarias para ler, relacionadas à conferência, um monte de mensagens de telefone e nossa chave do quarto. Cinco minutos depois, estávamos na sala de estar de nossa suíte, olhando, estupefatos, a enorme TV de plasma, o ventilador, as Marilyns de Andy Warhol na parede e a vista. Ah, a vista! Tantos arranha-céus e luzes de néon quanto os olhos podiam ver.

— Ah, meu Deus. Ah, meu Deus. Ah, meu Deus. — Era tudo o que Michael dizia. — Ah, meu verdadeiro Deus.

— Deus não teve nada a ver com isso — disse, e ele me olhou com espanto e admiração de uma maneira que ninguém jamais tinha me olhado antes.

— Essa conferência, Jeane, é realmente um negócio grande? — Ele apontou para o esplendor do nosso quarto. — Você realmente é um negócio grande?

— Bem, eu conheço um monte de coisas e sou boa em falar e em teorizar sobre as coisas — expliquei, porque não poderia começar a martelar sobre como eu era considerada uma inovadora, a primeira garota *Zeitgeist*[2] e a rainha dos *outliers*, que era como os organizadores da conferência tinham me descrito em seu material publicitário.

— Veja, é apenas um bando de pessoas que está fazendo coisas novas em suas áreas. Tipo, há algumas pessoas da rede social de Palo Alto, designers de moda, um artista gráfico de Tóquio, aquele cara que é o máximo da Gastronomia Molecular e um cara da Biologia, e estamos falando para esse público de ações corporativas e para capitalistas de risco sobre o futuro. Eu falo no final, como um limpador de paladar, para representar as crianças, compreende?

Michael balançou a cabeça.

— Realmente, não compreendo nada disso. Então, tipo, eles estão pagando por tudo isso, o povo da conferência?

— Bem, sim! Você não acha que eu ia passar semanas trabalhando em uma apresentação somente pela bondade do meu coração, não é? É claro, eles estão me pagando.

— Eles estão pagando você, assim como os voos e o quarto de hotel e... — Ele parou e caiu em uma poltrona de couro.

Essa não era a hora de dizer a Michael que estavam me pagando dez mil libras, o que geralmente era considerado como uma espécie de pechincha no circuito de conferências. Sua mente poderia de fato explodir. Além disso, era cafona falar sobre dinheiro. Então eu apenas me agachei na frente dele e coloquei minhas mãos sobre seus joelhos.

— Você está cansado? — perguntei. — É meia-noite no horário da Inglaterra.

— Eu estou muito ligado pra pensar em ir pra cama.

— E está com fome?

Michael balançou a cabeça.

— Eles ficaram me enchendo de comida no avião.

---

2. Termo alemão cuja tradução significa espírito da época (N. E.)

— Certo, então você não quer dormir e você não quer comer, e se ficarmos aqui, você vai continuar dizendo "Ah, meu Deus" e suspirando de uma forma muito chata, então vamos sair e explorar Nova York.

Esperei por protestos, porque Michael parecia tão longe de sua zona de conforto que ele poderia muito bem estar na Lua, mas um sorriso lentamente apareceu em seu rosto.

— Podemos ir ao metrô? E podemos comer um *pretzel* enorme de um daqueles carrinhos de rua? Ah! Quero tirar uma foto do Empire State Building todo iluminado, não que eu possa mostrá-la a alguém, já que ninguém sabe que estou aqui.

— Tudo isso pode ser feito — concordei, me levantando para que Michael pudesse sair da cadeira, mas ele agarrou minha mão e levou-a à boca para que pudesse pressionar um beijo no dorso dos meus dedos.

— Obrigado, Jeane, por tudo isso, eu realmente lhe agradeço — disse sinceramente.

— Ah, não seja tão meloso — reclamei, puxando minha mão. — Vamos lá, acelere, e vista uma jaqueta adequada. Está frio lá fora.

Nós fizemos o máximo que era possível fazer em cinco horas em Nova York. Levei Michael de metrô ao terminal da South Street, para que pudéssemos pegar a balsa gratuita de Staten Island Ferry e ver Ellis Island e a Estátua da Liberdade no caminho, antes de voltarmos para Manhattan.

Então nós fomos de metrô até Herald Square e à Macy's e eu apresentei Michael à Old Navy, mais barata do que sua amada Abercrombie & Fitch. Ele estava tão animado com seu *pretzel* supergigante que nem se importava que, a cada vez que tomávamos o metrô, eu conseguisse estar no trem errado, na linha errada ou na plataforma errada. É muito difícil se locomover em Nova York. Sim, eu sei que é como uma grade, mas só posso trabalhar com esquerda e direita, e não com leste e oeste, e usar o Google Maps estava comendo a bateria do meu iPhone, então pulamos em um táxi e fomos para Chinatown, para que pudéssemos ter *dim sum* servido por garçons exageradamente rudes.

— Eles são ainda mais rudes do que os garçons em Londres — Michael anunciou, se queixando enquanto abria nossos biscoitos da sorte. Ele leu sua mensagem e riu. — Nunca sei dizer se essas coisas são profundamente significativas ou aleatoriamente selecionadas por um algoritmo que gera mensagens de biscoito da sorte.

— Deixe-me ver.

Ele me entregou um pequeno pedaço de papel que proclamava: "Você tropeçará no caminho que o levará à sua felicidade".

— Bem, você está sentado em um bar *dim sum* em Chinatown, Nova York, e parece muito feliz pra mim, então talvez haja alguma verdade nisso — disse-lhe delicadamente, mas senti uma onda de orgulho. A felicidade atual de Michael era resultado de minha ação. Eu o fizera feliz, o que não era algo em que normalmente me destacava. Eu era boa, muito boa, em todos os tipos de coisas, mas não em fazer outras pessoas felizes.

— O que o seu diz? — Michael perguntou.

Eu desenrolei o pedacinho de papel e, embora tivessem sido escolhidos aleatoriamente por um algoritmo de geração de mensagem de biscoito da sorte, quando vi as palavras meu coração sacudiu como quando você sonha que está caindo: "Não chore, a vida é dor".

— Ele diz "Você está destinado à grandeza", menti, embora não fosse realmente uma mentira, porque eu estava destinada à grandeza. Quero dizer, obviamente. Eu amassei minha sorte e chamei o garçom para pedir nossa conta.

— Ah, vamos lá, eu mostrei o meu, você não vai me mostrar o seu? — Michael reclamou enquanto eu tentava chamar a atenção de alguém. Todos os garçons estavam me ignorando decididamente, por isso não tive escolha a não ser me levantar e balançar os braços, enquanto gritava: — A conta, por favor?

Era muito tarde, quase meia-noite, o que significava que eram quase 5 horas da manhã em Londres, e a voz de Michael pareceu irritada, do jeito que sempre soava quando eu o segurava por muito tempo depois de sua hora de dormir.

Havia apenas uma coisa que mudava seu humor quando ele estava cansado e irritadiço. Baixei minhas pestanas e olhei para ele.

— Mostrarei o meu quando voltarmos para o hotel — disse eu, e ele se animou imediatamente, porque eu não estava falando sobre nada que viesse em um biscoito da sorte.

26

Quando acordei, às 8h30, para minha primeira manhã em Nova York, Jeane já estava acordada e digitando em seu laptop. Havia três xícaras de café vazias ao seu lado e parecia que ela tinha privado o minibar de todos os seus lanches.

— Há quanto tempo você vem fazendo isso? — perguntei enquanto lutava para ficar na posição vertical.

Ela mal tirou os olhou da tela.

— Há um tempo — murmurou. — Vou me encontrar com o coordenador da conferência e o cara da tecnologia em meia hora pra passar minhas especificações de palco, e tudo está dando errado.

Jeane ainda estava com sua camiseta do Bikini Kill e calção de pijama de bolinha, e seu cabelo, que ela tinha submetido a um creme de enxágue de lavanda na semana anterior, parecia como se tivesse sido atingido por um túnel de vento. Seus olhos estavam inchados e muito vermelhos, como se ela tivesse decidido que não precisava dormir, embora não dormir a deixasse realmente arrogante. Nessas situações, ela bebia toneladas de café e ficava ligadona. Ia ser um dia muito longo.

— Há algo que eu possa fazer pra ajudar?

— Espere — disse ela, e digitou ainda mais rápido. Então, franziu a testa e parou. — Você poderia chamar o serviço de quarto e pedir que enviem um bule de café muito forte e os doces mais açucarados que tiverem?

Jeane tinha me explicado na noite anterior que era tudo cortesia, das tarifas de táxi ao quarto do hotel, e do conteúdo do minibar ao serviço de quarto (desde que não enlouqueçamos e comecemos a encomendar, tipo, seis garrafas de champanhe, caviar, lagosta e outras coisas), mas mesmo assim aquilo me fez sentir desconfortável. A mulher que anotou meu pedido era muito gentil, mas eu meio que esperava que ela dissesse de repente: "Você só tem 18, e eu me recuso a permitir que peça serviço de quarto. Não seja tão ridículo!".

Não que Jeane tivesse notado tudo isso. Na verdade, não notou nada até que o café e os doces chegaram, quando ela, enfim, sorriu para mim. E quando eu a ajudei a arrumar um dos slides de sua apresentação de PowerPoint, que não estava fazendo o que ela queria, ela até me deu um abraço.

— Certo, estou pronta — disse ela, enquanto salvava o documento cinco vezes só para estar segura. Ela pegou um dos roupões macios que o hotel tinha fornecido. — Vou fazer minha checagem de som. Volto em cerca de uma hora, OK?

— Você vai encontrá-los de roupão? — Ela já estava caminhando para a porta com seu laptop debaixo do braço e olhando para mim como se fosse eu quem não tivesse noção.

— Bem, sim. A conferência começa em uma hora e meia e não tenho tempo pra me trocar.

Ela bateu a porta, mas estava de volta no tempo que levei para ficar de mau humor, tomar uma ducha de trinta minutos, que foi uma das melhores experiências da minha vida, perder-me em pensamentos, procurar lugares para um *brunch* na internet, e eu tinha acabado o longo processo de deixar meu cabelo perfeito quando Jeane voltou com o rosto mais ferozmente furioso que eu já tinha visto algum dia.

— Como foi? — perguntei respeitosamente, embora estivesse temendo o discurso irado que certamente viria a seguir. Ela poderia reclamar por horas, e eu estava com fome, e seria muito melhor se ela pudesse se lavar e se vestir e, então, eu a deixaria fazer seu discurso inflamado pela metade do caminho até o *brunch*. Ela ergueu a mão.

— Não. Ouse. Perguntar.

— Ah, não pode ter sido tão ruim assim — insisti com alegria, mas ela apenas revirou os olhos e bateu a porta do banheiro atrás dela.

Ela ficou séculos por lá, por isso tive muito tempo para perceber quão má ideia essa viagem tinha sido. Não apenas por causa da teia de mentiras que tive que tecer para chegar até ali, mas porque eu estava sob a frágil misericórdia e sob as oscilações de humor de uma garota que passava 75% de nosso tempo juntos discutindo comigo.

Eu não poderia fazer o que costumava fazer quando ela estava me dando nos nervos, que era deixá-la ir em frente enquanto mantinha um olhar atento em seu Twitter, até que soubesse que ela superara sua irritação. Eu estava preso a ela.

Ah, caramba.

Jeane ainda estava com os lábios bem comprimidos quando saiu do banheiro uma hora depois. Ela estava de volta ao roupão atoalhado macio, mas seu cabelo tingido de lilás estava preso e ela havia aplicado maquiagem completa, glitter por todo o rosto, batom vermelho e delineador grosso, alado. Ignorou-me completamente quando começou a revirar sua mala já aberta, procurando por algo fluorescente e incompatível para vestir.

— Você quer algum lanche? — perguntei. Eu já sabia que a resposta seria não, mas queria lembrá-la de que eu ainda estava ali, no quarto, respirando o mesmo oxigênio que ela.

— Não posso. Tenho que comparecer à sessão da manhã da conferência — murmurou. — Eu lhe disse.

— Bem, você não disse.

— Sim, mas você devia ter percebido. Quero dizer, é apenas, tipo, rude se eu não fizer isso. — Levantou os olhos de sua mala e me encarou de uma maneira mais eficaz. — Você não precisa ir, entretanto. Você pode sair e se perder no metrô tentando encontrar o Empire State Building, se quiser. Não me importo.

— Eu sei que você está nervosa, eu sei. Eu me sinto da mesma forma quando estou participando de um debate na...

— Isso não é nada como debater a pena de morte com a ralé conservadora dos filhos e filhas da escola chique na outra extremidade do bairro, e eu não estou nervosa. Eu já apareci em centenas de conferências. Centenas. — Ela apontou um dedo em minha direção geral. — Olha, você tem que sair agora. Você está fazendo minha cabeça pirar.

— Eu estou fazendo sua cabeça pirar? Eu não sei por que você ainda queria que eu viesse pra Nova York com você...

— Nem eu! — Jeane contorceu seu rosto em uma careta tão distorcida que parecia que aquilo estava lhe causando uma agonia infinitamente imensa. — Apenas... SAIA!

Eu saí. Não foi exatamente uma dificuldade. Foi emocionante. Eu tinha toda Nova York para mim, e era exatamente como ela aparecia nos filmes: o vapor que subia dos bueiros, as ruas que se estendiam em direção ao horizonte, e nesse dia frio e crepitante, o sol se refletindo nos arranha-céus, os táxis amarelos buzinando, e todos por quem eu passava tinham sotaque americano. Quando fui à Starbucks para comprar um cappuccino e um muffin, o barista realmente me perguntou "Como você quer?".

Além disso, o metrô era fácil de usar. Tipo, superfácil. Nova York está disposta sobre uma grade, e a maioria das linhas iam para o centro da cidade, ou vinham dele, e algumas linhas circulavam somente pelo centro. Era simples: qualquer idiota poderia aprender. Fui ao Central Park, que era muito mais como um grande parque, e então fui até o Museu de Arte Moderna, porque senti que deveria fazer algo cultural, mesmo tendo passado a maior parte do meu tempo na loja de presentes. Depois que voltei para o metrô, fui para o

Dylan's Candy Bar, porque vi na internet que era a melhor loja de doces de Nova York.

Eu devia alguns doces a Jeane, não que ela merecesse alguma coisa, mas não podia esperar para ver o olhar tímido em seu rosto enquanto ela tropeçava ao longo de um pedido de desculpas quando eu a presenteasse com uma jarra enorme de balas de goma sortidas e cobertas de chocolate. Mas, principalmente, eu desejava que Melly e Alice estivessem comigo, porque elas pensariam que haviam morrido e ido para o céu dos doces.

Eu me arruinei carregado de conjuntos de pirulitos e de balas, ursinhos de goma e barras de chocolate Wonka, porque as duas eram obcecadas com *Charlie e a Fantástica Fábrica de Chocolate*. Minha mesada dependia de fazer tarefas e trabalhos de administração para meus pais, e eu teria que fazer horas extras para que pudesse dar presentes de Natal. Eu não era pago para "chatear" sobre toda a porcaria que Jeane gostava de "chatear".

Era hora do almoço, então decidi voltar ao hotel para descarregar minhas coisas e ver se haviam restado alguns doces do café da manhã de Jeane que eu pudesse comer — naquela altura eu estava quebrado demais até para um Burger King. Infelizmente, quando voltei à nossa suíte, não havia nem sequer um docinho, e embora o bar tivesse sido reabastecido, eu seria amaldiçoado se causasse um aumento na conta de Jeane. Como as coisas estavam indo, provavelmente dormiria no sofá aquela noite.

Não sabendo o que fazer, fui para o lobby. Eu me vi seguindo os sinais que apontavam para a conferência e, quando ninguém me parou, entrei em uma pequena antessala onde havia um bufê de almoço montado. Ponto!

Andei casualmente por ali, como se tivesse participado da conferência o tempo todo, peguei um prato e rapidamente comecei a enchê-lo com sushi. Então furtei uma garrafa de Coca-Cola e estava prestes a debandar para a segurança de nossa suíte quando uma mulher apareceu. Ela estava vestida toda de preto e tinha o cabelo cortado em um corte severo, o que combinava com a expressão igualmente grave em seu rosto.

Não havia nada que eu pudesse fazer, exceto desenterrar um cantonês enferrujado, se necessário, e fingir que não tinha ideia do que ela estava falando, mas ela já estava olhando em seu iPad.

— Você é o convidado de Jeane? Michael Lee? Sabia que você já perdeu a sessão da manhã?

— Ah, bem, eu não sabia disso.

— E você perdeu as sessões de trabalho durante o almoço também — continuou ela, acusadoramente. — E você está prestes a perder o início da agenda da tarde.

Ela já estava me apressando para a sala de conferência, uma mão de aço na parte de baixo das minhas costas, e continuou pairando sobre mim até que me sentei, e, então, finalmente saiu. Ela estava de volta um minuto depois, porém, como se soubesse que eu estava planejando fugir dali, me empurrou uma pasta brilhante e uma bolsa de neoprene. Depois disso, se postou ao lado da porta. Pelo menos estava quente e consegui continuar com meu sushi, e quando a mulher malvada parava de me fitar, eu podia dormir um pouco.

Mas descobri que as conferências sobre "O Futuro é AGORA!" eram realmente muito interessantes. Quem sabia daquilo? Eu não.

Primeiramente, um homem e uma mulher de uma agência de tendência global, usando óculos de nerd combinando, falaram sobre como eles investigavam e acompanhavam as tendências, e usavam a informação para auxiliar empresas a desenvolver novos produtos. Tipo, um de seus olheiros podia encontrar algumas crianças que haviam criado seu próprio clube no leste de Londres e se vestiam como gângsteres de 1940, que vendiam meias de náilon no mercado negro. Então, em Berlim, podia haver outros grupos vestidos como a "juventude do swing" da Alemanha dos anos 1940, que era obcecada pelo jazz americano e se recusava a entrar para a Juventude Hitlerista. E então, em Tóquio, podia haver um DJ misturando antigos arranjos de Benny Goodman com o break. Eles juntariam todas essas informações e as apresentariam aos seus clientes e, dois anos mais tarde, haveria muitas influências na moda dos anos 1940 e cartazes do Make Do and Mend em todas as estradas.

Depois, houve um cara cientista. Considerando que ele estava falando de superbactérias assustadoras, mutantes e resistentes a medicamentos, e que tinha todos aqueles grandes slides de pessoas com os rostos carcomidos, ele poderia ter ido com um grande cenário de extermínio. Ele não foi. Ele só ficava falando e falando com sua voz monótona. A moça assustadora de cabelos curtos ainda continuava a me olhar de relance para que eu não ousasse demorar muito para piscar, na hipótese de que ela pensasse que eu estava cochilando e viesse gritar comigo. Simplesmente para matar o tempo e para mostrar que não havia ressentimentos, mandei uma mensagem para Jeane para lhe desejar sorte. Ela me mandou uma mensagem de volta imediatamente:

Traz má sorte desejar sorte a alguém. Todo mundo sabe disso.

Eu a odiei ainda mais nesse momento.

Pensar em todas as razões pelas quais eu estava odiando Jeane foi uma ótima maneira de passar a próxima meia hora, até que dois caras com o cabelo igual ao meu, vestindo jeans e camisetas, subiram ao palco. Eles trabalhavam em Palo Alto, na Califórnia, também conhecido como Vale do Silício. Foi onde o Google, o Facebook e o Twitter tinham começado e, quando eles começaram a falar sobre o produto de inteligência artificial que estavam desenvolvendo, eu finalmente comecei a prestar atenção. Até tomei notas quando eles descreveram como sua tecnologia poderia ser usada em tudo, desde jogos de computador até microcirurgia. Eles eram tão envolvidos com seu trabalho e faziam parecer tão legal (e eles tinham uma parede de escalada no meio de seu escritório) que eu queria abandonar tudo para voar para São Francisco e pedir para ser o garoto do café deles. Eles saíram do palco e o mestre de cerimônias voltou.

— Nós todos estamos procurando caminhos pelos quais o futuro já esteja aqui — disse ele. — E agora vamos terminar com uma jovem notável que está tão além do futuro que já foi descrita como "um *Zeitgeist* na forma de uma adolescente".

Eu não sabia se continuava sentado ou se deslizava furtivamente para baixo em meu assento, enquanto o cara continuava cantando louvores sobre Jeane. Não admirava que ela fosse tão cheia de si.

— Jeane falará para nós sobre o futuro que será trilhado pelos adolescentes de sua idade, os *Eco-Boomers* da Geração Y. Eu estava conversando com Jeane durante uma das sessões temáticas e lhe perguntei como ela se descreveria em uma frase, e ela disse: "O *The Guardian* pensa que sou iconoclasta, meu milhão de seguidores no Twitter pensa que eu deveria gastar mais tempo entrando em links de filhotinhos fofinhos do YouTube e meu namorado acredita que sou uma idiota". — Ele fez uma pausa para deixar que as risadas acabassem, mas eu não estava rindo. Eu estava mortificado. Nunca a chamei de idiota e nunca tinha lhe dado permissão para dizer que eu era seu namorado. Além de tudo, havia uma equipe de filmagem filmando aquilo; e se aquilo acabasse na internet e alguém me reconhecesse e somasse dois mais dois e não encontrasse apenas o quatro, mas a prova de que eu era o namorado de Jeane?

Quando parei de ferver de raiva, Jeane entrou tropeçando pelo palco e, agora, eu estava encolhendo de horror. Eu me acostumei com a maneira como ela se vestia, mas agora era como se eu a estivesse vendo pela primeira vez, e eu podia ouvir as pessoas rindo dela. Não era nenhuma surpresa. Ela estava usando seu antigo vestido de baile azul-esverdeado ridículo, que ela já tinha me dito que era, na verdade, azul-claro, com uma capa de noite preta de lantejoulas, grandes botas desajeitadas de motoqueiro e um turbante na cabeça. Não era um turbante como aqueles que o pai de Hardeep usava, mas um chapéu de veludo vermelho que senhoras de idade realmente elegantes podiam usar uma vez que o Alzheimer começasse a atacá-las. Não podia acreditar que eu estava, de verdade, vendo aquilo.

Ela ficou na frente do palco fazendo aquela coisa realmente esquisita com os pés, tropeçando em suas botas e cruzando os tornozelos, de modo que havia de fato uma grande possibilidade de que ela caísse no chão. Sua cabeça estava abaixada e não parecia que ela fosse fazer alguma coisa além de surtar silenciosamente. Então Jeane levantou a cabeça e sorriu maliciosamente.

— Ouçam, está tudo OK — disse conspiratoriamente. — Noventa e nove vírgula nove por cento dos adolescentes não se vestem como eu. Estão perdendo, creio.

Dessa vez, quando as pessoas riram, riram com ela, e não dela, e Jeane sorriu novamente e clicou em seu primeiro slide.

GERAÇÃO Y SE PREOCUPA?
A revolução provavelmente não será televisionada, a menos que você assine os canais premium, mas aposto que posso encontrar um milhão de pessoas para curti-la no Facebook

— Então, bem-vindos à Geração Y. Por favor, mantenham os braços dentro do carro e não alimentem os animais. Meu nome é Jeane e serei seu guia enquanto lhes conto sobre a estranha criatura chamada adolescente. Seus pensamentos, seus sonhos, suas paixões, suas ambições e por que constituem um bom caso para trazer de volta o Serviço Nacional.

— Porque a Geração Y é tudo aquilo que vocês temiam. Eles são tudo aquilo que seus piores pesadelos conjuraram.

— Eles são preguiçosos, apáticos, sem originalidade, com medo da inovação, com medo da diferença, simplesmente com medo.

— Eles bebem. Confundem sexo com intimidade. Definitivamente, não poderiam dizer as capitais de mais de cinco países. E realmente acreditam que Justin Bieber é o Segundo Messias.

— Apenas 50% da Geração Y possui mais de dois livros e, sim, eles ouvem música, mas baixam da internet porque o conteúdo é gratuito, claro. Querer, tomar, ter, esse é seu grito de guerra.

— Senhoras e senhores, esta é a minha geração, e minha geração está totalmente estragada.

O ADOLESCENTE ESTÁ MORTO, VIDA LONGA AOS PRÉ-VINTE E POUCOS ANOS

Vestidos Gucci e carraços, a Geração Y quer tudo e quer AGORA!

— Minha geração foi construída não por seus verdadeiros pais, mas por *Sex and the City* e por *Big Brother*.

— Eles querem marcas, eles querem logos. Louis Vuitton e Chanel, de preferência, mas Abercrombie & Fitch e Hollister podem servir, desde que estejam nos vendendo um estilo de vida baseado na nostalgia de um mundo que nunca conhecemos.

— Mas o que a Geração Y quer realmente, mais do que um iPhone, é ser famosa. Adequadamente famosa. Famosa tipo tapete vermelho. Conhecida apenas por seu primeiro nome famoso. Cada um deles sabe que é um pequenino floco de neve especial e que merece tudo o que vem com a fama, ou seja, roupas gratuitas, carros velozes, pular para a frente da fila de entrada de alguma boate cara e ser levado direto para a sala VIP, onde uma fonte infinita de champanhe os espera.

— Como eles se tornam famosos não importa. Eles vão sair, ou, idealmente, se casar, com um jogador de futebol, ou vencer o *The X Factor* ou um show de modelos de TV. Todo mundo lhes diz que eles são incríveis, talentosos e bonitos, e, caramba, se aquela bêbada cabeluda do *Jersey Shore* pode se tornar uma megacelebridade, por que eles não podem?

— Então, para recapitular. Geração Y. Superficial. Narcisista. Egoísta. Parafraseando Oscar Wilde, a Geração Y sabe o custo de tudo e o valor de nada.

FILHOTES DO ESTRESSE
Por que a exaustão *is the new black*

— Mas a questão é que, a menos que eles se atirem nos braços daquela cadela chamada fama, o futuro da Geração Y é condenadamente sombrio. Eles são a primeira geração que ganhará menos que seus pais. Eles são a primeira geração da qual não se esperará que se tornem melhores por irem para a universidade, pois qual o sentido em se gastar milhares de libras, ou de dólares, em dívidas com mensalidades escolares e empréstimos estudantis quando há pouca chance de ser capaz de encontrar um trabalho ao final de tudo?

— Então, francamente, quem não iria querer uma rota fácil para a fama e para as riquezas se a alternativa fosse trabalhar em um *call center* ou perguntar às pessoas se elas gostariam de pedir mais alguma coisa?

ENTÃO, ESTA É A MORTE DA REBELDIA ADOLESCENTE?

— Nada disso. Nem um pouco. Eu disse que os adolescentes não se vestem como eu. Eles não pensam como eu, mas, ei, eu sou uma *early adopter*, uma pioneira. Por onde eu for, cerca de dois anos mais tarde, todo mundo irá. Entrei no Twitter quando ele era apenas um homem e seu cachorro, e fui a primeira garota em minha escola a usar meias e sandálias abertas nos dedos, e, por isso, honestamente, acredito que o que eu estou dizendo a vocês hoje está se difundindo lentamente no cérebro daqueles com minha idade, e nos próximos dois anos vai acontecer.

— Se eu acredito, então vai acontecer.

— E o que acredito é que estamos lentamente rejeitando sua cultura consumista de mercado de massa. Nós estamos rejeitando vocês porque vocês querem neutralizar nossa juventude. Não queremos que vocês comprem roupas das mesmas lojas que nós. Não queremos assistir aos mesmos programas de TV a que vocês assistem. Caramba, nós realmente não queremos nossas mães falando sobre o quanto aquele cara do *Crepúsculo* é gato. Mas é realmente muito difícil encontrar nossa própria identidade, quando não há mais nada que seja cultura adolescente, porque tudo já foi feito.

— Muito, muito tempo atrás, costumava haver uma cena underground de garotos fazendo música, arte, tocando em clubes, fazendo o que amavam e definhando na obscuridade, porque levaria anos antes que alguém de fora de suas panelinhas pudesse descobri-los. Mas agora temos a internet, e em cinco minutos qualquer nova cena é compartilhada no TwitPic, debatida no Gawker e, no final do mês, está nas primeiras páginas do *Daily Mail*.

— E é por isso que comecei o Adorkable. Adorkable era um blog para todas as coisas estranhas, maravilhosas e realmente aleatórias com as quais eu estava envolvida, mas muito rapidamente o Adorkable se tornou uma declaração de missão, minha convocação à luta. E, sim, está evoluindo para uma marca de estilo de vida e, sim, ganho dinheiro identificando e relatando tendências de rua, mas o *ethos* central por trás do Adorkable é realmente sobre a comemoração de uma cultura adolescente que não tenha sido criada por grandes corporações, para que eles não possam nos vender um monte de porcarias das quais não precisamos e as quais não queremos.

— Adorkable é sobre arrancar os logos de suas roupas ou pintá-los com marcadores mágicos.

— Nós estamos enviando cartas e CDs de músicas variadas uns para os outros no post.

— Nós vamos realizar nossas próprias vendas de biscoitos, em vez de nos empanturrar com suas superfaturadas Krispy Kremes, muito obrigada.

— Nós não queremos sua moda passageira de confecções com condições de trabalho sub-humanas, nós vamos aprender a fazer nossas próprias roupas.

— Nós não queremos música com as impressões digitais sujas de Simon Cowell em tudo. Se não pudermos fazer isso por nós mesmos, vamos redescobrir a alegria de gravações antigas que nunca chegaram ao estrelato.

— Mas mais do que tudo, não queremos os futuros pequenos e miseráveis que o governo e nossos pais têm desenhado para nós. Nós vamos viver nossos próprios sonhos.

— Então, Adorkable não é mais apenas sobre mim. Adorkable é uma rede livre de formatos, de malha solta e orgânica de almas com pensamentos semelhantes, e poderíamos ser jogados ao chão pela forma como pensamos e pela forma como nos apresentamos, e porque não temos medo de quem somos, mas, meu Deus, nós estamos olhando para as estrelas.

GERAÇÃO Y NÃO?
O amanhã está aqui hoje

— Mas é o bastante sobre mim. Estou sendo paga para falar sobre minha geração, e tenho sido um bocado dura com eles. Assim, apesar do fato de que me desespero todas as manhãs quando ando pela escola e quero sacudir as pessoas, gritar na cara delas e forçá-las a sentir alguma coisa, há momentos em que tenho orgulho de ser um membro da Geração Y.

— Ao longo dos últimos dois anos, na Grã-Bretanha, houve cortes nos serviço de saúde e na educação e muitos, muitos outros cortes que prejudicam os membros mais vulneráveis e necessitados de nossa sociedade. Isso me deixou muito irritada, e escrevi posts apaixonados e até mesmo fui à Rádio BBC como parte de um painel de discussão, tendo ficado muito ofendida com um ministro do gabinete. Depois disso, uma demonstração muito grande foi planejada. Eu panfletei por toda a escola, embora não estivesse certa da razão pela qual estava me incomodando, porque todos pensam que política é algo extremamente chato.

— Na manhã da demonstração, fui para a escola. Então, ao meio-dia, no meio de uma aula de Estudos de Negócios, me levantei e disse ao Sr. Latymer, nosso professor, que eu estava deixando a escola para ir à cidade protestar contra a erosão das minhas liberdades civis. Para ser honesta, eu poderia simplesmente ter esperado até o sinal do almoço, mas as mulheres calmas raramente fazem história.

— Então, quando comecei a sair, dois garotos que nunca nem sequer tinham falado comigo levantaram suas mãos e disseram que também estavam saindo para se juntar ao protesto. Um por um, todos se levantaram, no estilo "Eu sou Spartacus", e marcharam para fora da escola comigo, enviando mensagens de texto enquanto saíam, por isso, quando chegamos ao pátio, havia centenas de adolescentes reunidos. Eu pensei que fosse apenas uma desculpa para ir à Starbucks, mas não, eles estavam com uma raiva imensa por ter seus direitos à educação gratuita e aos cuidados de saúde arrancados, e foram para a cidade comigo, e se eles tivessem que gritar coisas rudes para os policiais, então, ei, acrescente bônus.

— Então, eles foram, marcharam, tiraram fotos de si mesmos marchando e postaram no Facebook, que quase explodiu, e no dia seguinte eles voltaram a me ignorar e eu voltei a olhar para baixo perto deles, mas foi um pequeno passo para a Geração Y.

— E enquanto a recessão continua e nossas perspectivas se mostram mais e mais sombrias, eu estou animada. Eu olho para o passado para ver como será nosso futuro. E em tempos de dificuldades econômicas e de governos autoritários, de guerras inúteis e de desemprego em massa, houve arte pop e houve o punk, houve o hip-hop e o grafite, houve acid house e *riot grrrl*.

— Houve arte, música e livros que poderiam colocar você de joelhos com sua perfeição superior. Porque, quando todo o resto se for, tudo o que nos resta é nossa imaginação.

— Então, sabe de uma coisa? Eu não estou pronta ainda para deixar de lado a Geração Y, e você também não deveria, porque eu acredito que vamos crescer muito bem. Sim, é doloroso admitir, mas as crianças estão certas.

— Eu ia dar um soco no ar neste momento, mas agora creio que isso pode parecer um tanto de mau gosto, então vou apenas cruzar os braços atrás das costas para que vocês saibam que terminei.

27

Aplausos.

As pessoas estavam aplaudindo, mas meu corpo ainda estava dolorosamente contraído porque, talvez, as palmas não significassem nada mais do que "Graças a Deus aquela garota estranha parou de se queixar e podemos ir para o bar".

Mas eles ainda estavam aplaudindo, e agora as pessoas estavam ficando de pé, não para sair, mas para bater palmas mais intensamente, e quando fiz meus olhos se focarem, todos pareciam muito felizes. Creio que isso é o que eles chamam de uma ovação em pé.

Ah, sim, Jeane, você conseguiu mais uma vez. Como se tivesse qualquer dúvida.

Em seguida, John-Paul, o anfitrião, caminhou pelo palco e tive que responder às perguntas da plateia, as quais se resumiam à mesma coisa "Como podemos vender nossos produtos para sua geração?", e eu estava toda tipo "Você não ouviu uma única palavra do que eu estava dizendo?".

Finalmente, alguns hipsters de aparência arrogante comentaram que eu não era realmente uma típica adolescente, e eu respondi "Bem, duh!", mas então percebi que, provavelmente, aquela não era a resposta mais diplomática.

— Essa é toda a questão. Eu estou entre eles, mas não sou um deles, graças a Deus.

Então eu tinha terminado. John-Paul estava feliz. Até mesmo Oona, a mulher mal-humorada que organizara a conferência, parecia feliz. Quando entrei na sala verde, tive que posar para fotos com os outros oradores e encadear frases inteiras juntos, embora a tensão e a adrenalina estivessem começando lentamente a baixar, de maneira que tudo o que eu era realmente capaz de fazer era gemer e, talvez, babar um pouco.

Observei ao redor da sala enquanto aquele carinha cientista realmente chato estava falando comigo sobre coisas realmente chatas de ciência, e vi Michael sendo empurrado pela porta por Oona. Ele não parecia muito contente quando me viu. Dei de ombros e fiz uma careta para dizer que a maneira como eu tinha me comportado antes da conferência não poderia ser usada contra mim, porque estava estressada até a tampa.

As habilidades de telepatia de Michael deveriam estar se tornando cada vez melhores, porque ele começou a sorrir. À medida que ele se aproximava, seu sorriso se tornava mais amplo e, então, ele realmente me pegou e me girou no ar, embora eu batesse em suas costas e ameaçasse matá-lo.

— Você foi incrível! — ele gritou, e me colocou de volta no chão. — Sério. Eu não gosto de todo aquele papo de "A Geração Y, eles são lixo, e agora querem ser famosos, e que Deus nos ajude se tiver uma guerra" e eu fiquei realmente chateado com você falando sobre logotipos de camiseta mais uma vez, e então você fez um giro de 180 graus e falou sobre como ninguém vai nos colocar de lado e que vamos derrubar o capitalismo, e eu posso até ter ficado um pouco embargado.

— Sério? — perguntei em dúvida. — Porque não foi bem isso que eu disse.

— Totalmente na real. E, ei, adivinhe?

Michael segurou minhas mãos e as agitou um pouco, e agora eu tinha superado minha angústia patrocinada pela conferência, o entusiasmo, o arrebatamento e a aprovação absoluta dele agindo como uma espécie de doença infecciosa, como piolhos, e eu estava sorrindo muito e entrelaçando os dedos com os dele.

— Eu não sei. O quê?

— Saí da escola e fui naquele protesto! Quero dizer, eu tinha pensado sobre aquilo, mas não tive coragem, daí quando vi o 2º ano marchando pelo corredor, eu apenas saí da Matemática e metade da turma me seguiu. — Michael sorriu radiante. — Nunca tive certeza de como todos nós, de repente, decidimos ir ao protesto, mas eu deveria saber que você estava por trás dele. Havia seu nome escrito em cada pedaço dele.

— Para ser justa, acho que foi mais um tipo de histeria em massa, como...

— Ah, por favor, você sabe que a modéstia não combina com você — Michael bufou. — De qualquer forma, foi fantástico. Em certo momento, alguém me deixou gritar em um megafone. Foi uma das melhores experiências da minha vida, sentir como se eu tivesse uma palavra a dizer a respeito do meu próprio futuro, entende?

Eu entendia, e então Michael estava me abraçando novamente, forte.

— Quando você estava no palco — disse ele, bem ao meu ouvido —, eu estava tão orgulhoso de você que poderia ter estourado.

— Isso teria sido muito zuado — disse, ou embarguei a voz, porque eu tinha uma protuberância enorme em minha garganta. Eu não sabia por que Michael estar orgulhoso de mim parecia mais importante do que conseguir uma ovação em pé ou um editor do *The New York Times* perguntar se poderia citar minha apresentação, ou John-Paul e Oona verificarem minha disponibilidade para uma conferência em Tóquio. Tóquio! Mas Michael estava orgulhoso de mim e não conseguia parar de sorrir para mim, e ainda estava segurando minha mão e nada mais parecia importar muito. Exceto uma coisa.

— Olhe, eu sinto muito por ter sido uma bruxa esta manhã.

Michael assentiu.

— Então você vai admitir que estava nervosa?

Meu exterior endurecido já estava em pedaços pelo tempo em que estivemos de mãos dadas, mas era uma questão de princípio.

— Eu não estava nervosa. Eu estava estressada.

— Tanto faz. É a mesma coisa.

— Não é. Estar estressada tem uma energia totalmente diferente de estar nervosa — insisti. — Mas de qualquer maneira, me desculpe, e eu também sinto muito por arrastá-lo para a festa pós-conferência em um dos bares lá em cima. Provavelmente vai ser de uma chatice atroz, mas podemos nos esquivar depois de uma hora.

Michael sorriu.

— Bebidas e alimentos em algum bar elegante com hipsters de parede a parede dos quais podemos rir? Eu estou dentro.

Três horas depois, estávamos sentados em um banco de couro em um canto de um bar que era um jardim fechado por vidro. Tinha piso de ardósia, cadeiras de ferro fundido pintadas de preto, azul e roxo e era iluminado com luminárias vermelhas enormes pendendo do teto.

Eu tinha tirado minhas botas para que pudesse dobrar as pernas e havia descoberto que vieiras envoltas em bacon japonês eram minha nova comida favorita. Eu as estava regando com um coquetel chamado de Peachy Lychee, que foi concebido para conter vodca, não que eu pudesse senti-la, licor de pêssego e suco de lichia. Aquilo tudo era uma loucura.

Quando eu não estava me empanturrando ou bebendo, minha cabeça descansava no ombro de Michael enquanto tirávamos fotos de nós mesmos no meu iPhone.

— Isso nem sequer se parece com você — disse a Michael enquanto rolávamos as fotos. — Saiu apenas sua narina esquerda e sua boca. É uma pena, porém, porque saí ótima.

— Bem, nesse caso, se você quiser publicá-la em seu Twitter, está tudo OK — Michael disse amigavelmente. Ele ainda estava com um humor ridiculamente bom e nós não discutíamos havia, pelo menos, uma hora, o que era um recorde pessoal. Ele queria circular, mas eu assinalei que, se você ficasse num lugar, então, mais cedo ou mais tarde, todos com quem você quisesse falar se dirigiriam até lá. Finalmente

Adam e Kai, dois caras de São Francisco que estavam fazendo algo sobre inteligência artificial e centenas de milhares de dólares com capital start-up, realmente se dirigiram até nós. Enquanto eu me esbaldava de Peachy Lychee, os três tiveram uma conversa a respeito de genoma humano, DNA e *Grand Theft Auto* sobre a qual não entendi nada, e por isso me diverti tirando fotos de canapés japoneses e as publiquei no Twitter, e então eles ofereceram a Michael um estágio em Palo Alto no próximo verão. Desde então, eu não podia fazer nada errado aos olhos de Michael.

Observe, ele vinha bebendo muito saquê, embora aquilo não parecesse cheirar mal. Não creio que nenhum de nós estava com a mente clara porque houve muita tensão e, em seguida, o clima superbom que vem quando ela vai embora somado a uma grande quantidade de álcool. Houve também uma grande quantidade de carícias e cheiros e talvez até alguns amassos em meio aos visitantes de nossa mesa. Todas essas coisas juntas e o fato do meu julgamento estar se tornando tão nublado quanto o céu em um dia frio e úmido de novembro. Só estou dizendo. O que eu estava dizendo, então era:

— Então não há problema em postar essa foto no Twitter?

— Quem se importa? — Michael acenou languidamente com a mão para mostrar o quanto não se importava. — Acredito que a maioria das pessoas está no Facebook, e não no Twitter.

Logo o Twitter poderia ser invadido com as hordas de suburbanos escrevendo LOL e PMSL em todo o lugar, mas eu tinha certeza de que ninguém na escola me seguia no Twitter, e nós estávamos falando de uma foto minha parecendo muito, muito, muito fofa e da narina e da boca dele. Postei aquilo no Twitter, e então Michael, para não ficar atrás, fuçou em seu velho celular, e então pudemos voltar a nos beijar até que os garçons trouxeram mais uma rodada de vieiras embrulhadas em bacon.

28

Nas seis outras ocasiões em que dormimos juntos, não creio que Jeane realmente tenha dormido. Ela sempre mantinha os olhos colados em algum tipo de aparelho eletrônico quando eu dormia. Então, quando eu ressurgia horas depois, ela já estava varrendo seus feeds do blog.

Mas quando acordei às 8 horas da manhã de domingo, Jeane estava dormindo. E ela estava dormindo pesadamente, deitada de lado, segurando a colcha apertada contra si. Ela não havia tirado a maquiagem na noite anterior, e por isso havia glitter e manchas negras por todo o travesseiro, e estava roncando suavemente. Jamais a vira tão silenciosa antes, e não tive coragem de acordá-la.

Embora tenha havido algumas humilhações desgraçadas em seu discurso, Jeane havia lançado direto para o gol na avaliação geral, e ela me apresentou para os dois caras da start-up de inteligência artificial em São Francisco e exigiu que eles me dessem um estágio. Além disso, ela bebeu aos montes aqueles coquetéis com sabor de pêssego, cujo principal ingrediente era vodca, por toda a noite. Eu passei do saquê para os refrigerantes para que pudesse manter um olho nela, mas, ao final, Jeane estava feliz e levemente bêbada, e o mínimo que eu podia fazer era deixá-la dormir sua bebedeira.

Levantei-me, tomei banho, me vesti e, como ela ainda não mostrava sinais de que iria acordar, calmamente saí do quarto e caminhei pelo Meatpacking District. Todas as lojas estavam fechadas, mas uma varredora de ruas estava se livrando dos restos da noite de sábado jogados no pavimento, ou na calçada, tanto faz. Embora estivesse frio e eu pudesse sentir o vento batendo em minha camiseta, minha camisa e meu moletom com capuz, as mesas estavam sendo colocadas para fora dos restaurantes, e as pessoas já estavam formando fila para o café da manhã.

Parei em um café para conseguir alguma coisa açucarada para Jeane e um expresso triplo com meus últimos dólares, e depois corri de volta para o calor de nossa suíte. Quando fechei a porta, os olhos de Jeane se abriram e ela se sentou lentamente. Ela ainda usava seu vestido de festa porque não tínhamos feito nada além de nos beijar na noite anterior. Ou, se fizemos, então caí adormecido antes que as coisas se tornassem interessantes. Talvez fosse por isso que ela estivesse carrancuda. Não, foi apenas um bocejo.

— Que horas são? — ela resmungou.

— Quase 10 horas — respondi, e ela caiu para trás no travesseiro com um gemido cansado. — Eu já estou acordado há um tempo, mas não quis te acordar.

Jeane grunhiu algo ininteligível, mas vi seu nariz se contorcendo. Era bizarro: uma mão estava tateando na direção do café que segurava, enquanto a outra alcançava seu iPhone.

Eu nem mesmo tentei falar com ela até que ela engolisse alguma cafeína e verificasse seu e-mail, e por esse tempo ela estava de pé, vagamente alerta e mantendo contato visual.

— Certo, então, vamos para o Brooklyn para o *brunch* — disse ela. — Podemos ir de táxi?

— Não podemos tomar nosso *brunch* por aqui? Eu vi um lugar agradável a dois quarteirões de distância. — Estava muito frio para ir longe, e eu não estava certo sobre o tempo de que precisávamos para estar no aeroporto, mas Jeane apenas bufou.

— Quarteirões? Cara, você está falando americano! — e bufou de novo. — Eu disse ontem à noite que seria realmente chato vir até aqui e só sair de Manhattan pra ir até o aeroporto. E você concordou!

— Eu não tenho nenhuma recordação sobre isso.

— Bem, você tinha um monte de saquê e estava quase dormindo enquanto eu estava lhe contando como são incríveis os brechós no Brooklyn. Na verdade, você disse "Cale a boca, estou tentando dormir".

Aquilo não era exatamente como eu me lembrava.

— Eu só tomei dois saquês.

— Ah, é, e cerca de quatro garrafas de cerveja — disse Jeane, enquanto saía da cama, mas não parecia se importar que eu tivesse dormido enquanto ela estava falando, ou que eu tivesse me embebedado. Supostamente embebedado. Porque eu realmente não tinha me embebedado. Enfim, todo mundo sabe que a cerveja americana quase não tem álcool.

Naquele instante Jeane estava andando pela cama, mas em vez de saltar da beirada, como ela sempre fazia, porque ela não poderia simplesmente sair da cama sem agir como uma anormal, ela parou com os olhos arregalados.

— O que é isso? — perguntou, apontando o dedo para a mesa. — Você venceu alguma maratona de supermercado ou algo assim?

Segui seu olhar até onde meus vários pacotes do Dylan's Candy Bar estavam empilhados sobre a mesa.

— Não, eu só comprei doce como uma pessoa normal.

Ela apertou a mão sobre o coração.

— É tudo pra mim?

— Bem, eles não tinham nenhuma Haribo...

— Deus, que tipo de cidade de uma só marca é esta?

— Mas consegui encontrar algumas coisas que agradariam alguém com uma obsessão por balas de goma.

Eu podia ver que Jeane estava tentando, sem sucesso, levantar uma só sobrancelha. No final, ela estampou um sorriso.

— Eu não sei por que você está fazendo parecer que minha obsessão é uma coisa ruim. É uma coisa muito, muito boa.

— Vai apodrecer seus dentes.

— Não se eu escová-los e usar o fio dental duas vezes por dia.

Algumas vezes não havia discussão com Jeane e, embora ela não fosse uma pessoa diurna, ela ainda estava de bom humor pelos triunfos da noite passada, e por isso decidi não irritá-la.

— De qualquer forma, a maior parte é pra você e o resto é pra Alice e Melly... Ah, merda!

— Por que "ah, merda"? — Jeane sentou-se e deu tapinhas no lugar ao lado dela. — O que foi?

— Eu não posso dar a elas os doces que comprei em Nova York, posso? — Sentei-me e deixei Jeane esfregar minhas costas. Sua mão continuava passando pelo mesmo lugar, de novo e de novo, como se ela estivesse tentando me enrolar, mas apreciei o esforço. — Eu não deveria estar em Nova York. Eu deveria estar em Manchester.

Jeane ficou em silêncio por um segundo.

— Basta dizer que havia uma loja surpreendente de doces americanos em Manchester e que você comprou essas coisas lá. Você é tão ruim em mentir, Michael.

Jeane tinha razão.

— Bem, você é boa nisso o suficiente por nós dois.

Ela sorriu para mim.

— Eu realmente sou, e você comprou doces pra mim, e se eu não estivesse com gosto ruim na boca e com bafo de café e realmente não precisasse fazer xixi, eu o beijaria agora.

Já passavam das 13 horas quando chegamos em Greenpoint, onde Jeane decidiu que iríamos tomar nosso *brunch*, porque ela passou mais de uma hora se preparando e, em seguida, perdeu um tempo precioso implorando para eu trocar minha roupa.

— Mas Michael, ninguém mais usa jeans skinny — implorou. — Especialmente com uma camisa xadrez. O *revival* grunge acabou.

Não lhe dei ouvidos, e quando chegamos ao Café Colette em Greenpoint, o qual, aparentemente, era ainda mais dolorosamente moderno do que o Williamsburg, o qual era ainda mais legal do que Nova York, praticamente todos os caras no lugar estava usando jeans skinny e camisa xadrez. Todos eles também com cabelos que pareciam ter sido cortados com tesouras enferrujadas de jardim, eu facilmente estava à frente em questão de pontos.

Havia uma fila lá fora e eu era totalmente a favor de encontrar outro lugar para tomarmos nosso *brunch*, mas Jeane insistiu que deveríamos esperar na fila. Ela também insistiu que o *brunch* era por sua conta e também pagou o táxi, e embora ela estivesse sendo reembolsada de seus gastos, aquilo me fez sentir estranho. Não só estranho, mas senti que não estávamos no mesmo nível. OK, houve momentos em que parecia que Jeane nem sequer estava no mesmo planeta que eu, e, voltando para casa, iríamos para a mesma escola, caminharíamos pelas mesmas ruas e atacaríamos o refrigerador um do outro, mas, ali, parecia que Jeane detinha todo o poder. Eu sabia que poderia ser mais tranquilo e aberto sobre seu incrível poder de garota, mas eu não era. Não importava o quanto eu tentasse.

— Ei, você está segurando a fila — Jeane me disse de repente, e percebi que nós realmente estávamos fazendo aquilo dentro da lanchonete e que havia apenas uma festa diante de nós.

O telefone de Jeane começou a tocar quando estávamos finalmente sendo levados por um assoalho xadrez para uma das mesas para duas pessoas que estavam alinhadas contra a parede de trás. Olhei em volta com interesse para as outras pessoas e para o grande balcão antiquado do lado oposto, mas Jeane estava colada ao seu telefone.

— Eu recebi, tipo, cinquenta e-mails nos últimos dez minutos — ela murmurou. — E no dia de descanso também.

Peguei um cardápio, interessado em explorar as opções de *brunch*. Talvez aquela fosse minha oportunidade de experimentar o bacon com xarope de *maple*, mas, então, de repente, Jeane tirou os olhos do telefone e gritou como se estivesse com dor.

— O quê? Qual é o problema? — perguntei, enquanto as duas garotas na mesa ao lado a fitavam. Jeane olhou ao redor do café descontroladamente. Então ela apontou para uma prateleira de jornais perto da porta.

— *The New York Times* — disse com voz rouca, como se ela fosse uma fumante de 40 cigarros por dia. — Será que eles têm o *The New York Times*?

Como ela estava pagando tudo, o mínimo que eu podia fazer era me levantar e buscar o jornal para ela. Ela o tomou de mim, sem nem um "muito obrigada" sequer, e começou a vasculhá-lo.

— Chato. Chato. Crise econômica. Saúde universal. Muito blá-blá-blá. Ai, caramba! Não acredito nisso. Me belisque!

Fui meio que tentado, mas me inclinei e tentei olhar para o jornal de cabeça para baixo. Não foi difícil porque, mesmo de cabeça para baixo, uma enorme fotografia de Jeane sendo levada ao palco no dia anterior era instantaneamente reconhecível.

— Agradável como a essência de Jeane — li a manchete em voz alta. — Conheça a adolescente inglesa que transformou a dorkidade em uma marca de estilo de vida.

Jeane piscou devagar e colocou as mãos nas bochechas, que estavam vermelho brilhante.

— Uau! — disse ela. — Ah. Uau! Eu lhes enviei meu discurso por e-mail após a conferência, mas não pensei que o reproduziriam tão cedo. Ou mesmo que eles o reproduziriam como se ele fosse, tipo, um achado em si mesmo. Nossa.

— *The New York Times* — disse lentamente. Fiquei contente por ela, realmente fiquei, mas, de alguma forma, eu não podia fazer minha voz soar feliz. — Então, isso é um negócio muito grande?

— O maior. — Jeane olhou para sua foto com uma expressão enlevada, como se nunca tivesse visto seu rosto antes. — É uma mudança de jogo total.

Eu nem sabia o que aquilo significava. Parecia o tipo de porcaria que as pessoas vomitavam em *O Aprendiz* pouco antes que seus traseiros fossem chutados, e Jeane nem estava esperando por minha resposta, e sim traçando os dedos sobre a página, e foi só quando alguém se aproximou para tomar nosso pedido que ela relutantemente arrancou seu olhar da página e se dignou a olhar para o cardápio.

Ela não me disse uma única palavra na meia hora seguinte. Eu não sabia que Jeane poderia ficar tanto tempo sem falar. Ela apenas permaneceu ali, em seus calções de golfe xadrez, uma camiseta do Thundercats e um casaco laranja e, em vez de tomar um *brunch* adequado, mastigou uma baguete recheada com Nutella e requeijão que segurava em uma mão enquanto respondia a e-mails com a outra.

Eu tinha deixado de existir. Na verdade, comecei a me perguntar se tinha me tornado invisível, até que meu telefone começou a tocar. Pelo menos, ainda havia pessoas que queriam falar comigo, mesmo que essa pessoa fosse, na verdade, minha mãe.

Para ser honesto, foi um alívio ter uma desculpa para deixar a mesa. Havia muitos sotaques americanos ao alcance da voz para que eu atendesse à chamada em qualquer lugar que não fosse do lado de fora.

— Volto em cinco minutos — disse a Jeane, que não levantou os olhos ou acenou com a cabeça, nem declarou de alguma forma que sabia que eu ainda estava ali.

29

Eu não pude acreditar quando Michael apenas se levantou e, tipo, saiu. Era o maior dia da minha vida. A coisa mais incrível que já havia acontecido comigo, e eu tive sorte o suficiente para ter algumas coisas incríveis acontecendo comigo nos últimos dois anos, mas aquela era uma coisa mais incrível ainda. Era totalmente INCRÍVEL, e Michael não pôde nem sequer se incomodar em dizer "Muito bom" ou "Ei, parabéns".

Ele estava naquele estado de espírito desde que tínhamos chegado em Greenpoint. Provavelmente porque queria ficar em Manhattan e fazer algo clichê e turístico, como tomar seu *brunch*, sei lá, no The Four Seasons. Mas na primeira noite em Nova York dei-lhe a experiência turística, e ontem eu estivera estressada como nunca havia estado antes, e por isso queria metade de um dia para explorar o Brooklyn e fotografar pessoas com roupas interessantes e conferir lojas vintage.

Havia momentos em que Michael podia ser gentil, atencioso e o garoto cabeça do meu coração, e havia outras vezes em que ele podia ser um babaca absoluto. Ele também não voltou em cinco minutos, por isso, depois de ter que ficar sentada sozinha por vinte minutos e de receber muitas recargas de café porque ainda havia uma fila enorme de pessoas esperando por uma mesa e todos ficavam olhando incisivamente para mim, paguei a conta e saí, encontrando Michael agachado contra uma parede e ainda falando ao telefone.

Postei-me diante dele com as mãos nos quadris, até que ele olhou para cima.

— Minha mãe — murmurou. — Ela sabe que estou em Nova York.

Que barraco! Então, ele estava em Nova York e não em Manchester. Ele ficou agachado e ouviu um sermão muito chato sobre responsabilidade e sobre não mentir, e sobre ser um modelo para suas irmãs mais novas. Era quase uma questão de vida ou morte. Perspectiva: ele realmente precisava fazer alguma coisa.

Eu não tive chance de dizer aquilo a Michael porque ele ainda estava ao telefone, franzindo a testa, dizendo que estava arrependido mais uma vez e agindo como se tivesse o peso do mundo sobre os ombros. O que não era verdade, de jeito nenhum.

Finalmente ele terminou, se levantou lentamente e encolheu os ombros dentro de seu moletom.

— Estou com sérios problemas — disse ele com voz desesperada. — Você colocou uma foto no Twitter de nós dois na noite passada, não foi?

— O quê? — rebati. Eu ainda não tinha verificado o Twitter naquela manhã, porque estive muito ocupada com o e-mail de Oona, que estava ansiosa para me garantir na conferência de Tóquio. — Como se eu pudesse fazer alguma coisa tão estúpida como tuitar uma imagem de nós dois juntos, ainda mais em Nova York. Por que eu faria isso?

— Não sei, por que você faria? — Michael retrucou, e então ele entrou em uma história longa e complicada sobre como Sanjit, o amigo com quem ele disse que ficaria na Universidade de Manchester, tinha uma irmã da mesma idade de Melly, e essa irmã estúpida tivera uma festa do pijama, e quando a mãe de Michael foi buscá-la na festa do pijama em algum horário terrivelmente cedo e perguntou por Sanjit, sua mãe disse que ele estava em Leeds para conhecer os pais de sua namorada.

Por volta daquele horário, que era antes do amanhecer em Nova York, quando seus pais não puderam encontrar e proteger seu Michael, eles foram para a internet e encontraram aquela suposta imagem.

Peguei meu celular e entrei no Twitter para ver aquela foto famosa, e quando uma imagem borrada de mim ao lado da narina e da boca fazendo beicinho de Michael apareceu, os acontecimentos da noite passada lentamente voltaram à minha cabeça. Bem, alguns deles voltaram.

— Eu estava bêbada! Olhe! Eu não podia nem sequer soletrar Gansevoort corretamente, e você disse que estava OK postar a foto. Ah! Ah! Algum idiota a retuitou. Por que eles fazem isso?

— Eu não sei! — Michael falou pontuadamente. — Por que você tem que tuitar cada última coisa que acontece com você?

Eu o ignorei enquanto clicava para ver quem havia retuitado. Era um seguidor meu, chamado @dimsumsaboroso.

dimsumsaboroso é uau
Minha garota & minha narina esquerda RT @adork_able NYC, baby! No Gansevoort com ML. Peachy Lychees para todo lado!

Levei exatamente cinco segundos para fazer a conexão. @dimsumsaboroso tinha um conhecimento enciclopédico de bolinhos chineses, era superidentificado com a insistência imaginária de Jean-Paul Sartre, tinha uma mãe mandona e sempre sabia quando eu estava para baixo, mesmo se eu mantivesse meus tuítes otimistas, e me enviava links de cães praticando esportes radicais.

A droga do *dim sum* saboroso era Michael, e eu ia acabar com ele.

— Você! Esse é você! — balbuciei, enquanto balançava meu telefone na cara dele. — Você gostou de foder com minha cabeça, não é?

— Do que você está falando? — Michael agarrou meu pulso e o manteve parado a fim de que pudesse ver o que eu estava lhe mostrando. — Ah.

— Nem tente negar isso. — Arranquei minha mão e libertei meu telefone. — Você disse que nem sequer estava no Twitter!

Michael se moveu, desconfortável.

— Bem, o que eu realmente disse foi que não tinha Twitter.

— Eu acho que você entendeu muito bem. Foi engraçado jogar comigo? Você contou para todos os seus amigos para que pudesse dar uma boa risada pela maneira como me enganou? Como você me cravou algumas estacas?

— Não foi nada disso! — protestou Michael. Seu rosto estava vermelho, e ele puxava o colarinho de sua camisa como se fosse sufocá-lo. Eu preferiria que sufocasse. — Eu mal a conhecia quando nós começamos a nos falar pelo Twitter!

— Você me conhecia o suficiente para continuar me perseguindo na escola por causa de Barney e Scarlett, e você me conhecia bem o suficiente quando estava fazendo sexo comigo, mas você não pensou em contar isso quando estávamos tuitando um para o outro — cuspi de volta. — É uma invasão total da minha privacidade.

— Não é. É um fórum público e, de qualquer maneira, isso era pela internet. Não era real. Você não é a mesma pessoa na internet que você é na vida real e...

— Sim, eu sou! Eu sou como uma versão melhorada de mim. E, tipo, a internet é meu lugar feliz. Eu aposto que as pessoas que interagem comigo são tão honestas como eu sou!

— Isso é ridículo! Nós já passamos por isso antes. Todo mundo finge ser alguém que não é quando está on-line. Eles têm, tipo, uma *persona* de internet.

— Então quem é você, então? A pessoa com que eu tuitava, que na verdade, era uma grande mentira...

— Nenhuma das coisas que eu tuitei era mentira.

— Ou você é Michael Lee, um perseguidor cibernético assustador, que usou toda a informação que postei on-line para seus próprios fins malignos? — perguntei, e eu não estava nem sequer sendo desnecessariamente dramática. Pela primeira vez. Eu odiava a ideia de que Michael tivesse se debruçado sobre meus tuítes, à procura de pistas, tentando farejar minhas fraquezas e, talvez, se ele tivesse se revelado mais cedo, não teria feito nenhuma diferença para as coisas que havíamos tuitado um para o outro, os tuítes que eu havia lançado no éter, mas agora eu nunca saberia. Ele não havia me dado essa escolha.

— Você não deve colocar material na internet, se você não quer que as pessoas encontrem — Michael insistiu obstinadamente, em vez de pedir desculpas, caindo de joelhos e implorando meu perdão. — Você carregou-o para as pessoas verem, então não entendo qual é o problema. OK, talvez eu devesse ter aberto tudo, mas...

— Não há talvez nisso! Não é apenas sobre você me tuitar sob falsos pretextos. Eu já lhe disse coisas que nunca iria colocar na internet, fiz confidências a você, confiei em você... — Eu tive que me interromper porque minha voz estava grossa com as lágrimas, embora eu estivesse determinada a não chorar. Eu não seria uma daquelas garotas e não iria chorar por um garoto. — E todo esse tempo, você estava sendo completamente falso.

— Você está exagerando sobre isso, Jeane — Michael disse, e ele estava soando completamente defensivo e pacientemente suportando tudo aquilo como se aquilo não fosse importante, quando, realmente era e, na verdade, eu estava reagindo apenas na intensidade adequada. — E eu realmente não preciso que você grite comigo agora. Eu meio que estou em uma situação muito ruim, caso você não tenha notado.

Eu bati o pé, então.

— Você não está em uma situação muito ruim, Michael — sibilei. — O pior que pode lhe acontecer é que seus pais poderão parar de dar sua mesada e proibi-lo de vir para Nova York por três anos. Você é uma droga de um adulto legalmente responsável, por que não começar a agir como um? E quando você tiver parado com isso, talvez possamos voltar a falar sobre mim.

Michael nem ficou com raiva. Ele apenas olhou intrigado, como se minha dor e meu sofrimento ainda nem mesmo tivessem sido registrados.

— Nós não fazemos nada além de falar de você.

— Ah, me desculpe por estar animada de estar no *The New York Times*. Me desculpe se isso cansa sua beleza. Deus, você simplesmente não pode lidar com o fato de que eu não esteja feliz simplesmente por estudar para minha Qualificação e trabalhar em minhas aplicações universitárias como todos os outros adolescentes chatos com quem você sai. Você não pode nem mesmo se alegrar por eu estar no *The New York Times*!

— Claro que estou contente por você, mas é a quinquagésima vez que você menciona isso, e está ficando um pouco chato. — Michael suspirou, interrompendo completamente meu fluxo, embora eu mal tivesse me aquecido. — De qualquer forma, não entendo que grande negócio é esse. Você está sempre nos jornais. Você é a garota de confiança deles sempre que precisam de uma adolescente tagarela e ofensiva com um inferno de coisas a dizer sobre si mesma.

Bati meu pé novamente e agitei os braços amplamente.

— Sou muito mais do que isso. Espere. Eu posso fazer TV, se quiser. Eu tenho três empresas de produção me implorando para me reunir com eles e um editor que quer que eu escreva um livro. E por que não deveria ter minha própria coluna em um jornal? Eu tenho muito a dizer, e vou dizê-lo em nome dos dorks, dos geeks, dos nerds e dos marginalizados, porque não queremos ser anulados pela corrente dominante. Nós queremos tudo de acordo com nossos termos, e nada, nem ninguém, nem mesmo...

— Ah, pelo amor de Deus, Jeane, você pode calar a boca? — Michael, de repente, gritou. Realmente gritou. Até então, eu estava fazendo toda a gritaria. — O que você está fazendo realmente não importa. Sim, é legal que você esteja começando a fazer tudo isso, mas você tem a Qualificação chegando e logo você não vai querer se vestir da maneira como você se veste, e você vai perceber que tudo que você precisa é baixar o tom porque você não vai entrar na universidade ou conseguir um emprego ou amigos adequados a menos que você pare com todo esse negócio estúpido de dork.

Eu não disse nada, porque não poderia fazer minha boca trabalhar e colocar as palavras para fora. Eu tinha mostrado a Michael partes da minha vida que nunca tinha mostrado a qualquer outra pessoa, e não só ele havia me traído por violar meu feed do Twitter com uma identidade falsa, mas ele jogou tudo na minha cara como se eu tivesse dado a ele em seu aniversário um par de calças sujas que havia encontrado debaixo da minha cama. Aquilo não era nada parecido com o que havia acontecido com Barney. Sim, eu o tinha levado para o circuito de patinação e feito com que ouvisse Kitty, Daisy e Lewis, mas eu jamais permitiria que Barney visse o coração escuro da minha dorkidade.

— Isso não é estúpido — respondi firmemente, tremendo como o vento que soprava em torno de mim. — É o que eu sou. Nada mais importa. Nem a Qualificação ou ir para a universidade ou conseguir um emprego. Esse é meu trabalho, é isso que me define. Se eu morresse amanhã, então pelo menos teria feito algo com minha vida. Deixado algo pra trás, de modo que as pessoas pudessem saber que eu existi. Adorkable é tudo o que eu tenho.

— Não, não é tudo o que você tem — disse Michael, dando os três passos que o colocaram exatamente diante de mim. Ele estava tentando fazer aquela coisa com seus olhos penetrantes, como se ele fosse todo perceptivo e uma merda. — Olha, nós dois nos comportamos como uns babacas e dissemos coisas que não deveríamos dizer, mas você ainda tem a mim. Eu não vou a lugar nenhum.

Deus, ele apenas não entendeu. Ele não me entendeu, e fui estúpida em pensar que algum dia ele entenderia.

— Eu não tenho você. Eu não quero você, não depois do que você fez. E eu não preciso de um namorado para validar minha existência, porque eu posso validar a mim mesma.

— Se você simplesmente cortasse tudo isso, as coisas não seriam tão difíceis — disse Michael intensamente, como se ele tivesse dedicado muita reflexão ao assunto. — E talvez, se você não se esforçasse tão arduamente para ser diferente e para não se ajustar, então eu não teria vergonha de ser visto com você. Eu poderia tornar a vida mais fácil para você.

— Que monte de porcaria heteronormativa!

— O que isso quer dizer?

— Significa que não vou desistir dos meus sonhos apenas para que eu possa ser um personagem na lista B em seu filme. Você quer saber qual é o seu problema? Pela primeira vez na sua vida, você não consegue ser o centro das atenções, e você não pode suportar isso, pode?

— E o problema é que você não pode suportar agir normalmente, porque quando você tira suas roupas feias e todas as palavras compridas e toda essa merda maluca que você acredita que a torna diferente, realmente não resta muita coisa, apenas uma garota com um grave transtorno de personalidade.

Os hipsters e as mães e os pais legais com seus filhinhos chamados por nomes estúpidos como Demeter e Minnesota formando fila no frio para conseguir uma mesa para o *brunch* olhavam para nós enquanto gritávamos um com o outro, e eu realmente me senti nada especial naquele momento. Eu era apenas uma garota estúpida vestindo roupas estúpidas que não combinavam, gritando com um garoto com o qual eu também não combinava.

Isso era tudo o que Michael Lee era, apenas um garoto, e eu tive que arrancar todo o poder que ele acreditava ter sobre mim. Queria trazê-lo para seu tamanho e fazê-lo se sentir tão pequeno quanto eu me sentia.

— Por que você não volta pra sua mãe e seu pai, pra que possam tirar seus privilégios de TV e mandá-lo para a cama sem jantar?

— E por que você não volta pra sua cova purulenta que você chama de apartamento e come até morrer, sua criação absurda da mídia? — Michael disparou de volta e aquilo me matou, literalmente me matou deixá-lo ter a última palavra, mas havia um táxi disponível, e a única maneira de sinalizar para que ele parasse foi correr pela rua e, novamente, literalmente me matar no esforço de fazê-lo parar.

Por mais que eu tivesse gostado de nunca mais ver seu rosto novamente, no momento em que estava de volta ao Gansevoort, percebi que não poderia abandoná-lo. Eu não tinha certeza se ele ainda tinha o bilhete do metrô, e eu estava com nossas passagens de avião, de maneira que fui forçada a lhe enviar uma mensagem de texto e dizer que me encontrasse no aeroporto JFK.

Lá estava ele, próximo ao check-in da classe econômica premium, quando me virei, arrastando um carrinho de bagagem atrás de mim. Eu o odiava, odiava, odiava, mas meu coração deu aquela pequena falhada feliz porque eu não estava acostumada a odiá-lo ainda. Minha cabeça era feita de um material muito mais forte.

Ele olhou para mim envergonhado enquanto tirava sua mala do carrinho.

— Ei, Jeane... Eu sei que devia ter lhe contado sobre o Twitter, mas quanto mais eu demorava, mais difícil ficava... — começou, mas eu o ignorei e marchei para o check-in. Eu sabia que tinha que continuar sendo forte. Eu estava evoluindo para outros níveis, e se viaja mais rápido quando se viaja sozinho.

— Nós absolutamente não queremos nos sentar um com o outro — disse ao atendente do check-in. — Pagarei para mudar a classe de meu bilhete, se for necessário.

— Inacreditável — Michael sibilou, mas não podia fazer uma cena porque era um aeroporto e ele seria carregado para fora como suspeito de ser um terrorista total.

Então, fui levada para a segurança do salão da classe empresarial e, embora nossos olhos tivessem se encontrado brevemente enquanto eu embarcava no avião primeiro, logo eu estava escondida em minha poltrona com uma grande mesa para que eu pudesse ligar meu laptop e começar a fazer listas e planos. Adorkable estava recebendo uma grande atualização e eu não iria deixar que aqueles que o odiavam ficassem em meu caminho.

30

♥Michael Lee mudou seu status de relacionamento de Enrolado para Solteiro.

adork_able Jeane Smith
Pausa no Twitter para resolver várias coisas fantásticas. Sinta-se livre para enviar fotos de filhotinhos bonitos no Twitpic, no entanto.

Querido Michael,
Como discutido, esta é sua agenda para o próximo mês. Vamos revisitar esse tema quando você fizer a pausa para o Natal e depois que você tiver dedicado um tempo para refletir sobre as más escolhas e decisões que você vem fazendo.
Mamãe e papai

Segunda à sexta
7h30: Alimentar o gato. Ajudar com o café da manhã, limpar a mesa do café da manhã.
8h30 — 16h45: Você irá diretamente para a escola, você vai permanecer na escola. Se tiver um período livre, você vai à biblioteca estudar. Depois da escola, você vai direto para casa.*

* Pensamos longa e duramente sobre permitir que faça suas atividades extracurriculares, mas, por causa de suas aplicações universitárias, decidimos deixá-las ficar.

19h: Colocar a louça na máquina de lavar louça, depois você irá estudar na mesa da cozinha. Conforme nós concordamos, você não terá acesso à TV, *video game*, iPod, e removemos o cartão de internet sem fio do seu laptop.

Se você não tiver nenhum trabalho escolar, há muito trabalho de administração que você pode fazer para seu papai.

22h30: Apagar as luzes!

- Segunda-feira — conselho escolar
- Terça-feira — treino de futebol
- Quarta-feira — sociedade de debate
- Sexta-feira — treino de futebol

SÁBADO

7h30: Alimentar o gato. Ajudar com o café da manhã, limpar a mesa do café da manhã.

9h — 12h: Estudar.

12h — 13h: Almoço.

14h — 17h: Jogo de futebol.

18h — 19h: Jantar. Limpeza depois do jantar.

19h — 22h: Você pode assistir a um DVD conosco ou ler um livro. Sua escolha.

23h: Apagar as luzes!

DOMINGO

7h30: Alimentar o gato. Ajudar com o café da manhã, limpar a mesa do café da manhã.

9h — 16h: Passeio em família.

17h: Ajudar papai a fazer o assado de domingo.

19h: Limpeza após o jantar.

20h: Deixar as coisas organizadas para a escola.

21h — 22h: Estudar ou ler.
22h30: Apagar as luzes!

Para: bethan.smith@cch.org
De: jcastillo@qvhschool.ac.uk
7 de dezembro de 2011

Querida senhorita Smith,
 Estou lhe escrevendo a respeito de Jeane Smith. Nossos registros apontam que você é a guardiã de sua irmã mais nova, embora eu saiba, pela tutora formal de Jeane, a Sra. Ferguson, que você está trabalhando atualmente nos Estados Unidos e que seus pais também residem no exterior. No entanto, devo informá-la de que Jeane vem se ausentando da escola nas últimas três semanas, e de que também não concluiu seu trabalho de curso deste período.
 Fora feito todo esforço para contatar Jeane via telefone e e-mail, na medida em que seu futuro na escola e seus planos de completar a Qualificação no próximo ano já estão em sério perigo. Não tenho outra opção senão entrar em contato com a senhora e pedir que conscientize Jeane da gravidade potencial de suas ações.
 Embora tenham ocorrido significativos problemas de conduta e de comportamento por parte de Jeane, seu registro acadêmico é excelente, e estou confiante de que a escola pode lhe oferecer apoio e soluções para que ela possa retomar seus estudos. Ficaria mais que feliz em discutir com você por telefone, caso lhe agradasse me telefonar.
 Quando falar com sua irmã, poderia pedir a ela para entrar em contato comigo ou com a Sra. Ferguson, para que possamos marcar uma reunião a fim de resolver quaisquer questões que estejam afetando Jeane?

Estou ansiosa por sua resposta, e espero que possamos trabalhar juntas para alcançar um resultado positivo quanto a essa questão. Atenciosamente,

Jane Castillo
Vice-diretora

Michael! Por mais quanto tempo vc será punido? Estamos com saudade! Heidi bj

História longa e chata. Posso ter uma folga por bom comportamento. Abraços de Natal. Michael

Então, o q foi q te detonou? Galera diz q vc engravidou a dork!! Q vcs fugiram para NYC!! Vc estava ficando com ela? H bj

J & eu éramos apenas amigos. Mas ela é muito insana. Que é isso! Não sei por que a galera tem que espalhar boatos. M

Demais! As pessoas são odiosas! As coisas vão se acertar. Mas vc está de castigo? É ridic. Vc tem 18.

Trabalhando na aplicação para Cambridge & fui pego bebendo. Muito ridic!

Vc nem mesmo sai com a gente na escola. Todo mundo com saudade. Não só eu. Mas especial/te eu!!!! Vamos pensar em algo especial para fazer quando vc estiver livre. H bjsssss

Ok. Tenho q ir. Vejo vc amanhã na escola. M.

Ok baby. Amo vc. H bjssssss

A ENTRADA MAIS DORKÁSTICA NA HISTÓRIA DOS BLOGS!!!

Olá! Hola! Buenos dias! Guten Tag! Insira a saudação no idioma de sua escolha!

Então, ei, como você vem passando?

Os boatos sobre minha morte prematura foram muito exagerados. Eu ainda estou viva e estou aproximadamente um zilhão de vezes mais dork do que estava da última vez em que nos falamos porque — que rufem os tambores, por favor, maestro — Adorkable está se tornando multiplataforma, global e vindo diretamente para você!

Quero dizer, poderia ter seguido em frente blogando, vlogando e tuitando sobre todas as coisas legais e aleatórias que eu amo nos momentos escassos que tenho quando não estou estudando para a minha Qualificação, mas é verdade! Qual é o ponto em ficar presa em uma sala de aula com outros 29 antidorks com olhar mortiço e sem alma com quem não tenho nada em comum além da minha idade? Não há nenhum ponto. Não quando posso usar meu tempo e minha energia para espalhar a mensagem de que os geeks herdarão a Terra.

Assim, passei o último mês em tantas reuniões que eu agora fico com urticária só de ver uma bandeja de salgadinhos ou um flipchart esquisito, mas valeu a pena (mesmo que eu nunca mais possa comer um *pain au chocolat* conscientemente). OK, apertem os cintos que vou levá-los por uma visita guiada.

Adorkable — o programa de TV

No próximo ano, filmarei uma série de documentários para o Canal 4. Vou explorar o que significa ser fora do padrão nesse mundo louco, consumista e padronizado no qual somos forçados a viver. Falarei do Acampamento de Rock 'n' Roll para Garotas de Molly Montgomery (da Duckie e minha heroína de todos os tempos). Vou para Tóquio caçar uma caixa de Kit Kats de chá-verde e passar tempo com a fotógrafa de rua e deusa toda poderosa Keiko Ono. Ah, os lugares para onde irei: Suécia, Brasil, América — até a China, se pudermos cortar por faixas de fita vermelha.

Adorkable — o livro

Também assinei um contrato para escrever dois livros sobre vampiros. Ah! Até parece! Mas estou escrevendo dois livros. O primeiro será chamado *Adorkable* — Como me tornei rainha dos nerds, e é em parte um manifesto, em parte memórias, em parte discursos inflamados. Ele terá fotos e receitas e também uma história em quadrinhos. Eu não tenho nenhuma ideia sobre o que será o segundo livro, mas não vamos dizer isso para minha editora.

Adorkable — a coluna

O *The Guardian* publicará oitocentas palavras minhas a cada sexta-feira. Eu vou pontificar sobre como os cupcakes tomaram o mundo, se os filhotes são a nova raça mestre, por que os cortes na educação são um estratagema ideológico para nos manter por baixo e, ah, todas as outras coisas sobre as quais eu amo pontificar.

Adorkable — o site

Sim, eu já tenho um site, mas este será um site decente, que tem um pouco de dinheiro por trás dele para que você não tenha apenas que se sentar e assistir à minha "poeiracam" por horas a fio. Eu tenho tantos amigos incríveis com talentos incríveis, de modo que Adorkable.com será um lugar onde eles (e espero que você) possam mostrar como são fantásticos. Ele terá artigos, filmes e filhotes, e será um lugar cheio de amor e de comentários sarcásticos.

Adorkable — em turnê

Vou fazer um monte de eventos públicos no próximo ano. Tipo, muitos, muitos. Alguns deles serão conferências acadêmicas, mas também farei parceria com uma instituição de caridade para entrar em escolas e clubes de jovens para executar oficinas sobre autoestima e autonomia. OMG! Estou tão animada com isso, mas também meio que apavorada.

Então, aí está. Tenho a sensação incômoda de que poderia estar me vendendo, mas a maneira que vejo é que deve haver alguém como eu no mundo nos representando. Chame-me de equivocada, mas creio que tenho algumas coisas importantes a dizer que as pessoas precisam ouvir, e se posso ter uma hora na TV ou um livro distante das Snookis e dos Jordans, então isso tem que contar para alguma coisa.

Certo, estou descendo do palanque agora. Tem que haver um clipe de um filhotinho fazendo coisinhas fofas na internet que eu ainda não tenha visto, e sinto o dever de encontrá-lo. Até mais, Jeane

31

Eu ainda nem tinha começado a procurar por algum novo vídeo de filhotes quando meu ícone do Skype começou a pulsar com vida, e automaticamente liguei minha webcam. Então deslizei da minha cadeira e me agachei embaixo da mesa, no caso de ser alguém com quem eu realmente não quisesse conversar, até que ouvi uma voz familiar dizer, "Jeane, feijãozinho, onde está você?".

Era Bethan! Disparei para cima, bati minha cabeça e me sentei novamente, a mão massageando a ferida na testa. Não tinha tempo para lidar com um ponto de lesão cerebral.

— Olhe pra você com sua roupa de hospital, como se acabasse de sair do set de *Grey's Anatomy* — eu disse alegremente.

Bethan estava sentada no sofá, na sala de seu apartamento em Chicago. Ela parecia cansada, e seu cabelo loiro estava preso em um coque apertado, mas então ela me deu um aceno meio estúpido e um sorriso bobo, e acenei e sorri para ela, e senti como se voltasse para casa.

— Acabei de ler seu blog, por isso sei que você ainda está viva — Bethan disse secamente. — Graças a Deus por isso!

— Mas cada vez que eu tentei encontrá-la no Skype você estava curando crianças doentes — lembrei-a. — E se você for viver em outro continente, isso apenas tornará tudo mais complicado.

— Verdade — Bethan admitiu. — As crianças pequenas têm o péssimo hábito de cair de árvores e ficar doentes, mas, ei, Jeane, mamãe e papai estão tentando encontrá-la, eu recebi e-mails de sua tutora formal e de sua vice-diretora... O que está acontecendo? Você não pode simplesmente parar de ir à escola.

— Bem, eu meio que posso, e eu tenho — disse calmamente. O que está feito está feito, e não havia ninguém que pudesse fazer nada sobre isso. — Veja, eu poderia passar mais de dezoito meses na escola sendo forçada a pintar paisagens marinhas e a escrever redações sobre *Vontade indômita*, nenhum dos quais me dará habilidades importantes na vida, ou eu poderia fazer uma diferença real na vida das pessoas. Não há competição.

Bethan suspirou e empurrou para trás o cabelo que estava fugindo de seu coque.

— Mas nós tínhamos um acordo. Nós quatro concordamos que você poderia viver sozinha enquanto você cumprisse certas promessas. Como comer três refeições adequadas por dia, manter o apartamento limpo e permanecer na escola.

— Mas...

— E você ainda tem aquela "poeiracam" estúpida, e a quantidade de tuítes que você faz sobre Haribo me faz pensar que você não está se alimentando com os cinco alimentos da pirâmide por dia. Além do mais, agora parece que você decidiu que não precisa de educação. — Ela suspirou novamente. — Isso não é legal, Jeane.

— Estou mantendo o apartamento arrumado — protestei. — Olhe!

Virei o laptop para que ela pudesse ter um panorama abrangente da sala, que estava bastante arrumada. Eu estava farta de certas pessoas que agiam como se eu não vivesse no mundo real e não conseguisse lidar com as coisas do mundo real, o que era, tipo, algo muito longe da verdade. De qualquer forma, no mundo real, as pessoas tinham faxineiras. Então, eu contratei a faxineira da mãe de Ben para dar uma passada uma vez por semana. Lydia era da Bulgária, e era assustadoramente obcecada com vinagre e como ele podia acabar com a maioria das sujeiras domésticas. Ela também era simplesmente assustadora e gritava comigo se eu não arrumasse as coisas antes que ela chegasse.

— Bem, parece que está OK; e sobre o consumo de frutas e vegetais frescos?

Pus a língua para fora para ela.

— Roma não foi construída em um dia, você sabe.

— Jeane, você prometeu que faria sua Qualificação. Você realmente prometeu.

Bethan no modo circuito da culpa era horrível. Ela colocava aquela nota triste e decepcionada na voz que sempre fazia com que eu me sentisse péssima.

— Bethan, não fique brava comigo — implorei. — Eu tenho todas essas oportunidades incríveis que não estarão lá se eu esperar até que eu acabe minha Qualificação. Está tudo bem. Eu consigo viajar pelo mundo, fazer coisas interessantes, ter experiências, escrever livros e ser paga com quantias estúpidas de dinheiro.

— Você é muito jovem! Ninguém está olhando por você e, Deus, isso é tudo culpa minha. Eu deveria ter ficado em Londres e me esquecido da bolsa de estudos, porque...

— Não! Você mereceu a bolsa e você tem que seguir seu sonho, e agora estou começando a seguir o meu. Não há nada pelo que se sentir mal.

— Há tantas pessoas que devem estar se aproveitando de você...

Eu amava Bethan. Eu a amava mais do que todos os produtos da Apple, Haribo e os mais fabulosos vestidos de segunda mão do mundo, mas quando ela estava sendo toda sincera e dolorida, ela me matava.

— Ninguém está se aproveitando de mim — disse-lhe. — Eu não sou estúpida. Conversei com pessoas, como minha amiga Molly, que foi levada para um passeio por sua gravadora quando tinha minha idade, assinei com uma agência de talentos realmente respeitável e tenho um contador e um advogado. Está tudo bem, Bethan. Realmente, realmente bem.

— Ah, Jeane... — Bethan parecia que ia chorar. — Nada disso é bom. As coisas não deveriam ter saído dessa forma.

— As coisas saíram simplesmente ótimas, e se você ainda estiver chateada comigo quando voar pra cá na próxima semana, eu a deixarei me espancar. Você pode até fingir me mandar para o meu quarto se isso for fazê-la se sentir melhor. — Pelo menos aquilo a fez sorrir, ainda que tenha sido um sorriso triste. — Na verdade, há algo que você quer que eu adicione à minha lista de compras de Natal? Talvez outro rocambole de Natal e mais tortas de frutas? Não é possível que haja tortas de frutas em excesso. Nós normalmente temos o hábito de nos alimentar com os alimentos da pirâmide na véspera de Natal, não é?

Eu esperava que a menção às tortas animasse Bethan quando tudo o mais havia falhado, mas ela caiu em seu sofá bege.

— Ah, Deus...

— Por que "Ah, Deus"? Você já desenvolveu uma alergia fatal às tortas de frutas?

Bethan olhou à sua direita e disse algo que eu não entendi, e então Alex, o namorado de Bethan, que foi quase ondulando com tantos músculos como Gustav e que queria ser um neurocirurgião quando crescesse, sentou-se ao lado dela.

— Ei, pirralha — disse ele. — Como vai a baderna?

— Ei, Sr. Torta de Maça, Bethan está pirando comigo, você pode lhe dizer para parar porque isso é algo extremamente chato?

Alex pegou a mão de Bethan e eles cutucaram um pouco um ao outro e sussurraram até que eu tive de bater meus dedos no meu monitor para fazê-los parar. Bethan respirou fundo.

— Bem, você quer a boa notícia ou a má notícia?

Eu soube imediatamente que a má notícia estaria longe de superar a boa notícia. Isso sempre, sempre acontecia.

— Más notícias, por favor.

Ambos me encararam.

— Você tem que querer a boa notícia em primeiro lugar — disse Bethan.

— Tudo bem, tanto faz. Chute — eu disse, impaciente. Bethan ergueu a mão e esperei a boa notícia, e esperei e esperei um pouco mais. — Podemos apressar isso, por favor?

— Olhe para minha mão! — Bethan exigiu. — Segundo dedo.

Eu olhava para a tela, e em seu dedo havia um anel. Possivelmente um diamante, embora pudesse se tratar de zircônia.

— Ahn, você está noiva?

Alex sorriu um sorriso que era todo crédito de seu ortodontista.

— Eu pedi a mão de Beth no último fim de semana, e ela concordou em me tornar um homem honesto. Como você se sente por ter um cunhado?

Honestamente, eu não tinha certeza de como me sentia. Creio que estava contente por eles. Mas Alex era americano, e Bethan era britânica, e quando acabasse a residência dela no hospital, eles teriam que tomar uma decisão sobre o continente em que viveriam. Quer dizer, eu gostava de ser independente e que Bethan só pudesse fungar no meu cangote via Skype, mas ela não foi feita para ficar longe para sempre. Consegui colar um sorriso no rosto.

— Ei! Uau! Isso é uma grande notícia. Estou tão contente por vocês e, Alex, se você não pegar no meu pé sobre comer legumes, então estou feliz em lhe oferecer a posição de meu cunhado.

Dessa vez Bethan sorriu como se ela quase quisesse aquilo.

— Tem mais uma coisa — disse ela. — Nenhuma maneira fácil de dizer isso aqui, então lá vai: estou grávida.

— Ah, uau! Certo. É por isso que vocês vão se casar? — perguntei sem rodeios.

— Parte da razão, mas principalmente porque eu amo este grande e velho imbecil — Bethan disse, esfregando o corte à escovinha de Alex enquanto ele sorria abertamente para mim. — E, bem, há toda uma questão de imigração, por isso faz sentido nos casarmos antes que o bebê nasça.

Havia tantas perguntas que eu deveria ter feito, como para quando estava previsto o nascimento, se eles sabiam qual era o sexo e se haviam escolhido os nomes, mas eu não poderia lhes perguntar porque eu tinha certeza de que, assim que abrisse minha boca, diria algo terrível. Algo como: Por que você quer mesmo um bebê? Você não está preocupada se ele vai ficar doente como Andrew? E não está com medo de nunca amar o bebê como Pat e Roy nunca me amaram? Então, por que você está realmente indo adiante com isso?

Como eu poderia dizer qualquer uma daquelas coisas? Meu sorriso foi murchando, e antes que ele sumisse por completo do meu rosto, soltei outro "uau".

— É chocante, não é? — Bethan me perguntou gentilmente. Balancei a cabeça.

— Sim, estou meio que processando. Então, essas eram as más notícias?

— Ah, Jeane! Você tem um senso de humor ótimo. — Eu nunca tinha ouvido ninguém gargalhar antes, mas Alex estava fazendo aquilo agora. — Claro que não é uma má notícia. Nós dois estamos muito animados, só que, bem, é uma boa notícia quando precisamos de uma. Minha mãe está muito doente.

— Ah! Sinto muito por ouvir isso. — Eu realmente sentia e quis dizer aquilo. — Existe... tipo, ela vai ficar melhor?

O sorriso de Alex esmaeceu e ele balançou a cabeça.

— Ela tem cerca de três meses, mas está determinada a ver seu primeiro neto.

A vida ferrava, às vezes. Não era o suficiente que as partes pudessem estar realmente bem, bem como o vencedor de um concurso na loteria; algo igualmente ruim tinha que acontecer apenas para mantê-las em seu lugar.

— Sinto muito, muito mesmo. Não é justo, não é?

— Realmente não é — Alex concordou e olhou para Bethan. Ela olhou para ele e então voltou a cabeça para mim e vi lágrimas escorrendo pelo seu rosto.

— Eu sei que é tudo horrível, mas o bebê é uma coisa boa — disse a ela. — Você tem que focar nisso.

— Ah, Jeane, eu não posso voltar para casa no Natal — ela deixou escapar. — Eu simplesmente não posso. É o último Natal de Alex com a mãe dele e nós estamos tendo que nos casar muito, muito rapidamente, e há tanta coisa pra organizar, além do fato de que estou trabalhando em turnos de doze horas. Por favor, não me odeie!

— Eu não a odeio. Eu nunca, nunca poderia odiá-la — assegurei-lhe. — Não há nada que você pudesse fazer para que eu a odiasse.

— Mesmo se eu lhe disser que nós tentamos colocá-la em um voo para Chicago, mesmo que isso significasse ter que fazer uma escala no Canadá, mas tudo já estava reservado? — Bethan soluçou. — Você vai passar o Natal com papai? Por favor! Eu não posso suportar a ideia de você passar o Natal sozinha.

— Jesus! Prefiro passar o Natal sozinha a passá-lo com Roy e Sandra! Eles provavelmente reservaram o almoço de Natal no Garfunkel's — gritei, e não era uma piada, mas Bethan riu e chorou ao mesmo tempo.

— Jeane, me sinto muito triste sobre isso, mas o casamento provavelmente vai ser em janeiro e...

— Então eu a verei em janeiro e, apenas para que você saiba, qualquer vestido de dama de honra repugnante que você escolher pra mim em cetim arroxeado, provavelmente, vou amar. Só não me faça usar nada... de bom gosto. — Tive um estremecimento falso e Bethan e Alex riram. — Você não precisa se preocupar comigo, porque eu posso ir de penetra no jantar de Natal da família de Ben, e minha amiga Tabitha sempre mantém a casa aberta para quem está perdido. Honestamente, vou ficar bem.

— Eu me odeio por isso.

— Bethan, é muito chato quando você está sendo toda modesta, então, por favor, não faça isso — disse com voz arrastada e pude sentir toda a decepção e a amargura brotando dentro de mim. Tive que engoli-la como bile, porque eu estava contando os dias para que Bethan despontasse no saguão de desembarque no aeroporto de

Heathrow e eu pudesse abraçá-la muito, muito forte, e tê-la só para mim por uma semana inteira. Ela nunca ia ser toda minha novamente. Eu viria bem abaixo na lista, depois de Alex e do novo bebê. — Pare de chorar, não pode ser bom para a criança. Ela virá com uma disposição muito deprimida.

— Ah, cale a boca — Bethan fungou, mas manteve as lágrimas sob controle, e conversamos por alguns minutos sobre o maravilhoso presente de Natal que ela iria me comprar e como eles não deveriam ter um bolo chato de frutas indigestas em seu casamento, já que ninguém realmente gostava, antes que eles tivessem que sair.

Quando finalmente comecei a vasculhar pelo YouTube em busca de filhotes ou de qualquer coisa que me fizesse sorrir, eu soube que tinha razão em deixar tudo para trás em busca dos meus sonhos. Adorkable me tornou parte de algo, e sem Adorkable eu não tinha nada.

32

E então, na manhã da véspera de Natal, depois de ter feito 232 xícaras de chá para mamãe e papai como parte de minha punição e da semana na qual visitei Cambridge — e, embora eu não quisesse tentar a sorte, o professor que tinha feito minha última entrevista havia apertado minha mão e dito que aguardava ansiosamente me ver em setembro —, me foi dado um presente de Natal antecipado.

O wi-fi foi reinstalado (não tive coragem de dizer a eles que eu tinha invadido o roteador sempre que eu queria estar on-line), meu PS3 foi cerimonialmente reinstalado, bem como o iPod, a TV e as chaves do carro, devolvidos.

Recebi minha liberdade de volta. Eu também tinha três horas para terminar a compra de presentes de Natal antes de me encontrar com a turma para o almoço.

— Se você for dirigir, então, por favor, apenas uma bebida — disse papai, enquanto toda a família marchava para o corredor para acenar para mim.

— Vou de ônibus. Não haverá lugar pra estacionar — respondi.

— E não se esqueça de comprar papel-alumínio — mamãe me lembrou, e estávamos de volta ao normal. Passaram cerca de quinze dias falando apenas quando eu falava com eles, porém, na medida em que a entrevista de Cambridge se aproximava, mamãe e papai precisaram falar comigo frequentemente sobre as questões da entrevista simulada, se eu sabia quem me entrevistaria e se eu deveria comprar alguns dos livros para estar devidamente preparada, e assim as coisas andaram.

Mas agora minha mãe me beijou na bochecha e meu pai sorriu quando viu Alice e Melly grudadas nas minhas pernas.

— Você pegou nossa lista? — Melly perguntou mais uma vez. — Percy Pig, e não Peppa Pig. Isso é muito importante, Michael.

— Esteja em casa a tempo para assistir a *The Muppet Christmas Carol*. Estamos fazendo cupcakes especiais dos Muppets — Alice acrescentou. Mamãe estremeceu enquanto contemplava a devastação que elas estavam causando na cozinha. Eu ainda estava rindo enquanto caminhava até o ponto de ônibus.

Dado que eu não era uma garota e dado que eu tinha feito a maior parte das minhas compras de presentes quando me "permitiram" entrar na internet, terminei tudo em três horas. Uma hora foi gasta na Claire Acessórios recebendo cotoveladas, joelhadas e socos de garotas pré-adolescentes que inalaram glitter demais. Carregado de sacolas, apareci no gastropub do pai de Ant.

Eu estava tentando forçar meu caminho através da multidão no bar quando Heidi apareceu de repente e atirou os braços em volta do meu pescoço.

— Michael! Estou tão feliz por você poder ter vindo — disse ela, e então me beijou. Tipo, nos lábios, porque ela obviamente decidiu que o "Obrigado, mas não, obrigado" que eu havia lhe dito no show da Duckie era apenas eu me fazendo de difícil. — Ah! Olhe pra todas essas sacolas. Você tem alguma coisa pra mim aí?

Consegui me livrar antes que ela me estrangulasse.

— Depende se eu tirei você no amigo-secreto, não é? — Ela fez beicinho, e eu poderia dizer que ela estava prestes a escorregar seu braço ao redor do meu, mas dei um passo lateral bacana e me virei, vi nossa mesa e deixei Heidi cambaleando atrás de mim com seus saltos muito altos.

— Reservei um lugar pra você — ela disse em voz alta, mas havia uma cadeira vazia ao lado de Scarlett e me atirei nela, compartilhando um olhar com ela e Barney.

Durante as semanas do regime "Vá diretamente para a escola e nada de negociação", o qual eu ainda creio que fora um exagero porque não era como se alguém tivesse morrido, e minha mãe estivesse chateando todos os seus amigos sobre meu estágio 99% confirmado em Palo Alto, eu só consegui sair com meus amigos na hora do almoço. Mas, principalmente, saí com Barney e Scarlett.

Quero dizer, eles já sabiam sobre mim e Jeane, e por isso não me levaram à beira do desespero me bombardeando com perguntas e me pedindo para confirmar os rumores de que Jeane estava grávida/emigrou/foi expulsa. Embora Scarlett estivesse morrendo de vontade de saber o que realmente tinha acontecido e me olhasse com uma expressão perplexa no rosto, seguida de carranca e de virar de olhos, assim que ela abria a boca, Barney a fitava ou a cutucava, e uma vez ele até mesmo jogou um salgadinho de queijo nela quando Scarlett pronunciou as palavras "Então, você e Jeane"...

Mas quando se tornou óbvio que Jeane não estava frequentando a escola, e que eu estava extremamente farto de as pessoas quererem falar sobre ela e que as coisas não apenas acabaram de forma ruim, mas que aquele havia sido de fato o pior rompimento de toda a história dos rompimentos, Barney e Scarlett estiveram ao meu lado sem exigir nada de mim. Scarlett não era mais meio chorosa e insegura agora que estava com Barney, e Barney, bem, creio que eu definitivamente poderia chamá-lo de parceiro. Ele era engraçado e nós conversávamos sobre computadores e *Star Wars*, enquanto Scarlett pintava as unhas. Creio que Jeane e eu trouxemos o pior deles, mas juntos eles eram muito, muito mais do que a soma de suas partes.

Agora os dois sorriram e Scarlett se lançou em uma longa história sobre sua prima deixar o seu trabalho de meio-período na Claire Acessórios porque a gritaria estridente havia perfurado seu tímpano, e

Barney queria conselhos sobre computador, enquanto Heidi continuava a fazer beicinho para mim na outra ponta da mesa e pressionava os braços contra os seios para evidenciar o colo entre eles.

Finalmente, todos estavam reunidos, a comida e a bebida foram pedidas, os nomes foram tirados e começamos o amigo-secreto. Eu tirei Mads, o que foi uma grande chatice porque havíamos combinado gastar cinco libras, e Mads não fazia pechincha.

— Eu só posso comprar Topshop, mas em meus sonhos estou vestindo Chanel — ela gostava de dizer.

Como tinha que ir até Cath Kidston pegar o presente de mamãe, comprei um par de prendedores de cabelo com pequenos *scottish terriers* sobre eles para Mads. Eles eram fofos. Todas as garotas acharam fofo. Fato. Bem, as garotas que não eram obcecadas em impor sua própria noção distorcida de fofura ao resto do mundo, de qualquer maneira.

Percebi meu erro tão logo Mads abriu o presente. Mads realmente não achou fofo, a menos que a fofura viesse com o logo da Chanel sobre ela. O sorriso de ansiedade de Mads sumiu, depois voltou duas vezes mais largo, mas com metade do brilho.

— Que doce! — ela exclamou, da mesma forma como ela disse "que grosseiro" quando experimentou o Bloody Mary do Dan. — Muito doce. — Ela olhou ao redor da mesa com olhos apertados. — OK, então, quem era meu amigo-secreto?

Levantei minha mão timidamente.

— Se você não gosta deles, eu os darei a uma das pirralhas e você pode ficar com o dinheiro no lugar.

— Não seja bobo — Mads disse, segurando os prendedores junto ao coração como se eu estivesse prestes a levá-los de volta. — Eu gosto deles. Eles são muito, ahn, peculiares.

— É, eles são — Dan disse e sorriu maliciosamente. — O tipo de coisa que, por exemplo, caso você estivesse fodendo com Jeane Smith, o que aparentemente você não está, lhe daria de presente de Natal.

— Idiota — eu disse, porque ele era. — Por favor, me dê algum crédito quanto a gosto. Não estou transando com ela. Nunca estive.

— Não mais, de qualquer maneira — ele murmurou, e cerrei os punhos, mas não reagi, porque se eu começasse a jurar coisas e a ficar com raiva, então Dan teria a reação que ele queria e todos iriam pensar que eu tinha algo a esconder. Então, esperei um momento e me dei tempo suficiente para encontrar uma resposta esmagadora.

— Talvez seja porque você não esteja conseguindo nada que está tão obcecado com minha vida sexual.

— Ei! Nada de errado com minha vida sexual.

— Será que bater uma a cada hora conta como vida sexual? — Ant disse pausadamente, e todos nós gememos.

— Pensei que o assunto estivesse encerrado. — Eu estava errado.

— Vamos lá, Michael, apenas admita que você estava saindo com ela — disse Mads. — Que você foi pra Nova York com ela e que você estava absolutamente, definitivamente, 110% beijando-a na festa aftershow da Duckie no Halloween, porque a irmã mais velha da melhor amiga da minha prima sai com a equipe da Duckie e ela disse que viu você e Jeane lá, e que havia fotos de você fazendo chifrinhos com Molly e Jane no Flickr da banda.

— Eu não vou admitir nada, porque não é verdade — insisti.

Dan realmente bateu palmas de exultação porque ele tinha a idade mental de 10 anos.

— Ah! Dois negativos fazem um positivo!

— Não, eles não fazem, e de qualquer forma...

— Mas ela está grávida? Como pode ser possível que alguém queira fazer sexo com ela? Ai, não computa. Mas é por isso que ela deixou a escola? — Heidi perguntou de mau humor. — Porque ela foi expulsa mesmo, mesmo, mesmo. Na real. Foi isso o que ouvi.

— Ela não está grávida — Scarlett disse rispidamente. — Ela deixou a escola porque, porque ela está... O que ela está fazendo, Barns?

— Preparando a dominação dork total — disse Barney. — Show de TV, site, livro, palestras públicas e vendas de usados.

— Barney está ajudando a construir o site dela — Scarlett anunciou orgulhosamente. — No momento ele está trabalhando numa animação de Jeane como super-heroína. É muito legal. Ainda que Jeane faça uma super-heroína de merda. Ela seria muito mandona numa situação de crise.

— Eu nem sequer posso acreditar nisso — Heidi rebateu. — Ela foi expulsa porque nunca faz nenhum trabalho, ela discute com os professores e não há nenhum modo pelo qual Michael pudesse fazer sexo com ela, porque ela se veste como uma cigana total e ela é gorda.

Eu poderia ter derramado lágrimas de pura alegria quando vi dois garçons vindo em nossa direção. Houve uma enxurrada de pimenta preta e de parmesão, e depois disso a conversa mudou para outras coisas. As outras coisas eram quem estava vendo quem, quem estava rompendo, como iríamos preencher o enorme abismo em nossas vidas, agora que *The X Factor* havia terminado, o que todo mundo iria ganhar no Natal e quanto custou. Não haveria outras coisas, coisas importantes, que pudéssemos estar discutindo? Não tinha que ser, necessariamente, sobre soluções viáveis para acabar com a fome no mundo, mas algo mais desafiador do que "aquele show é tão supermanipulado que não posso acreditar em uma única palavra que saia da boca de Louis Walsh".

— Anime-se, companheiro — Barney sussurrou, e percebi que estava sentado em minha cadeira com uma carranca no rosto. Toda aquela porcaria de lado dork deve ter lentamente permeado meu crânio, como as gotas d'água esculpem fissuras na rocha, porque eu estava sentado ali pensando em quão maçantes eram meus melhores amigos, e como todos se vestiam e pensavam da mesma maneira, e todas as garotas fingiram que não queriam pudim por cinco agonizantes minutos, até que decidiram que não havia problema em comer pudim, enquanto todas comiam, e aquilo era tão previsível e chato que eu queria gritar com eles, e era isso que eu provavelmente acabaria fazendo, quando meu telefone tocou.

Deveria ser minha mãe ligando para ver se eu me recordava do papel-alumínio, mas ligando, na verdade, para verificar se eu não estava bêbado ou em um país estrangeiro.

— Eu bebi uma cerveja — disse, respondendo ao telefone, sem nem sequer verificar quem estava ligando. — E, sim, eu vou me lembrar de comprar o papel-alumínio.

Não houve resposta, apenas um resfolegar abafado, e percebi que provavelmente não era minha mãe, porque a pessoa que estava ligando estava chorando, e quando minha mãe chorava, o que não era algo frequente, geralmente era um choro silencioso.

Afastei o telefone para longe da minha orelha e tudo o que ele felizmente dizia era "Chamada desconhecida", porque eu tinha excluído seu número da minha agenda, porém, ainda que ela estivesse chorando e não dissesse nada, eu sabia que era Jeane. Eu simplesmente sabia.

33

E, então, era véspera de Natal e o mundo ficou em silêncio e imóvel.

Bem, não, isso era uma mentira completa. Nada silencioso. Nada parado, especialmente às 8 horas da manhã, quando eu estava fazendo meu caminho de volta de uma noitada em Shoreditch e decidi aparecer no supermercado para comprar minhas comidas de Natal antes do horário de pico.

Ao final, o horário de pico tinha começado lá primeiro. Sério, o que havia de errado com aquelas pessoas? Era véspera de Natal e não tinham nada melhor para fazer com seu tempo do que se levantar, se vestir e ir às compras.

Pelo menos eu ainda não tinha ido para a cama e ainda estava com o vestido estilo princesa de tafetá e o lurex dourado que havia usado para dançar break e *dubstep* em um minimart abandonado. Comprar comida de Natal a caminho de casa tinha uma vibe completamente diferente de se levantar de madrugada para comprar comida de Natal com calças compridas e jaquetas.

Enfim, foi uma cena ruim. Todo mundo estava se empurrando, e uma mulher com duas crianças pequenas a tiracolo realmente me chamou de vadia quando roubei a última manteiga com conhaque, e alguém agarrou a parte de trás do meu casaco de pele artificial para me afastar das latas de Roses. Eu estava em uma roda punk mais civilizada. E é claro que não pude encontrar um táxi ou meu cartão Oyster, de modo que tive de ir para casa no frio, com quatro sacolas de compras pesadas (quem poderia dizer que doces, bolos e Doritos poderiam pesar tanto?) e com sapatos que não foram muito amaciados pelo proprietário anterior.

A luz no meu hall de entrada estava queimada e eu sabia que o zelador estava fora até o Ano-Novo, então tive que lutar com minhas sacolas e minhas chaves em meio à escuridão, mas, finalmente, eu estava em casa.

Casa.

Parecia que eu não estivera em casa por dias, semanas até. O apartamento era só um lugar por onde eu passava para conseguir roupas limpas, recarregar o iPhone, o iPad e o MacBook e, talvez, dormir por algumas horas, porque, honestamente, o mês anterior tinha sido apenas um borrão.

Meus dias geralmente começavam com uma reunião de café da manhã, em seguida, mais reuniões, e em seguida, uma reunião no almoço. Editores, agentes, executivos da TV, publicitários, vendas e marketing, todos eles necessitando sentar para usar o "face time". Na parte da tarde, uma vez que os Estados Unidos haviam acordado, tinha chamadas de conferência e, depois, talvez eu tivesse cabeça para a empresa de web em Clerkenwell que estava me ajudando a construir Adorkable.com, ou a empresa de produção no Soho que estava fazendo minha série documental.

Eu deveria odiar tudo aquilo, mas não odiava. Era um prazer passar todos os dias falando com pessoas que ouviam o que eu tinha a dizer.

Normalmente, eu teria que trabalhar muito para encontrar pessoas fora do Twitter que chegavam ao lugar do qual eu já estava voltando, mas agora eu tinha encontrado essas pessoas.

OK, todas elas eram, pelo menos, dez anos mais velhas do que eu, mas sempre soube que eu era muito mais madura do que meu grupo de pessoas mais próximo. Eu também saboreava a completa ausência de pessoas rolando os olhos quando eu estava expressando minha opinião sobre alguma coisa. Na verdade, eu era positivamente encorajada a expressar minhas opiniões, mas era muito cansativo ter que expressar minhas opiniões por horas a cada vez e as pessoas sempre parecerem um pouco desapontadas quando eu não estava expressando minhas opiniões, como se eu fosse uma foca amestrada ou coisa assim.

Assim, após um longo dia expressando minhas opiniões, eu precisava relaxar à noite. Felizmente, havia sempre algo para fazer. Era época de preparação para o Natal, por isso havia festas, bebidas, bandas fazendo seus últimos shows do ano, noites especiais em clubes e muitos jantares alternativos de Natal com amigos que não estariam em Londres nos feriados. Mesmo Ben estava sendo arrastado para a floresta de, bem, Manchester, para um grande Natal em família na casa de sua avó.

Mas agora era véspera de Natal e os loucos circuitos de atividades dos quais participara haviam acabado, mas estava tudo bem. Porque eu precisava muito de tempo para me reagrupar. E também estava OK o fato de Bethan não ter podido voltar para casa porque, tirando a saída para o *open-house* de Natal de Tabitha e Tom no dia seguinte (nota para mim mesma: reservar um táxi), eu ficaria em casa e trabalharia no primeiro rascunho do meu livro.

Seria divertido. Assim como nos velhos tempos, acamparia no sofá de pijama comendo coisas com muito açúcar, assistiria a cada musical que as programações de televisão tivessem para oferecer e digitaria cem mil palavras no *A vida e os tempos de Jeane Smith*, falando como o mundo seria um lugar muito melhor se todos fossem um pouco mais parecidos comigo, claro.

Não haveria mais nenhuma reunião ou festa, mas eu ainda estaria muito ocupada. Estar ocupada era o que realmente importava, porque se eu não estivesse ocupada e focada, minha mente começaria a vagar e sempre vagaria na mesma direção, e não era uma direção pela qual eu gostaria que minha mente seguisse.

Estar ocupada era a chave. Assim, embora eu não tivesse, tipo, dormido, decidi que não iria para a cama, mas começaria a trabalhar. Se eu fosse para a cama, acordaria em algumas horas e depois ficaria acordada a noite toda, e, embora eu estivesse tranquila sobre estar sozinha em casa e tivesse coisas para fazer e muitas e muitas coisas para comer, estar acordada nas primeiras horas da manhã de Natal faria qualquer um se sentir um pouco deprimido, a menos que estivesse esperando o Papai Noel. Tanto fazia.

A coisa estranha era que o apartamento realmente não tinha mais a sensação de casa. Estava tão arrumado! Lydia, minha faxineira, havia definido uma organização absoluta depois de sua primeira sessão e me forçou a comprar todas aquelas estantes com nomes ridículos e fingiu não entender quando protestei sobre a IKEA-zação da esfera doméstica. Ela também fingiu não entender quando disse que não estava funcionando e que talvez eu realmente não precisasse de uma faxineira. Ela arrumou tudo. Limpar era seu crack. Ela mexeu até mesmo em minha gaveta de meias (não que eu já tivesse uma gaveta de meias antes, mas ela decidiu que cada tipo específico de roupa deveria ter sua própria gaveta) e emparelhou todas elas.

Enquanto desfazia os pacotes de compras, notei que ela nem sequer tocou em minhas Haribos e as arranjou em fileiras organizadas na geladeira. Infelizmente, ela não tinha percebido que eu estava sem leite e comprado um pouco para mim, mas eu não tinha energia para sair novamente e ouvir os gritos de pessoas completamente malucas querendo passar pelos corredores com seus carrinhos.

Apenas tirei minha roupa e tive um prazer enorme em jogá-la no chão do quarto, porque Lydia tinha voltado para casa, na Bulgária, e ficaria lá até 3 de janeiro. Então, coloquei um pijama e me sentei para escrever.

Demorou um tempo para começar, mas logo eu estava absorta e só me levantei para fazer uma xícara de café preto ou ir ao banheiro — embora eu também tivesse me esquecido de comprar papel higiênico, improvisei com um pacote de lenços da Hello Kitty que encontrei em uma bolsa. De qualquer forma, escrevi três capítulos sobre meus primeiros anos de formação, encobrindo qualquer coisa que tivesse a ver com Pat e Roy, porque ser criada por eles havia sido entediante o suficiente: ninguém queria ler sobre isso também.

Eu havia acabado de resumir as incríveis aventuras da Garota Incrível e Bad Dog quando percebi que estava forçando a vista na tela do meu laptop, pois a luz do dia havia desaparecido e a sala estava na escuridão. Tive cãibra na mão direita e dor no pescoço por permanecer curvada sobre o laptop. Também me senti completamente passada, do jeito que alguém se sente quando fica acordado a noite toda e já são 16 horas e ainda não tomou uma ducha.

Eu me sentiria muito melhor tão logo tomasse uma ducha e, possivelmente, tivesse uma refeição caseira dentro de mim. Ou uma refeição preparada pelo meu tailandês delivery — eles sempre me pareciam muito simpáticos, até mesmo caseiros, quando atendiam ao telefone. Mas minha necessidade de estar limpa era ainda maior do que minha necessidade de encher minha boca de Pad Thai de camarão.

Quando cambaleei até o banheiro para ligar o chuveiro, percebi que também havia me esquecido de comprar xampu, mas tinha certeza de que possuía alguns frasquinhos que havia pegado de diferentes banheiros de hotéis. Procurei-os enquanto esperava que o chuveiro aquecesse. Exceto que, quando tentei abrir o boxe, ele se mostrou assustadoramente vacilante e então emperrou, deixando um vão tão pequeno que eu não poderia entrar no cubículo nem me espremendo.

Lydia obviamente havia feito alguma coisa, porque, assim como ela me chateava sobre meus padrões de limpeza, ela estava sempre quebrando coisas enquanto corria pelo apartamento com um pano úmido na mão, arrastando o aspirador de pó atrás dela.

Por um momento, a enormidade de não ser capaz de entrar no chuveiro parecia quase enorme demais, mas aquilo era apenas ridículo.

Era a droga de um boxe, e eu não iria deixá-lo tirar o melhor de mim. Eu simplesmente usaria algum senso comum e, se isso falhasse, a força bruta.

Primeiro esguichei um pouco de loção para o corpo ao longo da parte inferior da porta do boxe para começar as coisas, mas não fez nenhuma diferença. Tentei fechar a porta, mas ela travou rapidamente, e daí respirei fundo, tensionei todos os meus músculos e empurrei a porta tão forte quanto podia. Eu não só empurrei, eu meio que a ergui também — na verdade, não sei exatamente o que fiz, mas a porta saiu de seu trilho de baixo, e ela era muito, mas muito pesada mesmo. Eu estava tentando colocá-la de volta no lugar e não deixá-la cair em cima de mim ou arrancar metade dos azulejos do banheiro com ela, porém, eu não podia, e estava segurando-a com tanta força que virei uma das minhas unhas para trás, e tive que usar todo o meu corpo só para evitar que ela caísse no chão quando deslizou da minha mão.

— Poderia ser pior — murmurei em voz alta. Realmente poderia. Nada foi quebrado, mas minhas mãos estavam ardendo como não sei o quê.

Então, eu não poderia tomar um banho, já que a porta do boxe estava escorada no cubículo no momento. No entanto, eu poderia pedir ao zelador para subir, exceto pelo fato de que ele estava na Escócia, Gustav e Harry estavam na Austrália, Ben estava em Manchester e Barney estava com Scarlett. Assim, qual era a vantagem de ter todas aquelas pessoas para me ajudar a construir uma marca de estilo de vida e meio milhão de seguidores no Twitter quando era véspera de Natal e eu não podia tomar banho, não havia ninguém para me lembrar de comprar leite, xampu e papel higiênico, e eu estava totalmente sozinha?

A responsabilidade era toda minha.

E estar sozinha e ser solitária eram duas coisas diferentes, mas que pareciam ser exatamente a mesma: elas eram horríveis. A véspera de Natal era como as noites de domingo, mas elevada a um milhão, e então o dia seguinte seria Natal, e estar sozinha e ser solitária pareceriam ainda pior, e eu provavelmente deixei ficar muito em cima da hora para reservar um táxi para me levar à casa de Tabitha, de qualquer maneira.

Percebi que estava chorando, mas geralmente, como regra, eu não chorava. Eu não podia ver razão em chorar. Eu não conseguiria nada com aquilo. Não era útil e só me fazia sentir pior.

Aquilo me fez sentir tão impotente que alcancei meu telefone para ligar para a única pessoa em quem tentei não pensar, porque se eu pensasse, ele seria a única coisa em que eu conseguiria pensar. Nós odiávamos um ao outro agora, e não tínhamos nos falado nas últimas semanas, mas eu sabia, eu sabia que se eu lhe pedisse para voltar, para fazer cessar a solidão, para consertar a droga da porta do boxe, ele estaria ali.

Por mim.

34

— O que houve? — perguntei, não indelicadamente, mas não como se estivéssemos bem e ela pudesse me ligar sempre que estivesse se sentindo um pouco para baixo.

— Sinto muito — ela balbuciou. — Você era a última pessoa para quem eu gostaria de ligar, mas eu liguei pra todo mundo e você é o único que restou. O único!

OK, você teria que ser feito de concreto para não sentir alguma coisa quando alguém com quem você viveu alguns de seus melhores e piores momentos estava com os olhos marejados e você não sabia o porquê.

— Qual é o problema? Você está bem?

— Não. Nada está bem e eu não sei o que fazer — ela terminou a frase em um lamento e, em seguida, estava chorando muito intensamente para falar.

— Você quer que eu dê uma passada por aí? — perguntei, mas estava falando com o vento, porque ela tinha desligado. Sem pensar naquilo, porque se eu parasse para pensar ficaria onde estava e pediria um café, me levantei.

— Tenho que ir. Emergência de papel-alumínio — disse, vasculhando minha carteira. — Vamos combinar vinte libras pela minha parte mais a gorjeta?

— Não vá — foi o lamento geral. Junto com "Compre a porcaria do papel-alumínio na loja amarela, que nunca fecha", mas não era tão simples assim. Nunca era quando se tratava dela.

Parecia estranho estar andando em direção ao apartamento de Jeane novamente, estar postado diante de sua porta, tocar sua campainha e dizer "Jeane? Sou eu" em seu interfone. Ela não respondeu, mas ouvi o zumbido do porteiro eletrônico abrindo a porta. Jeane estava me esperando no corredor escuro, e, quando saí do elevador, a única claridade que havia era a que saía da porta aberta de seu apartamento.

Tinha me esquecido do quão pequena ela era. Ela estava usando calças de pijama roxas com desenhos de gatos pretos furtivos sobre elas e um enorme suéter felpudo. Seu cabelo estava branco, o que não combinava com seu rosto, que estava vermelho e inchado como se ela tivesse chorado por muito tempo. Eu odeio quando as garotas choram. É muito injusto.

— Eu não esperava que você viesse — disse ela com a voz embargada, como se o ar não estivesse saindo de sua traqueia. — Você não precisava ter vindo.

— Bem, você soou como se algo terrível tivesse acontecido, e você não deve apenas acionar o porteiro eletrônico e permitir que as pessoas entrem. Eu poderia ser um assassino estuprador homicida.

Jeane fungou.

— Homicida e assassino não são meio que a mesma coisa? Tipo, você não pode ser um assassino não homicida.

— Você pode, se não tiver a intenção de cometer o assassinato. Tipo, se for um crime passional ou algo assim — defini, e Jeane acenou com a cabeça cansada, como se ela não pudesse ser incomodada a ponto de discutir detalhes, e foi nesse momento que percebi que algo estava realmente errado: discutir detalhes era tão natural para Jeane como respirar oxigênio. E, além disso, ela estava horrível. Não o tipo de horrível que tinha alguma coisa a ver com sua falta no quesito beleza ou porque ela tingia seu cabelo de cores que não a favoreciam, ou porque ela se vestia como uma mulher-palhaço; era outro tipo de horrível.

Seu rosto, as partes dele que não estavam vermelhas ou manchadas, estavam da cor de massa de vidraceiro e ela estava encurvada, em vez de em pé, ereta, seus braços enrolados em torno de si. Ela exalava derrota e eu não sabia o porquê, pois soava como se tudo em sua vida estivesse muito bem. Ela estava dominando o mundo, um dork por vez.

— Eu não devia ter chamado você — disse ela. — Porque agora que você está aqui, isso é complicado, e você vai gritar comigo por exagerar totalmente, e eu, realmente, não suportaria receber qualquer bronca no momento.

— Me diga por que você ligou e eu vou decidir se está exagerando.

Jeane traçou um padrão no tapete da sala com o dedo do pé.

— Eu provavelmente estou exagerando.

A ausência não fez meu coração ficar mais afeiçoado. Ela fez com que ficasse muito mais exasperado.

— Jeane!

— OK, OK — ela resmungou, e eu a segui para o apartamento, com um ligeiro temor quanto à coisa terrível que tinha sugado todo o mau gênio dela. Talvez Roy e Sandra tivessem aparecido com um cartão de Natal e Jeane tivesse arrebentado seus crânios com um espremedor de batatas.

— O lugar está arrumado — comentei quando olhei a sala de relance. — Realmente arrumado. O que houve?

— Eu consegui uma faxineira — Jeane disse. — Ela é búlgara e grita comigo, e me fez comprar um aspirador novo, e fica quebrando as coisas. Ela quebrou minha caneca favorita e meu segundo melhor teclado porque ela o limpou com um pano molhado, e hoje ela fez algo com a porta do boxe, que não se mexe mais, e, depois, ela saiu.

— O que saiu? — perguntei, porque realmente não estava acompanhando nada daquilo.

— A porta do boxe — disse Jeane, e quando me mostrou o interior do banheiro, explodiu em lágrimas novamente.

Sem querer ser muito técnico sobre isso, o cubículo do chuveiro de Jeane tinha uma porta dividida que corria em trilhos, de modo que você deslizava uma metade da porta por trás da outra para entrar no chuveiro. Ou você abria quando uma porta não estava apoiada na outra.

— Não vale a pena chorar por isso — eu disse a Jeane, mas ela balançou a cabeça e recuou contra a pia como se eu fosse esbofeteá-la e lhe dizer para parar de ser tão histérica. Eu não iria, mas pensei naquilo por um segundo.

Em vez disso, examinei o cubículo do chuveiro para observar os trilhos superiores e inferiores, então observei o alto e a base da porta solta do chuveiro.

— Você vê esta porção mais fina? Ela se encaixa no sulco do trilho.

— Não vejo merda nenhuma, Sherlock. — Jeane, obviamente, não seria de nenhuma ajuda.

Com uma respiração profunda, segurei firme a porta do boxe, tensionei meus músculos e tracionei. Nada aconteceu. Tentei de novo, e talvez tenha conseguido levantá-la um centímetro do seu lugar de descanso.

— Como você conseguiu mover isso? Ela pesa uma tonelada.

Jeane estava chorando mais forte agora e, sim, ela estava exagerando muito.

— Vou ao apartamento do lado e verei se Gustav e Harry estão lá. Não conseguirei fazer isso sozinho de forma alguma — Jeane estava dizendo algo, mas estava muito distorcida pelos soluços para que eu pudesse decifrar. — O quê? O que você está tentando dizer?

— Eles não estão lá! Eles foram pra Austrália pra ver a família de Harry, e o zelador foi pra Escócia, e todo mundo que mora aqui ou está longe ou é muito velho, além da mulher debaixo de mim, que me odeia porque diz que eu bato a porta, a família de Ben está em Manchester, Barney é ainda mais desajeitado do que eu e todo mundo está ocupado com essa porcaria de Natal, e era pra Bethan estar aqui para o Natal, mas ela não está porque está grávida e vai se casar, e a mãe de seu namorado está morrendo e, por isso, ela teve que ficar em Chicago.

— O rosto de Jeane estava vermelho-brilhante. Estava mais brilhante do que vermelho. Alguém teria que inventar um novo tom de vermelho para descrever a cor que seu rosto estava. Ela tomou uma respiração profunda e entrecortada. — Não havia mais ninguém que eu pudesse chamar, e todo mundo tem família, lugares pra estar e outras coisas pra fazer, exceto eu, porque não tenho ninguém. Eu estou sozinha, é véspera de Natal e não posso nem tomar um maldito banho, embora tenha trabalhado por oito horas seguidas, pois a maldita porta do boxe está quebrada e ninguém se importa.

— Ah, Jeane, eu me importo — eu disse, e não era só porque era a única coisa que eu poderia dizer naquelas circunstâncias. Naquele momento, quando ela estava tremendo, chorando e soando mais desesperada do que eu jamais tinha ouvido alguém soar, eu me importei. Como não poderia?

— Não, você não se importa — disse ela, e chorou ainda mais intensamente.

Eu odiava vê-la assim. Jeane era dura e forte, e ela poderia conquistar pela lábia seu caminho até Nova York e persuadir pessoas a lhe dar programas de TV e contratos de livros. Ela não seria derrotada por uma porta quebrada de chuveiro. Ela era melhor do que isso.

Jeane não parecia pensar assim quando tentei lhe dar uma preleção empolgante, e quando fui abraçá-la, ela se afastou de mim, então eu não sabia o que fazer para que ela se sentisse melhor ou para colocar a porta do boxe de volta em seu trilho, por isso fiz a única coisa que eu poderia fazer.

Liguei para casa.

Quando meu pai chegou, Jeane ainda estava chorando, mas só para tornar as coisas um pouco mais confusas, ela estava deitada em um amontoado miserável no chão do banheiro.

Expliquei para mamãe ao telefone que ela estava tendo algum tipo de surto psicótico, embora minha mãe tivesse dito que ainda não era uma razão boa o suficiente para me impedir de ser punido. Então eu disse que não tinha bebido muito, e eles não disseram nada sobre como o fato de ver Jeane violaria os termos da minha liberdade condicional.

Felizmente, houve uma crise com os cupcakes e ela colocou papai ao telefone, e agora ele estava ali, no banheiro de Jeane e de cócoras diante dela com um pano úmido.

— Você vai se sentir muito melhor assim que limpar seu rosto — disse ele no mesmo tom de voz que usava quando Alice caía de sua bicicleta ou quando Melly se mostrava insegura sobre sua lição de casa de ortografia. Funcionou com Jeane também. Uma mão pequena saiu da bola em forma de Jeane para pegar o pano, e os soluços silenciaram até restar apenas alguns leves estremecimentos. Finalmente, ela se sentou e tirou o cabelo dos olhos.

Ela teria derretido o coração mais duro, mais blindado. Mesmo minha mãe teria parado de chamá-la de "aquela garota" e lhe faria uma xícara de chá, mas meu pai só tirou o casaco, pendurou-o no toalheiro e arregaçou as mangas.

— OK, Michael, vamos começar a batalha com essa porta de boxe.

Levou quase uma hora até que, finalmente, admitimos para nós mesmos e para Jeane (que estivera em dúvida sobre nossas chances desde o início) que a porta não seria devolvida ao seu legítimo lugar de descanso.

— Parece muito grande para deslizar nos trilhos — disse papai com uma expressão confusa no rosto. — Sinto muito.

— Está tudo bem — disse Jeane, entediada. — Obrigada por tentar, de qualquer forma.

Houve um silêncio constrangedor, porque nosso trabalho havia terminado, ou não terminado, e agora não havia nenhuma razão para ficar.

— Vai ficar tudo bem, Jeane? — perguntei.

Pensei que ela fosse me garantir que ela estaria "muito bem, não se preocupe comigo", mas ela apenas engoliu em seco.

— Bem, você não pode ficar aqui com a porta do boxe assim — papai disse com firmeza, como se a porta solta de Jeane pudesse atacá-la enquanto dormia. — Meu voucher de estacionamento termina em dez minutos, então corra e arrume uma maleta de viagem.

— Eu não posso fazer isso — disse Jeane. Ela parecia horrorizada, o que era muito melhor do que quando ela parecia catatônica. — Eu não posso simplesmente entrar sem ser convidada.

— Eu estou convidando você — meu pai disse calmamente. — Vamos lá, vamos.

Eu não estava muito entusiasmado com o rumo dos acontecimentos, mas a ideia de deixar Jeane por conta própria para ficar jogada, amassada e soluçando no assoalho do banheiro de seu apartamento não era algo muito atraente também.

— Haverá cupcakes e *The Muppet Christmas Carol* — eu disse, adulando. — Você ama os Muppets.

— Eu amo — ela concordou, e lentamente se virou para pegar a escova de dente.

35

— **Eu realmente sinto muito** por aparecer dessa forma — eu disse, quando a mãe de Michael abriu a porta e me encontrou do lado de fora, como uma encomenda que tivesse sido jogada ali sem um cartão de "Desculpe, mas não os encontramos em casa" preso a ela. Michael e seu pai tinham ido à loja de conveniência e me deixado para me virar sozinha com um alegre "Está tudo OK, nós já telefonamos antes!". Não estava tudo OK, entretanto. — E sinto muito sobre a coisa toda de Nova York.

Ela me deu um olhar longo e duro. Eu preferia muito mais o pai de Michael. Ele era tão zen que eu sempre me senti como se um pouco de seu interior estivesse me influenciando, mas sua mãe me causava arrepios e fazia com que meus cabelos na parte de trás do pescoço se eriçassem.

— É melhor você entrar — disse ela, e embora eu normalmente não me importasse com o que alguém pensasse sobre como eu me vestia, eu queria não estar usando minha calça do pijama de gatinhos, meu anorak de pele falsa com estampa de leopardo e pantufas de coelhinho. Eu também queria que o choro não tivesse deixado meu rosto tão inchado que parecia que alguém vinha usando-o como saco de pancada. Hesitei e ela suspirou.

— Você está deixando o ar frio entrar. — Não tive escolha senão caminhar porta adentro. Bem, eu tinha uma escolha, mas eu não gostaria de andar de volta para casa com minhas pantufas de coelho.

— Eu realmente sinto muito sobre tudo — disse novamente. Eu não tinha certeza se sentia tanto assim, mas não poderia ter que voltar para meu apartamento vazio. Estava cansada de minha própria companhia. Na verdade, eu mal me reconhecia naquele momento, porque não costumava chorar por horas e horas. A última vez que chorei tanto foi no último dia do Acampamento de Rock 'n' Roll, quando fizemos um coro de improviso para *Born This Way*, e aquelas foram, na sua maioria, lágrimas de felicidade, as quais duraram o mesmo tempo que levei para tirá-las do rosto antes que alguém pudesse vê-las. Eu certamente nunca chorara por horas antes e nunca por um acidente doméstico irritante e não tão grave.

Mas eu tinha que admitir que, talvez, a razão pela qual tive um colapso não fosse apenas a questão do boxe. Creio que a porta do boxe foi, tipo, uma metáfora. Ela representava tudo o que estava ruim. Sim, havia coisas boas, mas havia também um monte de coisas ruins, e elas eram profundas e doíam, por isso, me postar no corredor de Michael na véspera do Natal de pijamas, segurando uma maleta de viagem com a mãe dele olhando para mim como se eu tivesse sujado seu carpete com cocô de cachorro ainda era melhor do que estar em casa sozinha.

— Não importa o que aconteceu há algumas semanas — disse ela. — Está no passado, e no presente está um banho quente e uma xícara de chá.

Concordei e segui a Sra. Lee para a cozinha, onde ela colocou a chaleira no fogo. Preparei-me mentalmente para vinte minutos de chá, conversa forçada e algumas cravadas de olhos, mas depois a porta da sala se abriu e duas cabecinhas sondaram o ambiente.

— Ah! É você! — Então as irmãzinhas de Michael, com roupas de fada combinando, estavam, de repente, na cozinha e subindo em mim.

— Estamos vestidas para o caso de nos encontrarmos com Papai Noel!

— Fizemos cupcakes dos Muppets para ele!

— Por que seu cabelo está branco? Será que alguém lhe deu um choque horrível?

— Eu tenho pantufas de coelho como as suas! Vou colocá-las para ficarmos com chinelos gêmeos!

— Como é véspera de Natal, hoje temos salsichas, feijão e batatas fritas para o jantar, e estamos autorizadas a comer na frente da TV.

— *The Muppet Christmas Carol*! É o nosso filme mais favorito de todos, todos os tempos!

— Tirando *Toy Story 2*! Você gosta de *The Muppet Christmas Carol*?

Era assim que elas conversavam, com um ponto de exclamação agregado ao final de cada frase em voz alta. Era engraçado e cansativo.

— Claro que eu gosto do *The Muppet Christmas Carol*! — respondi, e inacreditavelmente a mãe de Michael captou meu olhar enquanto descascava batatas e sorriu para mim. — É um clássico.

Em seguida, tivemos um debate feroz sobre nossos Muppets favoritos porque elas não ficaram felizes quando escolhi Gonzo. Eu tinha as duas pleiteando o caso para Miss Piggy quando Michael e seu pai voltaram com um engradado de cerveja e algumas sacolas fazendo som de metal se chocando. Michael acenou para mim friamente.

— Está tudo bem então?

— Sim — respondi. Sua mãe e seu pai estavam brincando sobre quanto tempo mais podiam esperar antes que abrissem o vinho, e Melly e Alice estavam tendo uma discussão inútil sobre quantos bolinhos podiam comer antes que vomitassem, e quando Michael passou diante de sua mãe para começar a colocar a cerveja no refrigerador, ela acariciou seu braço, apenas um gesto breve e passageiro que ele nem ao menos percebeu, e embora eu tivesse sido uma pessoa à margem toda minha vida, nunca me senti tão à margem como naquele momento.

— Jeane vai ficar para o jantar? — Melly perguntou de repente.

— Sim — a Sra. Lee disse com firmeza. — Ela vai passar a noite.

Melly e Alice compartilharam um sorriso maldoso.

— Quando a namorada do irmão de Katya dormiu por lá, os dois dormiram na mesma cama — Melly anunciou, acompanhada de muito risos e cutucões. — Jeane vai compartilhar a...

— Não! — eu explodi. — Nunca em um milhão de anos.

— Jeane não é minha namorada — Michael rebateu. — E é rude fazer perguntas pessoais.

— Mas você não me deixou terminar de fazer uma pergunta pessoal, então, na verdade, não fui rude.

— De qualquer forma, vocês foram namorados um do outro — Melly disse enquanto olhava de relance para seus pais, que estavam tendo uma conversa tensa sobre gordura de ganso. — Porque mamãe disse que você era depois que vocês fugiram para Nova York e, depois disso, Michael ficou de castigo e ele estava com um humor muito, muito, muito ruim. Ele disse que era por causa de sua entrevista em Cambridge, mas a entrevista foi há séculos e ele ainda está com um humor muito, muito, muito ruim.

Isso tudo foi... interessante. Eu não tinha sentido falta de Michael completamente, ou eu não tinha me permitido sentir sua falta tendo estado tão ocupada e parado de ir à escola, de modo que não tive que olhar para suas maças do rosto, seus olhos amendoados e para aquela boca amuada, que naquele momento formava um traço apertado em seu rosto, ou visto seu corpo, esbelto e magro, trotando por todo lado. Era muito fácil não sentir falta de alguém quando este alguém não estava em sua vida, mas, talvez, ele tivesse sentido minha falta. Um pouco. Ou então ele ainda tinha raiva e ressentimento por todas as coisas horríveis que eu lhe dissera em Nova York. Também, eu o mandei ir se ferrar quando pousamos no aeroporto de Heathrow e ele tentou me ajudar com as malas. Você realmente não podia voltar atrás depois daquilo.

— Se eu estava com um humor muito, muito, muito ruim, Melly, provavelmente foi porque eu tenho duas irmãzinhas muito, muito, muito irritantes — disse ele, e as duas bufaram de pura indignação.

— Você é ruim e maldoso, e eu vou cuspir nos seus cupcakes — Alice disse exatamente quando a Sra. Lee levantou a cabeça do refrigerador.

— Eu conheço duas garotas que podem ser mandadas para a cama sem jantar ou sem comer nenhum cupcake — disse com firmeza, e era impossível sentir pena de mim mesma quando uma criança de 5 anos e outra de 7 anos de idade estavam fazendo birra. Se Michael nem sequer olhasse para mim, então, tudo bem. Eu poderia lidar com aquilo. Tomaria meu banho, jantaria um pouco e, em seguida, iria para casa.

A única razão pela qual não fui para casa foi porque caí no sono no meio de *The Muppets Christmas Carol*. Eu estava cheia de comida e de xícaras de chá, e tinha Melly e Alice grudadas uma de cada lado, já que compartilhamos uma poltrona grande, e em algum momento Miss Piggy e Ebenezer Scrooge estavam atuando, e no seguinte eu estava sendo acordada pela Sra. Lee, que me levou para a cama no quarto de hóspedes. Ela até me cobriu. Ninguém havia me coberto desde... bem, eu não poderia me lembrar de algum dia ter sido coberta.

Durante a noite, fui visitada por Melly e Alice, que tinham se levantado porque acreditavam ter escutado as renas. Elas comeram todas as moedas de chocolate de suas meias e pensaram que eu gostaria de assistir a desenhos animados, mas quando perceberam que eu não queria, entraram debaixo das cobertas comigo, e comecei a contar uma história sobre Sammy, o esquilo do rock 'n' roll, e elas dormiram, o que foi ótimo, já que eu não tinha ideia de para onde estava indo com Sammy.

E assim aconteceu que o senhor e a senhora Lee não foram acordados às 5 horas da manhã de Natal, mas conseguiram ir até as 8h30, e se a Sra. Lee havia abrigado qualquer desejo maldoso persistente em relação à garota horrível que tinha sequestrado seu filho, tudo se acabou.

Poderia ser pelas treze horas quase ininterruptas de sono ou pelo ataque de choro do dia anterior, ou apenas para ter uma chance de recarregar minha energia motivacional, mas eu estava ansiosa em me levantar e ir embora. Eu não queria me intrometer em todas as tradições familiares deles. Além disso, Michael não conseguia olhar para mim ou até mesmo falar muito comigo, além de me passar o açucareiro sem que eu tivesse pedido, porque ele sabia que eu precisava de, pelo menos, três colheres de açúcar em meu café.

— Você é muito bem-vinda pra ficar — disse Shen. E Kathy, senti como se devesse chamá-la de Kathy agora, em vez de Sra. Lee, concordou com um aceno de cabeça. — Temos tanta comida na casa que vamos comer caixas selecionadas de salgadinhos até a Páscoa.

— Eu irei para a casa de minha amiga Tabitha mais tarde — expliquei. — Disse que iria ajudá-la a fazer rolinhos de salsicha.

Eu tinha problemas até para fazer torradas, de modo que minha ajuda com os rolinhos de salsicha seria, principalmente, como observadora, mas aquilo fez parecer que eu estava envolvida com o Natal de outra pessoa, e, como as coisas estavam indo, Kathy já tinha o peru no forno, Shen estava descascando batatas e Michael estava fazendo alguma coisa com um monte de couves-de-bruxelas, de modo que eu só iria ficar no caminho.

— Você vai para o almoço de Natal, então? — Kathy perguntou e eu me engasguei, não pude fazer nada, porque Tabitha nunca se levantava quando, tecnicamente, ainda era cedo, e ela já tinha me dito que seu jantar de Natal envolveria qualquer coisa que ela e Tom pudessem conseguir no Lidl meia hora antes que ele fechasse na véspera de Natal.

— Bem, não um almoço, mas um jantar mais cedo, e eu ainda não reservei o táxi, então terei que ir de bicicleta para Battersea e...

— Então você tem que ficar para o almoço — Kathy disse com firmeza. — Fim da discussão.

— Mas tenho que...

— Pensei que já tínhamos terminado de falar sobre isso. Se você quer ser útil, você pode ir e entreter Melly e Alice para que elas parem de vir aqui a cada dois minutos para perguntar quando vamos abrir os presentes.

Kathy Lee era boa, muito boa, com a voz de aço e o brilho determinado nos olhos, e eu não podia imaginar por que ela queria que eu ficasse, mas ela já tinha sua mão em meu ombro, e foi me dirigindo para a sala de estar, mas não antes que eu visse a careta no rosto do Michael, como se minha presença constante em sua vida e em sua casa estivessem lhe causando uma imensa dor física.

Eu não queria ficar. Não apenas porque estar na mesma sala que Michael era como ter minhas unhas das mãos e dos pés, meus dentes e os pelos do nariz puxados lentamente, um por um, mas porque eu não poderia lidar com as besteiras de uma família feliz. Só que não era besteira; eles eram uma família feliz.

Enquanto eles estavam abrindo presentes, tomei um banho diplomático para que não fosse embaraçoso o fato de que eu não tinha nada para eles e vice-versa, mas quando desci de novo, Melly e Alice insistiram para que eu ficasse com um par de asas de fada e um Traço Mágico de seus presentes combinados, e havia também um pacote selecionado da Cadbury e uma vela com aroma de baunilha, porque Kathy e Shen eram o tipo de pais que sempre tinham presentes a mais à mão para qualquer convidado de última hora. Michael só me lançou outro olhar triste enquanto eu ajudava a arrumar a mesa.

Era apenas seu almoço de Natal regular, de cada dia, nada elaborado. Nós puxamos os biscoitos e colocamos em nossos chapéus de papel, e nos retorcemos com as piadas que havia neles. Houve uma discussão sobre quem ficaria com o último rolinho de linguiça, e o molho de cranberry caseiro acabou muito rapidamente, porque as garotas lambuzaram seus pratos inteiros com ele.

Eram todas tradições próprias de Natal, mas então, quando pensei sobre isso, percebi que eram tradições de Natal de outras pessoas.

Excetuando o ano anterior, quando Bethan tinha voltado para casa e nós preparamos um jantar de Natal pequeno, mas perfeitamente montado, e passamos o dia assistindo aos musicais da MGM em DVD, nossas tradições familiares de Natal acabaram.

Pat e Roy nos faziam levantar muito cedo. Não para que pudéssemos abrir nossos presentes de Natal, mas porque o jantar de Natal era pontualmente à meia-noite. Então eu ficava com a limpeza, enquanto iam com Bethan colocar flores no túmulo de Andrew em um cemitério gramado em Buckinghamshire, com uma cerejeira selvagem e um banco de madeira próximos do local do túmulo. Eles nunca me perguntaram se eu queria ir com eles, então eu ficava para trás com um monte de pratos sujos e uma caixa de doces.

Então, quando eles voltavam, Roy desaparecia em seu barracão e Pat ia para a cama com uma dor de cabeça terrível, e Bethan saía comigo, mas ela geralmente acabava chorando. E essa era nossa tradição de Natal em família. Então eu pensei sobre como seria o primeiro Natal em que ninguém fosse visitar o túmulo de Andrew — no ano passado Bethan foi no dia seguinte ao Natal —, e isso fez com que me sentisse deprimida de uma maneira que nem mesmo cada um dos Lee fazendo um pedido em sua primeira colherada de pudim de Natal fez.

Todo mundo disse que os amigos eram a nova família, eu mesmo escrevi um post sobre isso, mas enquanto eu estava sentada à mesa de jantar dos Lee com migalhas de biscoito ao meu redor e Melly e Alice chamando a todos nós para um emocionante coro de *Jingle Bells*, eu sabia que estava muito enganada.

Amigos não deviam ser a nova família. Sua família deve ser sua família, e os amigos são costurados no tecido de sua vida familiar. Somente as pessoas que não têm uma família, ou que têm uma família de merda, precisam de amigos como substitutos. E, ainda, há pessoas que não têm uma família e, realmente, quando você pensa sobre isso, não têm amigos também.

Isso não tinha nada a ver com Michael Lee sentado do outro lado da mesa, sem olhar ou falar comigo, como eu não olhava ou falava com ele de volta, OK? Eu nem estava mais zangada com ele, embora ainda estivesse um pouco irritada com a história do Twitter e também com a história de ele não ser capaz de lidar com meu sucesso. Mas agora eu estava começando a me perguntar se a questão não era o fato de Michael não conseguir lidar com meu sucesso, mas sim de ele não conseguir lidar comigo, porque eu era um monte infernal de coisas para se lidar.

Suspirei, e Kathy me deu uma olhada. Nada de seu velho olhar tipo "Deus, eu desejo que eles nunca proíbam os castigos corporais nas escolas", mas um de seus novos olhares "Ah, pobrezinha da Jeane".

— Está tudo bem? — ela perguntou com uma pequena inclinação de cabeça, para mostrar que ela se importava comigo e, ah, não, agora eu queria que ela se importasse comigo. Eu mal me reconhecia.

— Está tudo ótimo — disse, com enormes quantidades de falso entusiasmo, e fui salva de ter que entrar em detalhes sobre o quão ótimo estava tudo pelo bipe do meu telefone. Era uma mensagem de Tabitha.

> Estamos acordados! Traga sua bunda para nossa casa. Tenho um rolo de macarrão com seu nome nele. Tab bjs

Não era de admirar que eu estivesse tendo uma crise profunda de fé. Eu estava passando tempo demais com os Lee, e era por isso que, de repente, eu estava ansiando por todos os disparates dessas famílias felizes. Como você poderia ansiar por aquilo que você nunca teve? Era inútil. Eu me sentiria muito melhor quando estivesse de volta ao meu próprio povo.

Kathy e Shen, e até mesmo Melly e Alice, foram muito relutantes em me deixar ir, ao passo que Michael resmungou alguma coisa e foi encher a máquina de lavar louça enquanto eu me despedia e prometia fielmente telefonar para que eles soubessem quando cheguei em casa naquela noite, e disseram que, se eu quisesse ficar mais alguns dias, estava tudo bem também, apesar de que a tia idosa de Kathy viria depois do Natal e, de acordo com Melly e Alice, "Ela realmente cheira a xixi".

Eles até discutiram sobre me dar uma carona para casa, mas insisti muito, e até um pouco forçosamente, que eu estava tranquila por andar e, finalmente, finalmente, a porta da frente estava aberta e eu estava livre.

36

Eram 18h30 da noite de Natal e eu não tinha certeza se comeria outra torta de frutas, vomitaria ou entraria em coma alimentar.

Eu estava deitado no chão da sala, encostado no sofá no qual mamãe e papai estavam aconchegados, embora tivesse dito repetidamente a eles que parassem, porque pais demonstrando afeto era revoltante. Eu tinha Melly aninhada de um lado e Alice, do outro, e nós estávamos assistindo a *Doctor Who* especial de Natal. Nós ainda estávamos usando chapéus de papel, e eu tinha escondido as três últimas batatas assadas no fundo do refrigerador para comer mais tarde.

Deus, eu amo o Natal, pensei, e então meu iPhone novinho em folha fez soar um bipe.

Tinha recebido um e-mail de Jeane, o que, imediatamente, fez aquela sensação calorosa que sentia no peito se esfriar, e eu realmente pensei que fosse vomitar. Um e-mail de Jeane trazia a mesma sensação de ser seguido em uma loja pelo segurança. Deu-me uma sensação de mau agouro e, embora eu não tivesse feito nada de errado (ou pensava que não tinha feito, mas era difícil dizer com Jeane), eu imediatamente me senti culpado.

Porque, sim, ela era toda "eu", "eu", "eu" toda a droga do tempo, mas agora eu estava começando a perceber que a razão pela qual ela era tão egocêntrica era porque ela não tinha mais ninguém na vida dela com quem se envolver. Ela não deveria ter que lidar com coisas quebradas de casa — eu nem sabia como ligar a máquina de lavar roupa — e ela não deveria ficar sozinha na véspera de Natal. E, sim, eu deveria ter lhe falado quem eu era no Twitter e, ah, Deus, penso que deveria ter admitido que tive ciúmes de como ela estava fazendo coisas incríveis com sua vida quando eu nem sabia como ligar a máquina de lavar.

Isso ainda não tornava mais fácil tê-la em minha casa, bajulando meus pais e minhas irmãs pequenas, e parecendo toda desfalecida e frágil. Eu ainda estava chateado sobre como ela se comportou em Nova York, mas não queria mais ficar chateado com ela e, assim, mesmo que eu pudesse deixar a mensagem sem ler e voltar para os Daleks, decidi lê-la e depois mandar de volta uma resposta amigável, mas não muito amigável.

    Hey, Michael

    Nunca cheguei a dizer Feliz Natal para você, por isso, ei, Feliz Natal e todas essas coisas. Você está embalado por uma sensação de falsa segurança com minhas felicitações festivas inesperadas? Provavelmente não, então é melhor parar com isso.

    Eu estou, na verdade, em meu apartamento — o jantar de Natal na casa da Tab não aconteceu porque Mad Glen e seu companheiro alcoólatra Phil brigaram a respeito de algum After Eights falso da Lidl, de modo que Tab e Tom tiveram que levá-los ao pronto-socorro, e a coisa é que, na verdade, eu gostaria muito de ficar em sua casa por alguns dias. Tipo, sua mãe e seu pai ofereceram várias vezes, e eu acho que sua mãe e eu superamos mesmo a história sobre Nova York, e Melly e Alice são megagêmeas espirituais minhas.

    Esta não é uma manobra astuta para cair sorrateiramente de volta em suas graças ou, tipo, em suas calças. Eu sei que terminamos e, mesmo quando tudo estava andando bem, nós dois sabíamos que tudo estava condenado. OK. Eu estou bem em relação a isso. Eu estou até bem em relação a você, porque sei que sou impossível. Eu realmente sei disso, Michael, e sei que você não está bem comigo. Você dificilmente consegue se forçar a olhar para mim ou falar comigo, embora eu aprecie que você tenha vindo aqui quando me desestruturei por causa da porta do boxe.

Então, se o pensamento de me ver passando dois ou três dias, talvez, em sua casa é muito estranho, por favor, diga. Eu entenderei. Ou, tipo, eu vou tentar entender (eu pretendo ser forte em empatia no próximo ano).

Deixe-me saber se você poderia me ver por perto. Prometo me comportar da melhor maneira que eu posso, embora isso não seja dizer muito.

Jeane

Ela estava certa. Ela era impossível. E era impossível dizer não a ela, porque Jeane tinha 17 anos, estava sozinha e era Natal, e embora eu acreditasse que não deixarei de estar um pouco bravo com ela, jamais, ela não merecia, jamais, estar sozinha no Natal.

Virei a cabeça e estremeci quando vi mamãe e papai se afagando.

— Podem parar com isso? — Acenei meu telefone. — Recebi um e-mail de Jeane. Seu jantar de Natal foi cancelado e ela quer saber se pode vir e ficar aqui por alguns dias.

Teria sido tudo bem se papai tivesse gemido e mamãe dissesse "Mas eu só ofereci para ser educada", mas mamãe já estava se levantando.

— Vou me certificar de que há toalhas limpas. Você pode ir buscá-la, querido?

Eu não sabia ao certo a qual querido ela estava se referindo, mas meu pai arrancou a si mesmo do sofá, e Melly e Alice estavam perguntando se elas poderiam ir com ele, porque "Nós queremos muito ver a porta do boxe" e "Você acha que Jeane pode ter mudado a cor do cabelo?", e mesmo se eu tivesse pensado em buscá-la, e, bem, eu pensei um pouco, eu estava totalmente em desvantagem. Mandei um e-mail de volta para Jeane.

Tudo bem, papai e as pirralhas vão buscá-la num instante. Espero que você goste de peru frio, porque é tudo o que vamos comer pelos próximos dias.

Uma hora mais tarde, Jeane estava em casa, carregando um cesto da Fortnum & Mason's, um presente de seu agente que ela deu para mamãe e papai e um monte de porcarias coloridas para as meninas (ela estava sempre recebendo pilhas de lixo colorido dos RPs que queriam uma menção em seu blog): de prendedores de cabelo a robôs de brinquedo e a montes de doces que as lançaram em gritos de prazer ensurdecedores. Não havia nada para mim, mas quando ela foi cerimonialmente escoltada por Melly e Alice ao quarto de hóspedes para desfazer sua mala, verifiquei meu iPhone (vinha verificando-o a cada cinco minutos desde que o configurei) e havia um e-mail do iTunes para me comunicar que Jeane tinha me enviado um cartão de cem libras de presente.

Não pude deixar de notar que seu e-mail veio com "enviado do meu iPhone". Isso deve garantir um bom começo à sua coleção de aplicativos.

Embora ela tivesse tido apenas uma hora para arrumar suas coisas, ela tinha usado parte desse tempo para me escrever uma lista longa e detalhada de todos os aplicativos que eu tinha que comprar.

Mas não Angry Birds. Por favor, não seja tão previsível.

Não era como se ela estivesse magicamente perdoada, ou que eu quisesse começar novamente algo que, em primeiro lugar, nunca deveria ter começado, mas não podia criticar a generosidade de Jeane. Mesmo durante nossa discussão naquela esquina em Greenpoint, embora ela tenha proferido insultos contra mim, nem ao menos uma vez ela me lembrou que, se não fosse por ela, eu não estaria parado em uma esquina em Greenpoint, para começar.

E quando pensei em Nova York, lembrei que havia comprado uma tonelada de doces no Dylan's Candy Bar, os quais Jeane enfiou em minha mala quando ela fez as malas para mim. Eu poderia dá-los de presente de Natal para ela, mas era muito difícil encontrar um bom momento para entregá-los.

Na primeira noite, Jeane desabou ridiculamente cedo novamente, e no dia seguinte, ela estava mais interessada em ajudar minha mãe a inventar enormes sanduíches de peru recheados de chutneys, picles e de outros condimentos. Quando a tia-avó Mary chegou e Alice se recusou abertamente a se aproximar dela (o que era perfeitamente justificável, porque tia-avó Mary cheirava como se tivesse sido deixada na chuva), Jeane levou as garotas ao parque com suas novas scooters.

Então, quando voltou, ela se ligou com tia-avó Mary sobre o tom rosa em seus cabelos e, uma vez que tia-avó Mary havia sido levada de volta para Ealing e minha mãe tinha borrifado uma lata inteira de Febreeze sobre a poltrona em que ela estivera sentada, ela, as meninas e Jeane comandaram o sofá e começaram a assistir a musicais. Musicais antigos e respeitáveis em glorioso technicolor, nos quais começavam, de repente, aqueles grandes números de canção e de dança sobre passar uma noite na cidade e cantar na droga da chuva. Foi horrível. Normalmente, Melly e Alice contavam como uma pessoa, e os sexos estavam igualmente representados, mas, com Jeane na residência, o equilíbrio de poder havia mudado, e meu pai se recolheu aos seus estudos para assistir a um documentário sobre lepra e fiquei em minha cama jogando Angry Birds até que eu não podia mais ver direito.

Então Jeane ficou fora do meu caminho e eu fiquei fora do dela até a manhã seguinte, quando Melly e Alice foram a uma festa de aniversário que duraria todo o dia e mamãe e papai estavam enfrentando as ofertas de Natal para comprar uma nova máquina de lavar.

— Abasteci seu carro com gasolina na outra noite — papai disse quando estávamos terminando o café da manhã. — Por que você e Jeane não vão a algum lugar?

— Ah, está tudo bem — Jeane disse com a boca cheia de torrada e geleia. Ela tinha deixado Melly e Alice fazerem o cabelo dela, que já tinha pelo menos vinte presilhas e arcos nele. — Eu posso me divertir por algumas horas.

— Seria bom se vocês dois fizessem algo — mamãe disse com um olhar aguçado para mim. — E seria muito bom se você parasse de jogar esse jogo horrível com porcos, pássaros e aquele barulho incessante, Michael.

Olhei para Jeane, que olhou para mim com uma expressão vazia, e então olhamos para minha mãe, que tinha sua expressão "minha palavra é lei" estampada no rosto, e meia hora depois estávamos em meu carro.

— Então, aonde você quer ir? — perguntei educadamente a Jeane, porque ela estava tão ligada com minha mãe que eu estaria em apuros se fosse rude. Não que eu seria rude, mas a coisa toda era estranha. E Jeane estava sendo estranha. Nem uma vez, nas últimas trinta e seis horas, ela havia palestrado sobre grupos obscuros de garotas ou sobre o gênio semelhante a Deus que era Haribo, e eu não queria falar sobre o que tinha acontecido conosco ou o que iria acontecer conosco, porque nós iríamos começar a discutir e, então, eu não saberia o que dizer a ela.

— Você não tem que me levar a qualquer lugar — disse ela enquanto cruzava os braços. — Tipo, você poderia me levar a um café e eu poderia ficar lá por algumas horas e ninguém jamais saberia.

Então eu teria que encontrar outro café para me sentar por algumas horas no caso de mamãe e papai voltarem cedo, o que era simplesmente estúpido.

— Veja, nós podemos dar conta de passarmos algum tempo juntos, não podemos?

— Bem, sim, devemos ser capazes, mas será difícil, já que você não está falando comigo — Jeane disse calmamente.

— Não, é você quem não está falando comigo — disse, e gostaria de não ter soado tão mal-humorado.

— Eu não creio que você queira que eu fale com você.

Eu não sabia mais o que queria, exceto não ficar amarrado em um dos nós conversacionais de Jeane.

— Eu estou ligando o carro agora. Para que lugar nós vamos?

— Acho que poderíamos ir para a beira-mar. Ir para o litoral no inverno é bem legal, apesar de que tudo provavelmente estará fechado — ponderou Jeane. Inevitavelmente, ela começou a fazer algo com seu iPhone, então ela ligou o Sat Nav que eu tinha herdado de papai, que havia ganhado um novo no Natal. — Como isso funciona? É só colocar um código postal?

— Sim. — Eu tirei meus olhos da estrada por tempo suficiente para olhar para ele, e então observei Jeane digitando um código postal. — Onde fica isso?

Ela franziu a testa.

— Eu lhe direi quando chegarmos lá. Não será a viagem terrestre mais divertida de todos os tempos, mas ela pode ser seu presente de Natal para mim.

— Eu não arranjei um presente para você porque eu não sabia que meus pais, de repente, iriam adotar você! Eu ainda tenho os doces que comprei em Nova York, e estive esperando por uma chance para dá-los a você.

— Não foi uma provocação e realmente pedi a você antes de vir pra cá.

— Eu dificilmente poderia dizer não. — Olhei para Jeane. Ela estava sentada lá com os braços firmemente cruzados e seus lábios se movendo silenciosamente. Eu juro que ela estava contando até dez para não começar a gritar comigo. — Eu realmente não me importo de você ficar aqui. Eu só não entendo por que você quer e, para ser honesto, toda aquela cena com a porta do boxe me deixou louco.

— Sim, aquela cena com a porta do boxe foi bem uma epifania — Jeane disse inutilmente e, em seguida, começou a me fazer perguntas sobre Cambridge, se eu iria fazer o estágio em São Francisco e, quando o Sat Nav me disse para tomar a próxima saída da autoestrada, percebi que havia conseguido uma hora inteira sem discussão.

Jeane me pediu para parar em um posto de gasolina, e então voltou para o carro com um saco de Haribo Starmix e um ramo de flores.

— São para minha mãe?

— Não — ela disse, e eu esperei que ela começasse a me fazer perguntas de novo, mas ela apenas continuava fitando a rota no Sat Nav. Estávamos a apenas duas milhas de distância de nosso destino, e eu ainda queria saber para onde estávamos indo, mas ela não parecia querer me dizer.

Vire na próxima saída à esquerda. Você chegou ao seu destino, o Sat Nav me informou quando cheguei a um cemitério. A placa dizia que era um cemitério gramado, mas parecia um cemitério para mim.

— O que estamos fazendo aqui? Seus avós estão enterrados aqui?

Jeane balançou a cabeça.

— Andrew. Eu lhe contei sobre ele. — Ela soltou o cinto de segurança. — Embora, agora que estamos aqui, eu perceba que não tenho a menor ideia sobre o local de seu túmulo. Estamos à procura de um banco e de uma cerejeira selvagem. Você pelo menos sabe como é uma cerejeira selvagem?

O tempo estava congelante, com um vento úmido e contínuo rolando pelos campos abertos e a terra crepitando debaixo de nossos pés enquanto olhávamos para as lápides. Elas não estavam dispostas em fileiras, mas salpicadas aleatoriamente pelo terreno. Era legal, suponho, que cada túmulo tivesse seu próprio espaço e não estivessem todos amontoados, mas ainda era deprimente estar vagando por um cemitério, mesmo que fosse um cemitério ecologicamente correto.

Finalmente, encontramos o túmulo certo, depois que havíamos dado uma volta completa e quase tínhamos voltado para o carro.

Postei-me ao lado enquanto Jeane se agachou e limpou a pedra com a manga de seu casaco de pele artificial.

> ANDREW SMITH
> 1983 – 1994
> Filho querido, irmão amado, levado muito cedo.
> Descanse com os anjos, nosso garoto bonito e corajoso.

Havia um banco de madeira sob uma árvore, possivelmente, uma cerejeira selvagem, onde me sentei enquanto Jeane removia um buquê desidratado de um vaso no pedestal da sepultura e colocava suas próprias flores nele. Então ela permaneceu agachada por um longo momento, que deve ter sido um inferno para seus joelhos, até que lentamente se ergueu e se aproximou de mim.

— Eu me toquei que este foi o primeiro Natal em que ninguém veio visitar seu túmulo — disse ela, enquanto se sentava ao meu lado. Estava ainda mais frio agora, um frio úmido que se infiltrava e parecia como se estivesse cavando meus ossos, e Jeane estava tremendo, por isso coloquei meu braço em volta dela, e não de uma forma meio "abraçando um sentimento", mas mais como de uma forma meio "garotos escoteiros que se amontoam juntos para se aquecer quando se pegam separados do restante da tropa em um exercício externo". Ela imediatamente se aconchegou junto a mim. — A única pessoa que poderia vir este ano era eu.

— Isso a deixa triste? — perguntei, curioso, porque ela não parecia tão triste, estava pensativa.

— Esse lugar não é exatamente hilariante, mas é um bom lugar pra vir pra que as pessoas possam se sentir próximas das pessoas que elas perderam. — Ela torceu o nariz. — Embora, realmente, ninguém deveria ter que largar tudo e vir aqui pra se lembrar de alguém. Eles estão mortos, e é isso, ou se há algum tipo de vida após a morte, então eles estão sempre com você. — Ela apontou com a cabeça na direção do túmulo. — Quer dizer, ali estão apenas seus ossos, e não ele.

— Ah, Jeane, Jeane, Jeane... — disse, e sinceramente não sabia mais o que dizer. — Algo está realmente errado, não é?

— Realmente está, mas vou fazer isso direito — disse ela. — Porque não quero morrer e não ter ninguém pra visitar minha sepultura.

— Você não vai morrer — afirmei, e tentei fazer soar como uma piada, mas, naquele momento, fiquei preocupado que ela fosse suicida ou algo assim.

— Bem, é claro que eu não vou morrer — disse ela com um toque da velha ferocidade de volta em sua voz, o que foi um alívio. — A menos que eu consiga ser ceifada por um ônibus, pretendo viver por muito tempo ainda, mas não quero que minha vida seja longa e solitária, e do jeito que eu ando, estarei sozinha. Não, pior que isso. Eu estou sozinha.

— Você não estará sozinha. Você tem um monte de amigos que...

— Pessoas que conheço fora da internet — Jeane me lembrou secamente. — Michael, até mesmo meus pais não me amam.

— Mas eles te amam! Eles são sua mãe e seu pai, eles têm que amá-la.

— Só porque, supostamente, eles têm que me amar, não significa que eles amam — disse Jeane. — E, sim, tenho amigos, mas eu passei o Natal com sua família, que mal me conhece, e o único convite que eu tinha foi cancelado por causa de uma briga entre um homem de meia-idade que está meio desequilibrado mentalmente por já ter consumido muitas drogas e seu amigo alcoólatra pervertido. Isso não é legal. E na noite anterior, quando a porta do boxe quebrou, eu pensei: tenho 17 anos e estou totalmente sozinha; isso é responsabilidade demais. Eu me iludo que estou bem e estou enfrentando, mas minha vida é apenas uma fachada frágil sustentada com Haribo e cola Pritt. Quando eu realmente precisei de ajuda, não havia ninguém pra ligar.

— Você ligou pra mim — disse a ela. — Ou eu era o último recurso?

— O verdadeiro último dos meus últimos recursos, mas creio que eu sabia, lá no fundo, que você viria, mesmo que você agora me odeie.

Eu apertei meu braço em seu redor.

— Eu não a odeio. Você não é minha pessoa favorita no mundo, mas talvez você esteja começando a crescer para mim novamente.

— Sim, como uma infecção fúngica.

— Você não é tão ruim — disse, e Jeane olhou para mim e sorriu. — E você está se focando apenas nas coisas ruins porque é Natal, e quando você se sente uma porcaria no Natal, isso é um sentimento de porcaria poderoso e especial. Há um monte de coisas boas acontecendo com você. O programa de TV, o livro e o site, que irão me ensinar a não chamá-la de uma criação absurda da mídia. — Respirei profundamente. — Sinto muito sobre isso, a propósito, e por todas as outras coisas que eu lhe disse.

Jeane mordeu o lábio e olhou para o chão.

— Bem, obrigada por pedir desculpas, e eu sinto muito por ter dito... bem, atirado um monte de insultos sobre você, mas fingir que você não me conhecia no Twitter não foi legal.

Eu me contorci um pouco, e esperava que Jeane pudesse pensar que eu estava tentando ficar mais confortável, em vez de me contorcer de vergonha.

— Eu sei, mas, honestamente, isso não começou como um esquema maldoso pra obter vantagem sobre você, e, pra mim, você era muito mais agradável no Twitter do que era na vida real. Então, quando começamos a sair e outras coisas, pra mim, você continuava a ser mais agradável no Twitter. Tipo, você era menos adorkable e mais adorável. E é como eu disse no aeroporto de Nova York, eu deixei a coisa correr por tanto tempo que, no final, eu não poderia lhe contar que éramos amigos no Twitter.

Ela não disse nada por um longo tempo. Eu não tinha certeza se ela havia, ao menos, entendido o que eu estava tentando dizer, mas, em seguida, Jeane fez um "hummm" e quase riu.

— Acho que posso lidar com isso — disse ela, finalmente. — Sobre ser mais adorável do que adorkable, quero dizer. É por isso que estou parando com tudo. Eu decidi que não farei mais Adorkable.

Nem o livro nem o programa de TV ou qualquer outra coisa. Vou devolver o dinheiro ou algo assim.

— Mas que porra é essa? Você está louca?

— Eu não quero mais ser Adorkable. Eu não quero mais ser uma dork. Quero ser como todos os outros em vez de fingir que está tudo OK em se excluir e que todos os outros estão errados porque gostam das mesmas coisas e se vestem da mesma maneira. Eu estou destinada a pregar para as pessoas sobre como é legal serem elas mesmas, mas realmente o que quero dizer é que legal é somente ser como eu quero que elas sejam. Mas o que eu sei sobre qualquer coisa? Eu não sei nada.

— Você sabe muitas coisas, Jeane. Aquele discurso que você fez na conferência foi surpreendente. Uma mulher sentada na minha frente estava chorando.

— Bem, ela provavelmente tinha suas próprias coisas rolando — Jeane argumentou. Ela lutou para se sentar corretamente em vez de se inclinar em mim, e eu senti frio sem o calor de seu corpo contra o meu. — Sou tão hostil que estou afastando as pessoas, mesmo quando quero que elas sejam próximas. Gosto de você. Não importa se você tem o cabelo estúpido e se usa essas roupas caríssimas de modelo.

— O que você estava dizendo sobre como você pretende parar de fazer julgamentos críticos sobre as pessoas só porque elas não se vestem do modo "aprovado por Jeane"? — perguntei-lhe asperamente, e ela bufou e babou onde ela estava sentada. Eu acho que Melly e Alice a estavam influenciando.

— Esse é meu ponto. Apesar de seu estilo pessoal lamentável, você é realmente capaz de pensar de maneira independente, e você conhece um monte de coisas interessantes sobre computadores, Hong Kong e inteligência artificial, seus pais são legais e você estava certo em não querer mentir pra eles, mas eu vejo as coisas apenas do meu ponto de vista e meu ponto de vista está seriamente iludido. Eu só quero ser parte do mundo, em vez de olhá-lo de cima o tempo todo, e é isso que vou fazer.

Eu podia ouvir o que Jeane estava dizendo. Eu até concordava com algumas daquelas coisas. Ela estava sempre enchendo o saco sem parar sobre como as pessoas eram rasas e como elas não deviam julgar as outras por serem estranhas ou diferentes, quando Jeane era a pessoa mais julgadora que já conheci. Mas Jeane era estranha e diferente e, se não tivesse absolutamente nenhuma testemunha, eu teria que admitir que sua estranheza e sua diferença eram as características que mais apreciava nela.

— Eu não faria nada precipitadamente — aconselhei-a. — Quero dizer, você obviamente está se sentindo um pouco estranha exatamente agora, mas você ainda pode fazer Adorkable e seguir com as vendas de usados e todas as outras porcarias.

— Não posso. É errado. Não sou eu. Não quero mais comprar minhas roupas em vendas de usados. Eu quero comprá-las na Topshop.

Eu não pude evitar. Comecei a rir, porque Jeane só poderia ser tão involuntariamente engraçada quando ela estava tentando ser mortalmente séria. Eu não fiquei tão surpreso quando ela me bateu, mas ela pediu desculpas.

— Eu não vou mais bater em outras pessoas quando elas discordarem de mim. Eu serei tão facilmente harmonizável que elas nunca irão discordar de mim.

Isso me fez rir ainda mais intensamente. Levantei-me.

— Você não pode mudar quem você é. Ser argumentativa está codificado em seu DNA.

— Espere — ela murmurou sombriamente, se levantando e me seguindo até o carro. — No caminho de volta, vamos parar em algum lugar para que eu possa comprar uma calça jeans.

Eu sempre achei que a coisa mais estranha sobre Jeane, e isso realmente dizia alguma coisa, era que ela não possuía uma calça jeans.

— Você pode querer mudar seu estilo lentamente — disse quando chegamos ao carro. — Comece com jeans coloridos. Talvez laranja?

— Blue jeans — Jeane disse com firmeza. — E preciso comprar tintura de cabelo também.

Toda vez que eu pensava que tinha o riso sob controle, ele começava a estourar novamente, e assim, ao final, Jeane foi forçada a se sentar em suas mãos para que ela não fosse tentada a me bater de novo.

37

ISSO É TUDO, PESSOAL!

Você sabe como eu estou sempre dizendo que Adorkable é sobre seguir seu próprio caminho na vida e cozinhar um robalo (embora eu nunca tenha sabido realmente o que é um robalo ou como cozinhá-lo) para a corrente dominante da moda, sejam as roupas que você veste, a música que você ouve ou os pensamentos que você pensa.

Sim. Isso.

Bem, eu pegaria tudo de volta. Cada última palavra, vírgula, ponto e vírgula e ponto final.

Eu renuncio à dorkidade. A dorkidade e eu rompemos. Nós decidimos nos divorciar devido a diferenças irreconciliáveis.

A dorkidade automaticamente o torna uma pessoa melhor? Ser tocado pela mão de um dork enche sua vida de filhotinhos, arco-íris e felicidade instantânea? A dorkidade o mantém quente durante a noite, ou faz cookies para você, ou lhe faz uma massagem nas costas quando você está se sentindo para baixo? Não, ela não faz nada disso. E eu venho prestando, sim, eu mesma, e você, um desserviço, ao afirmar que não há problema em ser diferente. Talvez haja e talvez não haja, porque você (e refiro-me a mim) se tornou tão obcecado em ser diferente e em não se encaixar que você afasta qualquer um que tente se aproximar.

Realmente, qual é o ponto em se ter meio milhão de pessoas seguindo seus tuítes e ser a rainha teen da blogosfera, quando é dia de Natal e estou tão atolada em solidão que tive que me atirar à misericórdia de estranhos?

Acabou tudo bem, os estranhos foram muito acolhedores, mas fui forçada a olhar para mim mesma e para onde estou indo. Tornou-se claro que meu destino final é ser uma velha senhora louca, dona de mil gatos selvagens e que só vai interagir com a pessoa que faz distribuição de sopa por caridade.

Eu realmente não quero que meu futuro seja assim, então eu estou fechando a loja.

Abaixo a dorkidade, eu digo! Aqui estou para passar para o lado negro da força. Exceto que isso não se parece como o lado negro.

Parece que estou me movendo em direção à luz.

Então, aqui estou eu, Jeane, anunciando o fim da comunicação.

Fim da transmissão.

Mensagem encerrada.

38

Então, ao final, ser normal era ótimo. Realmente era. Foi tão fácil. Por que ninguém nunca me disse isso?

Para começar, pintei meu cabelo de castanho, para desgosto de Melly e de Alice (elas até ameaçaram me expulsar do clube especial delas, o Clube Melly e Alice, no qual eu havia sido introduzida com grande cerimônia). Embalei e despachei todos os meus vestidos multicoloridos de poliéster e minhas meias fluorescentes e fui à Hollister, à Abercrombie & Fitch e à American Apparel para comprar roupas apertadas de elástico nas cores azul-marinho, cinza e preto, que eram, realmente, perfeitamente, as cores certas, porque caíam bem com tudo.

Eu estava fazendo três refeições adequadas por dia, algumas até contendo legumes, indo para a cama no horário adequado e levantando nove horas mais tarde. Também removi todos os grupos de garotas e os grupos de garotos barulhentos e as trilhas sonoras de filmes obscuros do meu iPod e estava ouvindo as músicas das paradas. Eu também me desliguei da internet. Sem blogar e sem tuitar. Eu estava vivendo no momento. Eu estava apenas, tipo, estando. E, sem todas as minhas atividades extracurriculares do Adorkable, eu tinha muito tempo livre. Muito mesmo! Eu mal sabia o que fazer comigo mesma.

Levei Melly e Alice ao cinema para ver um filme. Nós queríamos ver o filme mais recente da Pixar, mas como ele tinha saído de cartaz, nós assistimos a um filme sobre princesas. Penso que foi realmente muito difícil porque era um filme muito mala, e em vez de ficar sentada e escrever um post bem sério sobre forçar noções antiquadas de gênero e de sexualidade em garotas pequenas e como o rosa necessitava ser recuperado como uma cor que não tinha nada a ver com princesas ou com fadas, antes que ele se perdesse para nós para sempre, eu só tinha que me sentar e tentar intensamente, sem exagero, manter minha pressão arterial em níveis administráveis. Mas quando o filme acabou, Melly e Alice pensaram que a princesa principal era estúpida, e que apenas deveria ter resgatado a si mesma em vez de cantar canções sentimentais até que o príncipe viesse salvá-la. Logo, tudo estava bem.

Sim, ser normal era o caminho a seguir, e adorei ter todo aquele tempo comigo para fazer tratamentos faciais e assistir a episódios consecutivos de *America's Next Top Model* e de *My Super Sweet 16*. Eu até fiz algumas coisas na cozinha, fortemente fiscalizada, que não envolviam colocar restos de comida para viagem em um micro-ondas para aquecer.

Era uma Jeane totalmente diferente. Uma Jeane adorável, se você quiser.

— Você não pode continuar assim pra sempre — Michael me disse no quarto dia da minha nova vida emocionante como uma garota comum, regular, cotidiana. — Você vai rachar. Ficarei espantado se você aguentar mais uma semana.

— Eu não vou rachar. Eu amo meu novo eu — disse, enquanto nós enchíamos a máquina de lavar louça depois do jantar. Nós finalmente nos despedimos do último peru, e agora estávamos trabalhando em um grande presunto que não fora cozido no dia de Natal porque não havia mais espaço para ele no forno.

Eu não estava totalmente certa, mas poderia jurar que ouvi Michael murmurar "Bem, eu não gosto muito do seu novo eu". Mas quando ele se empertigou depois de reorganizar os talheres que eu tinha enfiado na máquina de lavar de uma forma mais ergonômica, ele tinha um sorriso sem graça no rosto.

— Tudo que estou dizendo é que você não pode fingir ser normal. Ou você é ou você não é, e você não é.

— É aí que você está errado. Tipo, se eu fingir ser normal, então, ao final de tudo, não será mais fingimento, será apenas o que eu sou.

— Exceto que qualquer outra pessoa não pensaria nisso ao agir como normal, eles seriam normais — Michael sorriu de novo, porque ele pensou que a coisa toda era apenas uma brincadeira e não uma grande transformação de mudança de vida. Eu o pegava me lançando aqueles olhares estranhos, expectantes, como se ele pensasse que eu poderia, de repente, arrancar minhas roupas novas para revelar um macacão fluorescente e gritar "Psico!" tão alto quanto eu pudesse.

Considerando que ele sempre se queixava da maneira como eu me vestia e que ficava muito, muito chateado quando eu palestrava para ele sobre política sexual ou sobre a história da Haribo, eu pensava que ele poderia estar, bem, mais atraído pelo meu novo eu. Agora que não havia nada constrangedor a meu respeito, e eu deixaria de perder bilhões de pontos legais por sair com Michael, faria total sentido para nós ficarmos juntos novamente.

Eu tinha muito tempo livre para me dedicar a um namorado, e se eu estivesse saindo com Michael Lee, de mãos dadas com ele em público, então o mundo inteiro diria que eu era apenas uma garota normal saindo com um garoto normal. Seguindo em frente, sem motivos para ficar parada. Exceto que, agora que eu estava agindo normalmente, fui forçada a admitir que eu era simples e de aparência comum, enquanto Michael ainda era exoticamente bonito, e da última vez que verifiquei, ainda era o capitão do time de futebol e chefe do conselho estudantil, de modo que, em um mundo normal, aquilo o tornava completamente fora de alcance.

Foi um lembrete oportuno de que a normalidade nem sempre era como uma brisa.

— Quanto à festa de Ano-Novo hoje à noite, só para estarmos esclarecidos, não iremos juntos — disse Michael, apenas para o caso de que eu não estivesse atualizada quanto àquele ponto. — Não como um casal, somente como companheiros, pra que eu possa apresentá-la corretamente a todos os meus amigos para os quais você olhou altivamente por anos, e você pode começar a se tornar sociável.

Contei até dez. Eu estava contando até dez várias vezes ao longo dos últimos dias.

— OK. Vou me trocar. Creio que estou pronta para usar minha nova calça jeans fora de casa.

Duas horas depois, eu estava pronta para pôr tudo em ação. Ou para ir até a festa de véspera de Ano-Novo de Ant, amigo de Michael. Meu cabelo castanho estava recém-alinhado. Minha maquiagem era leve e de bom gosto, e eu apliquei duas camadas de rímel marrom (eu nem sabia que existia rímel marrom) para fazer os olhos parecerem maiores, e estava usando um top preto, jeans skinny escuro e sapatos pretos de salto alto de camurça. Sem flores presas em lugares estranhos. Sem glitter. Nenhuma estampa de animal. Eu iria com a mesma aparência de todas as outras garotas, embora tivesse apenas um problema...

— Eu não pensava que jeans irritasse tanto — disse a Michael enquanto mancava ao lado dele. Sapatos de salto alto que não foram usados por um proprietário anterior e, depois, doados para um bazar, realmente machucavam meus pés. — Jeane de jeans. Faria um grande ensaio fotográfico para meu blog, só que não faço mais isso.

— Creio que há inúmeras pessoas normais que blogam — disse Michael enquanto me aliviava da grande Tupperware que eu estava segurando. Para mostrar o quão amigável e simpática eu era, eu havia feito alguns salgadinhos de queijo para compartilhar com meus colegas de festa. Além disso, Kathy me arrancou da TV depois que eu vi seis episódios de *America's Next Top Model* na sequência. — Embora eu suponha que, uma vez que você chegue perto de um computador, você pode sofrer uma recaída e descarregar a raiva em um ensaio sobre como usar jeans é, na verdade, parte de uma conspiração global para fazer com que todos vistam jeans e tenham exatamente a mesma aparência.

— Cai fora! — rebati, antes que eu pudesse me conter.

— Eu pensei que a Jeane normal não seria tão hostil. Acho que estava errado — disse Michael. Ele nunca havia me feito passar por um tempo tão difícil, mesmo quando estávamos dormindo juntos e fazendo um ao outro passar por tempos difíceis o resto do tempo. — Provavelmente, é melhor você tirar esse ponto do seu sistema antes que cheguemos à festa.

Eu não podia esperar para chegar à festa, mas era só porque meus saltos doíam mais quando eu estava andando em calçadas rígidas e implacáveis. Assim que chegamos à casa de Ant e eu estava sobre um grosso tapete, eles se tornaram mais suportáveis e eu pude me preparar para a provação que estava por vir. Eu não tinha certeza do que eu esperava, além de a música parar e todos se voltarem para nos fitar quando eu entrasse com Michael Lee, mas não foi nada disso.

Todo mundo me ignorou. Todo mundo!

Enquanto Michael era saudado por todos os lados como se tivesse acabado de retornar após lutar na linha de frente de um conflito feroz no exterior. Ele só havia visto seus amigos poucas horas antes, quando eu estava assando os salgadinhos de queijo e explicando para um comitê de seleção, que incluía Melly e Alice, por que eu ainda devia ser permitida no Clube de Melly e Alice, mas seus amigos estavam todos tipo, "Cara!", e, "Por que você demorou tanto pra chegar aqui?".

— Você conhece Jeane da escola — Michael dizia, mas todos balançavam a cabeça ou diziam, "Certo, sim, Jeane", como se eles não tivessem a menor maldita ideia de quem eu era.

Fui para a cozinha colocar meus salgadinhos de queijo e, quando olhei em volta, Michael tinha desaparecido. Provavelmente não podia esperar para trocar chaveco e saliva com Heidi/Hilda/pouco importa qual era seu nome, que mandava mensagens para ele cerca de cinquenta vezes por dia.

Peguei um copo de papel com vinho branco e me posicionei em uma área privilegiada ao lado da lareira na sala da frente, de modo que não estava no caminho de ninguém dançando, e podia ver todo mundo que chegava e dar um sorriso acolhedor e inclusivo. Tipo, "Ei, olhe pra mim sendo toda acessível e sorridente. Venha aqui e diga olá". Só que ninguém se aproximou para dizer olá, exceto a droga do Hardeep, que esteve na mesma classe de Estudos de Negócios que eu nos últimos quatro anos.

— Hardy, sou eu, Jeane — eu ficava dizendo, mas ele estava falando sobre futebol e sobre todos os tipos de outras porcarias, e eu sabia que podia calá-lo em dez segundos, mas tive que ficar ali, com um sorriso congelado no rosto, até que ele disse "Bom, Jane, foi bom conversar com você, vou pegar outra cerveja".

Eu fiquei perto da lareira por outra meia hora. Minha velha vida poderia ter sido solitária, mas tirando os momentos quando eu estava na escola, nunca precisava estar próxima a um monte de imbecis. Na verdade, eu vi dois garotos fazendo todo aquele negócio de "puxe meu dedo". Jesus chorou.

Finalmente, quando podia sentir meu sangue subindo e contar até dez não mais estava sendo o suficiente para brecá-lo, cambaleei até a cozinha, contornando a garota que chorava e que estava sendo consolada por suas amigas ("Ele é um completo idiota que pensa com o pinto"), abri a porta traseira e fui tropeçando para o jardim.

Estava congelando de frio. Eu podia sentir minha pele se arrepiar enquanto eu tremia no deck. Estava gelado demais até mesmo para os fumantes desejarem enfrentar o frio para fumar, de modo que eu estava livre para reclamar e não importava se não havia ninguém para me ouvir.

— Ai, por que minha geração é como um bando de idiotas imbecis sem um pensamento original na cabeça? Por quê? Pelo amor de Deus, por quê? E na verdade, Hardeep, se você olhasse para o meu rosto, em vez de olhar para os meus seios inexistentes, já perceberia que era Jeane quem estava na sua frente. Sim, Jeane! Jeane, que uma vez bateu em sua cabeça com seu livro de Estudos de Negócios quando você disse que as mulheres precisavam de bolas de verdade pra dirigir uma empresa entre as quinhentas melhores do *Financial Times*, e, a propósito, Hardeep, a única razão pela qual você não acredita em mudança climática é porque você é burro demais pra entendê-la!

Eu me senti um pouco melhor. Mas só um pouquinho. Além disso, eu tinha muito mais queixas para tirar do meu sistema.

— E tem mais, caros colegas da minha escola, se esfregar contra as nádegas de um membro do sexo oposto não é dançar. Tecnicamente, é agressão sexual e...

— Jeane? É você, Jeane? — Havia uma mão suave repousando em meu ombro, e quase gritei. Eu também quase caí quando me virei e vi Scarlett em pé atrás de mim com um pequeno grupo de suas amigas. Garotas. Creio que eram da nossa escola, mas, francamente, nessa fase todas pareciam as mesmas para mim. — É você!

— Quem mais seria? — rosnei porque estava com o modo *grrr* ligado. Ela se afastou e levantei minha mão. — Espere! — Contei até dez, vinte, trinta... — OK, desculpe por isso. Oi, Scarlett. Como você está? Amei o que você fez com seu cabelo.

— Você está usando drogas? Será que alguém batizou o ponche? — Scarlett questionou, trêmula. Ela acenou com a mão na frente do meu rosto. — O que você fez consigo mesma?

— Eu não fiz nada. Bem, além de uma desconstrução — respondi. — Parei de fazer toda aquela coisa de dork. Eu sou como todo mundo agora.

— Sim, você tem certeza disso? — Scarlett estava muito arrogante agora que estava namorando Barney. E Barney nunca tinha sido arrogante até que começou a namorar comigo. Minha influência se espalhou pelo mundo, razão pela qual eu tinha que dar um tempo em meus caminhos perniciosos antes que eu tornasse todos arrogantes.

— Sim. — Eu fiz uma pose. — Diga olá para a nova Jeane. Jeane versão dois ponto zero, se você quiser.

Scarlett trocou um olhar com suas amigas. Uma espécie de olhar afetado.

— Não sei se realmente gostei da nova Jeane — ela fungou. — Eu acho que eu preferia a antiga Jeane.

— Você odiava a velha Jeane — eu a recordei.

— Eu não odiava... Eu não odeio. OK, a velha Jeane era muito assustadora, mas ela não era tão ruim assim.

— Sim, eu era. Eu era muito ruim — insisti.

— Não quando eu comecei a conhecê-la de verdade e ela me colocou em contato com minha guerreira feminista interior.

Eu suspirei.

— Mas você é apenas uma pessoa, Scar. A única pessoa que, ativamente, não odeia a velha Jeane.

— Não é a única pessoa — disse uma de suas amigas. — Todo mundo adorava tê-la em sua classe, porque você discutia com os professores quando eles estavam sendo idiotas.

Por aquele momento o deck estava enchendo. Um grupo de fumantes decidiu enfrentar as condições árticas, e Barney saíra para encontrar Scarlett, então havia um pequeno círculo de pessoas ao meu redor que estava concordando e falando. Não para mim, não para a nova e amigável Jeane, mas sobre como eles gostavam da velha Jeane dork e de suas maneiras altivas. Um garoto, o qual eu tinha certeza que não conhecia, apontou para mim.

— O que a nova imagem tem de legal? Ver o que você estava vestindo era o destaque da minha manhã.

— Sim, se eu não te via na escola antes da chamada, costumava ir ao seu blog pra ver como era sua roupa do dia — alguém disse.

— E seu Twitter. Tipo, você já tinha enviado cinquenta tuítes e postado alguns links antes mesmo que eu tomasse minha primeira xícara de café. Quando você vai começar a tuitar novamente? Você sempre encontra os melhores links, como aquele com o gatinho andando de Roomba.

Eles foram se aproximando de mim. Agora que eu parecia toda mansa e humilde, eles pensavam que poderiam me suportar.

— Acontece que eu sei que sou grande no Twitter apenas no Japão e nos Estados Unidos. Ah, e em partes da Escandinávia.

Barney estava tentando conseguir algum lugar mais próximo. Ele não estava indo muito bem e desistiu para que pudesse dizer pacientemente:

— Jeane, como você poderia não saber que há um grupo no 1º ano em que todas se chamam "As Jeanettes" porque se vestem exatamente como você, embora nenhuma de suas mães tenha lhes permitido tingir os cabelos de branco?

Balancei a cabeça.

— É precisamente por isso que tive que mudar, para que pudesse deixar de ser uma espécie de aberração para o entretenimento de todo mundo.

Scarlett colocou o braço em volta dos meus ombros e me deu um aperto reconfortante.

— Você não é uma espécie de aberração. Você é apenas, bem, excêntrica. Às vezes, na sala de aula, quando você estava falando de algo que eu nem sequer entendia, eu costumava pensar que era um pouco como ir à escola com uma versão mais jovem de Lady Gaga, embora você fizesse a divisão dos blocos contra e a favor andando apenas com roupa de baixo.

Eu não queria me separar, eu queria ser uma parte deles, mas eles estavam parados formando um semicírculo ao meu redor, olhando para mim, mas, ainda assim, não me aceitando, e eu não sabia o que mais eu poderia dizer para persuadi-los. Foi um alívio quando Michael entrou pela porta dos fundos.

— O que todo mundo está fazendo aqui? Ant está prestes a colocar o *SingStar*.

— Me ajude aqui, Michael — implorei. — Você pode contar a seus amigos que eu renunciei aos meus caminhos dork?

— Nós já passamos por isso centenas de vezes. — Ele suspirou. — Ser uma dor de cabeça desagradável e malvestida é o que você é, e não uma escolha de estilo de vida. Não é algo a que você possa renunciar.

— Não, eu posso. Eu retiro minha dorkidade. Eu não quero isso, porque, um dia, eu não serei dork, serei uma velha senhora louca vestindo roupas estranhas que grita com crianças pequenas pra organizá-las no ponto de ônibus.

— Você já grita com crianças pequenas para organizá-las no ponto de ônibus.

— Mas eu tenho que começar a me encaixar, antes que seja tarde demais. Veja, estou vestindo jeans! — gritei, batendo em minhas coxas vestidas de jeans.

— Eles não lhe agradam — disse Michael, e eu sabia que ele estava prestes a começar a rir de mim novamente, mas ele não começou. Em vez disso, bem na frente de todos, de todos os seus amigos que pensavam que ele era a coisa mais legal do mundo de todos os tempos, porque seus parâmetros sobre o que era legal eram realmente muito, muito estreitos, ele me beijou.

Ele me beijou tão longa e intensamente que seria extremamente rude não beijá-lo de volta. Depois de cinco minutos, creio que todos ficaram aclimatados à visão de Michael Lee e Jeane Smith se beijando, porque eu estava vagamente ciente de que eles começaram a se queixar do frio e, então, voltaram para dentro de casa.

Uma vez que eles já tinham ido embora, nós poderíamos realmente começar a nos beijar corretamente.

— Eu não posso acreditar que estou dizendo isso, mas sinto muita falta da velha Jeane — disse Michael, quando, finalmente, nos separamos e nos sentamos juntinhos no muro do jardim. — Você é dork, Jeane, lide com isso.

— A velha Jeane não era muito amável, no entanto, era? — perguntei, e desejei que não tivesse perguntado, porque não era como se estivesse esperando alguma grande declaração.

— Ela teve seus momentos — Michael decidiu, e nós permanecemos sentados em silêncio por um tempo, até que ele começou a rir. — E sua imensa base de fãs está em pedaços.

— O quê? Você quer dizer aquele meio milhão de seguidores no Twitter, os quais nem sequer me conhecem?

— Eles podem não saber quem você é, mas eles parecem estar sentindo sua falta — disse Michael. — A internet está em luto pela morte prematura de Adorkable.

— Olhe, entendo que você esteja tentando me fazer sentir melhor, fazendo algumas piadas, mas não está ajudando — respondi, e não podia suportar falar sobre aquilo novamente. Não quando beijar Michael podia voltar à agenda, porque eu realmente sentia falta de seus beijos.

Mas Michael me ignorou quando me inclinei para outro beijo. Ele puxou seu iPhone do bolso porque o verificava a cada cinco segundos. Era muito chato. Nem mesmo eu verificava meu telefone tantas vezes.

— Veja! — ordenou, empurrando o telefone em minha cara. — Veja! Mais de dez mil pessoas já curtiram uma página no Facebook chamada "Traga de volta Adorkable e restabeleça Jeane Smith como Rainha da internet".

Comecei a rosnar algo sarcástico, mas, na verdade, nada sarcástico veio à mente. Aquilo era meio que doce.

— Bem, isso não significa nada.

Michael me cutucou.

— Vá em frente, verifique seu e-mail ou seu Twitter, ou entre no YouTube, porque aposto que alguns novos vídeos de filhotinhos foram carregados durante o Natal. Você sabe que quer.

— Ah, meu Deus, você é como a porcaria de um traficante de drogas tentando me dar as primeiras pedras de crack de graça — rebati. — Se eu checar meu Twitter por apenas cinco segundos, você sabe que, no instante seguinte, terei iniciado um debate acalorado sobre o mal inerente dos ovos fritos da Haribo e entrado em uma briga com um velho participante do *Big Brother*.

Eu falava ao mesmo tempo em que entrava no Twitter. Michael espiava por cima do meu ombro enquanto eu clicava em meu feed de respostas.

> @adork_able Onde está você? Eu estou sofrendo abstinência de links de filhotes.

> @adork_able Volte, Jeane. O mundo é um lugar frio e solitário sem você.

> @adork_able Sou dork, logo existo. Não é isso que você sempre disse? Não nos deixe!

> @adork_able Toda vez que você tuitou, aquilo pode não ter significado muito para você, mas sempre me fez sentir menos sozinho.

E assim por diante, até que eu não pude carregar mais feeds de resposta porque havia tuítes demais para ele gerenciar. E a coisa realmente estranha era que, desde que virei minhas costas para a dorkidade, ganhei mais de dez mil novos seguidores, embora aquilo pudesse ter algo a ver com um link para um artigo do *The Guardian* sobre mim e algo chamado *blogger burnout*.

— Vê? Não sou o único a sentir falta da velha Jeane — disse Michael. Ele passou os dedos pelo meu cabelo. — Tenho saudades das suas experiências horríveis com tintura de cabelo. Sinto falta das roupas que cheiravam senhorinhas. Tenho saudades...

Afastei-me dele, porque seus toques me desmontavam, e eu queria me sentir inteira.

— É muito gentil que as pessoas sintam minha falta, mas elas não são reais. Não é real. É só a internet.

— Eu sei — Michael disse suavemente, como se ele estivesse apenas brincando comigo. — Mas você está em uma tarefa agora. Você também deve verificar seu e-mail.

Ele tinha um ponto. Não poderia fazer mal nenhum. Além disso, eu poderia ter uma mensagem de Bethan ou de um ministro do governo nigeriano que gostaria que eu lhe enviasse meus dados bancários para que ele pudesse transferir alguns milhões de libras para minha conta.

Eu tinha mais de trinta mil novos e-mails em minha caixa de entrada. Na verdade, por cinco minutos eu não consegui nem mesmo entrar em meu e-mail, porque minha caixa de entrada estava cheia, muito cheia. Quem sabia que isso poderia ser possível?

Eu não sabia por onde começar, então olhei em minha pasta de amigos, que era para onde as mensagens de pessoas que eu conhecia na vida real eram encaminhadas. Havia mensagens de Bethan, Tabitha, Tom e até mesmo de Mad Glen. Scarlett, Barney, Sra. Ferguson, Gustav e Harry, Ben e a mãe de Ben, todos da Duckie e um e-mail de Molly, pelo qual comecei.

Ah, Jeane, minha irmãzinha honorária!
Não sei por que você está sofrendo, mas quero ajudá-la a melhorar. Pegue um trem para Brighton, onde haverá chá, bolo e a caixa de DVDs *My So-Called Life* e um abraço grande e carinhoso esperando por você.

Eu não estava chorando. Eu não estava. Estava frio e meus olhos lacrimejavam, e era por isso que Michael estava tirando as lágrimas do meu rosto. Eu disse lágrimas, mas havia apenas cerca de três delas.

Mas então comecei a abrir e-mails aleatórios de pessoas que eu não conhecia. Não as pessoas da vida real, mas as pessoas da internet.

Eu tenho 14 anos e não tinha amigos, porque sou dork. Eu costumava passar todo meu tempo sentada em meu quarto, planejando como seria minha vida quando eu tivesse idade suficiente para sair de casa e tentar encontrar pessoas que fossem como eu.

Mas então eu encontrei você. Li seu blog e percebi que estava tudo OK em não me ajustar. Que era bom ser estranha e um pouco esquisita e ser dork, porque minha dorkidade era algo especial. E então eu a segui no Twitter e você me tuitou de volta, e acompanhei outras pessoas que seguiam você e eles eram um pouco como eu, e depois eu fiz o que todo mundo me disse para não fazer: conheci pessoas fora da internet, na vida real! Encontrei amigos que me aceitaram por ser quem eu sou e que são um pouco estranhos como eu. Nós nos encontramos para ir aos bazares de usados e partilhamos um Tumblr, mas, principalmente, nós rimos, e não me sinto mais sozinha; e é tudo por causa de você.

Ei, Jeane!
Não tenho certeza se você se recorda de mim, mas eu a conheci no verão passado no Acampamento de Rock 'n' Roll para Garotas de Molly Montgomery. Você fez uma palestra incrível sobre autonomia e autoestima, e você nos fez compartilhar os nomes mais dolorosos dos quais já havíamos sido chamadas. Depois disso, nos ensinou a reivindicá-los, escrevendo-os com caneta marcadora em nossos corpos, como tatuagens.

Minha palavra foi "gorda", e esta é uma foto da linda tatuagem que eu tinha feito para o Natal.

Eu não vejo mais "gorda" como um insulto, mas como uma poderosa declaração de quem eu sou, para permitir que os inimigos saibam que não podem me tocar.

Só queria que você soubesse que você me ajudou muito e que todos no Acampamento de Rock 'n' Roll ficaram malucos por você.

Jeane!

Eu li seu blog sobre participar de um teste para entrar em uma equipe de patinação, e você ME inspirou a participar de uma sessão de treinamento com minha equipe local.

Agora sou um orgulhoso membro dos Blackpool Brawlers, e todos nós amamos você. Venha para o Blackpool e nos deixe levá-la para comer batatas.

Querida Jeane,
Toda vez que você posta no blog, você muda a vida de alguém. Eu garanto a você.
Você mudou a minha.

Era mensagem após mensagem de pessoas as quais nunca conheci. Pessoas as quais eu nunca havia tuitado ou mencionado em um post. Mas todas elas tinham algo em comum: todas elas insistiam que, apesar de que nunca havíamos estado na mesma sala, eu era amiga delas. Elas eram minhas amigas. Que toda a questão da internet era para que pessoas como nós pudéssemos encontrar uns aos outros, e Adorkable foi o Sat Nav que os guiou para todos os outros dorks, freaks, outsiders e solitários, e que nenhum de nós estava sozinho. Juntos, éramos fortes. E se isso não fosse suficiente para me convencer, havia também as ofertas de quartos vagos, cestas de muffins e alguém ainda quis me dar um filhote de verdade.

— Bem, suponho que isso é algo para se pensar — disse lentamente. Minha voz estava muito rouca, pois estava fazendo um esforço sobre-humano para não chorar. — O que foi que você estava dizendo sobre a maior parte das pessoas que eu conhecia na internet ser formada por homens estranhos de meia-idade que viviam com suas mães, ou *spammers* que apenas...

— OK, admito que, talvez, eu estivesse errado — Michael murmurou. Ele me lançou um de seus olhares penetrantes, que eu tinha certeza de que ele praticava na frente do espelho enquanto demorava séculos para arrumar seu cabelo. — Talvez eu estivesse errado sobre um monte de coisas.

Eu pisquei.

— Sinto muito. Eu não entendi isso. Você disse que estava errado?

Michael me cutucou tão forte que eu quase caí do muro.

— Eu disse que talvez estivesse errado, mas você estava errada também. Caramba, você tem estado muito errada!

Eu não podia acreditar que estava discutindo com Michael Lee novamente. Eu havia perdido tanto. Eu havia perdido mais do que apenas seus beijos.

— Sim, mas você era apenas uma das muitas pessoas que me diziam repetidamente que a vida seria muito mais fácil se eu não fosse tão diferente.

— Ninguém além de você a forçou a entrar em um jeans skinny — Michael rebateu de volta para mim. — Mas sabe de uma coisa? Sua experiência em ser uma garota normal acaba de me provar que eu não gosto de garotas normais. Eu gosto de garotas que são diferentes e me fazem ver o mundo de uma maneira pela qual nunca o vi antes. E não é só um bando de malucos fora da internet, os quais ainda considero que sejam, provavelmente, homens estranhos de meia-idade que vivem com suas mães, que se importam com você. Realmente, há pessoas reais, no mundo real, que se preocupam com você também. Tipo, digamos, Melly e Alice.

— Eu amo Melly e Alice. Estou totalmente voltada a edificá-las à minha imagem — disse eu, enquanto Michael estremecia com o pensamento. — E, bem, creio que sua mãe e eu chegamos a um entendimento, não chegamos?

Michael estremeceu novamente.

— Ela estava fazendo barulho sobre lhe pedir pra vir morar com a gente.

Agora era minha vez de tremer.

— Deus, eu não creio que as coisas sejam assim tão más. — Olhei de lado para ele. — Mas, bem, chegar para o jantar algumas noites por semana e ficar de vez em quando pode ser legal. Quando não estiver ocupada com as coisas do Adorkable, isto é, se eu decidir que eu vou tocar as coisas do Adorkable — acrescentei, embora fosse uma conclusão dispensável. Cada pedaço de mim estava com saudades de voltar ao Adorkable.

— Eu estive pensando sobre isso — disse Michael. — Tipo, se você tivesse toda a coisa Adorkable acontecendo e o apoio de um bom homem por trás de você, que sou eu, à propósito, nossa, creio que você provavelmente será capaz de dominar o mundo em cerca de seis meses.

Ele tinha um ponto. Eu sempre fui muito orientada para os objetivos, mas havia muito mais que eu poderia alcançar se eu não tivesse que perder tanto tempo estando indignada.

— Bem, o mundo não precisa mudar, não é? E, desde que você não venha com ideias engraçadas sobre ser o poder por trás do trono, então, talvez, nós poderíamos fazer algo dar certo — respondi a ele e me senti estranha. Como se eu quisesse correr ao redor do jardim e tentar dar uma pirueta. Eu queria rir em voz alta e queria que Michael me pegasse e me girasse muito, muito rapidamente, até que pensasse que iria vomitar. Eu não estava inteiramente certa, mas creio que o que eu estava sentindo era a mais pura e desenfreada felicidade.

— Mais como um parceiro silencioso, então? — Michael sugeriu, e fingi pensar naquilo, até que ele pareceu um pouco irritado. — Vamos lá, Jeane! Nesta última semana não lhe mostrei que era a Jeane dork quem eu queria? *J'adork*! Você pode escrever um post inteiro sobre o assunto. Você pode até mesmo colocar minha foto, se pensar que pode viver com a vergonha de namorar um garoto que tem um cabelo estúpido e que usa roupas que são produzidas em massa e vendidas em grandes cadeias de lojas. Eu faria praticamente qualquer coisa por você.

Apertei os olhos. Graças a Deus eu ainda não tinha esquecido esse pequeno truque.

— Qualquer coisa?

— Praticamente qualquer coisa. Viagens ao exterior sem autorização dos pais ainda pode ser algo um pouco complicado, e vou me vestir como eu quero e usar meu cabelo no mesmo incrível estilo habitual — disse ele. — Fora isso, sim, qualquer coisa.

Era o que eu estava ansiosa para ouvir. Desci do muro e agarrei sua mão.

— Ótimo! Então me leve de volta à sua casa para que eu possa tirar esse jeans, pois posso sentir meus poderes se esvaindo a cada segundo que eu os visto.

E ele me levou.

J'adork

Estou de volta! Estou de volta ao Reino dos Dorks. Você sentiu minha falta? Espero que tenha sentido, porque eu senti falta de mim mesma e de você também. Eu estava errada, OK? E eu odeio estar errada, mas eu não podia deixar de ser dork por mais tempo do que eu poderia ficar sem respirar ou sem comer um saco de Haribo por dia, ou ver uma luva abandonada na calçada e tirar uma foto para postar no Twitter.

Mas eu precisava estragar tudo de uma forma monumental, dramática, jogando tudo para o alto, como um bebê joga seus brinquedos para fora do carrinho, para perceber que o que eu criei com Adorkable ganhou vida própria. Comecei a blogar porque não tinha mais ninguém com quem falar sobre a nova banda de rock que havia descoberto, ou para mostrar meu vestido novo esplêndido, ou mesmo para testar minha teoria de que os gatos são maus e querem nos controlar com mensagens subliminares ardilosamente disfarçadas em seus miados bonitos.

Nunca nem sequer imaginei que iria encontrar três pessoas que estivessem no meu nível, muito menos encontrar vocês. Todos vocês. Sim, mesmo os do fundão. Mas ainda consegui me convencer de que estava sozinha, de que as pessoas que eu conhecia na internet eram apenas pessoas na internet, e certamente não eram amigos.

Minha definição de amigo era alguém que se poderia chamar às 3 horas da manhã para dizer que não se consegue dormir porque o próprio tecido de sua vida está sendo mantido precariamente preso com tachinhas, e ele estaria à sua porta dentro de cinco minutos com um pote imenso de sorvete e um CD com músicas amorosamente compiladas. Por essa definição, eu não tinha nada, ninguém nem perto de um amigo.

Então, tive aquela crise enorme e tentei virar as costas para o Reino dos Dorks. Eu até pintei meu cabelo de castanho e comprei calças jeans. Eu queria me encaixar, e foi um desastre. Além disso, tudo foi muito, muito chato. Fui parar em um lugar escuro, meus amigos, e o que me tirou dele foi perceber que não importava o quanto eu pensasse que estava empurrando as pessoas para longe, havia pessoas que queriam estar perto de mim, se eu apenas lhes permitisse isso. Até mesmo pessoas com as quais eu frequentava a escola — tipo, isso não é muito estranho?

Mas, principalmente, havia vocês, e espero que nós ainda estejamos legais, porque não posso fazer Adorkable sem vocês, e creio que Adorkable é muito importante para estar dormente em um canto empoeirado da internet. Nem todos nós queremos estar em conformidade com as definições estreitas do que significa ser uma garota ou um garoto ou um adolescente ou um gay ou um hétero. Eu sei disso porque conheço vocês.

Nós somos os sortudos; nós encontramos um ao outro. Adorkable dá voz a quem está sentado em seu quarto ou pelos cantos, ou que está tentando arduamente apenas se ajustar. Mas, adivinhem? Vocês não têm que se ajustar. Vocês não precisam ser ninguém além de quem vocês realmente querem ser. Algumas vezes, nós nos esquecemos de que não há nenhuma lei que diz que é preciso ser o que os outros esperam que venhamos a ser.

A dorkidade não é algo que se possa escolher. É algo que se é. Mas em vez de dividir o mundo em lado dork e lado dark, percebi que todos nós temos um pouco de dork dentro de nós.

Então, sim, estou de volta e serei Adorkable para sempre. Eu não sei como ser outra coisa. Mas, além de ser Adorkable, tentarei ser mais adorável, de modo que vocês vão me amar mais do que jamais imaginaram ser possível.

Este é meu compromisso com vocês. Totalmente dork. Todo o tempo.

Jeane BJ

cara de dork

Agradecimentos

A Samantha Smith, a Kate Agar e a equipe da Atom por fazerem com que me sentisse tão bem recebida em meu novo lar. A minha sábia e maravilhosa agente, Karolina Sutton, a Catherine Saunders e a todos na Curtis Brown.

Também gostaria de agradecer a Hannah Middleton por me convidar tão generosamente para o leilão *Authors for Japan* e por conseguir ter uma personagem com seu nome, e a Keris Stainton pela organização do leilão.

Também devo agradecer a Lauren Laverne, a Emma Jackson e a Marie Nixon por estarem na *Kenickie* quando eram adolescentes e por fornecerem a trilha sonora deste livro, e a senhorita Hill, minha professora de Inglês, que me ajudou a obter minha qualificação e por sempre me perdoar por ser uma garota tagarela e intempestiva, e também porque foi capaz de ver algo em mim que eu mesma não fui capaz de ver.

Sarra Manning é escritora e jornalista. Iniciou sua carreira como autora no *Melody Maker* e então passou cinco anos na lendária revista adolescente britânica *J17*, a princípio como escritora, e depois como editora de entretenimento. Depois, editou a bíblia da moda jovem, *Ellegirl UK*, e a revista *What to Wear*, da BBC.

Sarra vem escrevendo para *Elle, Grazia, Red, InStyle, The Guardian, Sunday Times Style, The Mail on Sunday's You, Harper's Bazaar, Stylist, Time Out* e *The Sunday Telegraph's Stella*. Seus romances best-sellers para jovens adultos, que incluem *Guitar Girl, Let's Get Lost, Pretty Things*, a trilogia *The Diary of a Crush* e *Nobody's Girl* foram traduzidos para vários idiomas.

Ela também escreveu três romances adultos: *Unsticky, You Don't Have to Say You Love Me* e *Nine Uses for an Ex-Boyfriend*.

Sarra vive ao norte de Londres e se orgulha de sua habilidade única de utilizar acessórios.